CW00430559

XXe siècle

DANS LA SÉRIE *LES GRANDS LIBRIO*

Anglais, Librio n° 830
Expression française, Librio n° 832
Langue française, Librio n° 835
Mathématiques, Librio n° 836
Mythologie, Librio n° 877
Espagnol, Librio n° 879
La culture générale est un jeu, Librio n° 881

Collectif

XXe siècle

Librio

© E.J.L., 2008 pour la présente édition

SOMMAIRE

PREMIÈRE PARTIE
Guerres et conflits du XXe siècle
par Sophie Chautard

Deuxième partie
Les grandes dates du xxe siècle
par André Larané

Troisième partie
Les grands noms du xxe siècle
par André Larané

Quatrième partie
Les grands discours du xxe siècle
par Kevin Labiausse

CINQUIÈME PARTIE
Le XXe siècle est un jeu
par Yves Billard

Première partie

Guerres et conflits du XXe siècle

par Sophie Chautard

Cartographe : Carl Voyer

Introduction

Les conflits qui se sont succédé au cours du siècle précédent ont été les plus nombreux et les plus meurtriers de l'histoire de l'humanité. Il n'y a pas un continent qui ait été épargné par la guerre, pas un pays qui n'ait souffert, directement ou indirectement, d'un conflit. Les deux guerres mondiales occupent évidemment une place particulière dans ce bilan, mais il est incontestable que même en mettant ces deux hécatombes de côté, jamais les hommes n'auront vu surgir autant d'oppositions armées dans autant de régions en si peu de temps.

Cet ouvrage ne peut, étant donné leur nombre, recenser tous les conflits ayant surgi au XXe siècle sur la planète. C'est pourquoi l'auteur s'est attaché à présenter les plus célèbres d'entre eux. Il ne s'agit pas forcément des plus meurtriers, mais de ceux qui ont duré le plus longtemps, ou qui ont eu le plus d'impact sur la scène internationale.

Le classement par continent puis par ordre chronologique offre une consultation aisée et un usage pratique pour comprendre les principaux affrontements qui ont eu un rôle dans l'histoire du monde au XXe siècle. Nous espérons que ce mémento sera utile aux élèves, aux étudiants, et à tous ceux que l'histoire passionne.

Chapitre 1

Europe

1912-1913 : guerres balkaniques

*

1914-1918 : Première Guerre mondiale

*

1917 : la révolution bolchévique

*

1936-1939 : la guerre civile d'Espagne

*

1939-1945 : la Seconde Guerre mondiale

*

1944-1949 : la guerre civile de Grèce

*

1956 : la crise de 1956 en Hongrie

*

1968 : le printemps de Prague

*

Depuis 1968 : le nationalisme basque en Espagne

*

1971-1998 : Bloody Sunday

*

1974 : la révolution des Œillets au Portugal

*

1991 : Slovénie

*

1991-1992 : Croatie

*

1991-1992 : Bosnie

*

1994-1996 : la Tchétchénie

*

Depuis 1999 : le Daghestan

*

1999 : le Kosovo

BALKANS

Dates : octobre 1912-mai 1913 et juin-juillet 1913.

Forces en présence : Ligue balkanique contre **Empire ottoman***, puis Serbes, Grecs et Roumains contre Bulgares.

Lieux d'impact : Balkans.

Cause : rivalité entre la Russie et l'Autriche-Hongrie pour la possession des territoires européens contrôlés par l'Empire ottoman.

Déroulement : la Russie souhaite contrer l'influence de l'Autriche-Hongrie en Europe centrale et encourager la création d'une « Ligue balkanique » réunissant la Serbie, le Monténégro, la Grèce et la Bulgarie. Profitant de l'affaiblissement de l'Empire ottoman, la Ligue balkanique, soutenue par la Russie, attaque la Turquie le 18 octobre 1912. On reproche à cette dernière sa politique agressive de « turquisation » en Macédoine. De plus, la Bulgarie a lancé dès le mois d'août un ultimatum à la Turquie pour la reconnaissance de l'autonomie de la Macédoine.

En mai 1913, l'Empire ottoman est vaincu et se retrouve amputé de la quasi-totalité de ses territoires en Europe. Le traité de Londres du 30 mai 1913 le prive en effet de la Macédoine, de la Thrace et de l'Albanie.

Une fois ce premier conflit achevé, c'est au tour de la Serbie et de la Bulgarie de se disputer la Macédoine. Une nouvelle guerre éclate le 29 juin 1913 dans les Balkans entre la Grèce, la Serbie et la Roumanie (soutenus par la Russie), d'un côté, et la Bulgarie, elle-même encouragée par l'Autriche-Hongrie, de l'autre.

La Bulgarie est finalement vaincue le 30 juillet suivant et, par le traité de Bucarest du 10 août 1913, perd d'importantes portions de territoire au profit de la Roumanie, de la Grèce, de la Serbie et de la Turquie.

Conséquences : ces deux conflits successifs ont fait naître un profond ressentiment chez les Turcs et les Bulgares et ont exacerbé le nationalisme serbe. Cette situation a avivé les tensions en Europe centrale et orientale, où naîtra la Première Guerre mondiale l'année suivante.

Europe/Colonies

Première Guerre mondiale

Dates : 28 juillet 1914-11 novembre 1918.
Forces en présence : **Triplice*** contre Alliés secourus par les États-Unis.
Lieux d'impact : Europe.
Cause : assassinat de l'héritier d'Autriche-Hongrie à Sarajevo.
Déroulement : l'Europe domine le monde au début du XXe siècle, mais de nombreuses rivalités divisent le continent. En outre, les revendications nationalistes se multiplient au point de mettre en péril l'Empire austro-hongrois dans les Balkans. Le contexte politique est donc particulièrement tendu lorsque, le 28 juin 1914, l'héritier du trône d'Autriche-Hongrie, l'archiduc François-Ferdinand, est assassiné à Sarajevo par un Serbe de Bosnie. Un mois plus tard, après expiration d'un ultimatum, ce tragique événement incite l'Autriche à déclarer la guerre à la Serbie accusée d'avoir organisé l'attentat.

Par l'enchaînement des alliances, les pays européens entrent en guerre les uns après les autres durant les premiers jours d'août 1914. Les Empires centraux (Allemagne et Autriche-Hongrie) se retrouvent face aux pays de l'**Entente*** ou Alliés (France, Grande-Bretagne et Russie). La Belgique, pays neutre, puis la France, sont envahies au mois d'août par les troupes allemandes. Leur progression rapide entraîne la première bataille de la Marne du 5 au 10 septembre. Les généraux Joffre et Gallieni parviennent à interrompre l'avancée allemande. Mais aucune des armées ne parvient à prendre une avancée déterminante. Chacun tente de déborder l'adversaire par l'ouest, et une course à la mer est lancée jusqu'à la mer du Nord.

Du côté oriental, les Allemands commandés par le général Hindenburg remportent la victoire de Tannenberg

(Prusse-Orientale) sur la Russie fin août (du 26 au 30), puis celle des lacs Mazures le 15 septembre.

Très rapidement, l'illusion d'une guerre courte se dissipe, et une **guerre de position*** s'engage dès le mois de novembre. L'Autriche envahit la Serbie. Sur tous les fronts, les armées s'enterrent dans des tranchées. La Turquie ayant déclaré la guerre aux Alliés le 2 novembre, ceux-ci décident d'envoyer un corps expéditionnaire dans les Dardanelles afin de protéger les détroits reliant la mer Noire à la Méditerranée. L'initiative, lancée en mars 1915, est un échec pour les troupes franco-britanniques face à la détermination des troupes turques commandées par Mustapha Kemal. La situation sur le front occidental s'enlise, et les offensives des Alliés en Champagne au cours de l'automne 1915 ont peu d'effet.

Les pays européens font appel aux troupes coloniales, et le conflit devient peu à peu mondial. En Mésopotamie et en Palestine, les Britanniques attaquent les troupes turques avant de pousser les Arabes à se révolter contre l'Empire ottoman.

L'année 1916 est marquée par la bataille de Verdun, de février à juin, au cours de laquelle périssent plus d'un demi-million de soldats français et allemands. C'est le général Pétain, nommé commandant des troupes françaises à Verdun, qui permet à la France de remporter la victoire. Les batailles se succèdent au cours de cette année 1916 : en mai, la bataille navale du Jutland (nord du Danemark) oppose les Britanniques aux Allemands ; en juillet, lors de la bataille de la Somme, les Alliés tentent vainement d'enfoncer les lignes allemandes. Les Alliés, pourtant rejoints par l'Italie en mai 1915 et par la Roumanie en août 1916, ne parviennent pas à remporter de bataille décisive. La Roumanie est rapidement écrasée par les Allemands (décembre 1916).

En 1917, une crise à la fois militaire, morale et politique entraîne mouvements de grève et mutineries. Au printemps, les Français sont battus au Chemin des Dames (en Champagne) après l'échec de l'offensive du général Nivelle. Les Italiens sont battus à Caporetto en octobre. La situation sur le front ouest devient préoccupante pour les Alliés. Début novembre 1917, à l'issue de la révolution bolchevique, la Russie se retire définitivement du conflit (elle conclut ensuite une paix séparée avec l'Allemagne à Brest-Litovsk en mars 1918). Libérés du front oriental, les Empires centraux peuvent concentrer leurs forces sur le front ouest. Depuis le printemps 1915, la guerre est également sousmarine. Son intensification, à partir de février 1917, décide les États-Unis à entrer en guerre aux côtés des Alliés (le 6 avril). L'arrivée massive des Américains sur le sol européen donne alors une supériorité matérielle et numérique aux Alliés. Cette supériorité permet de renverser la situation au cours de l'année 1918.

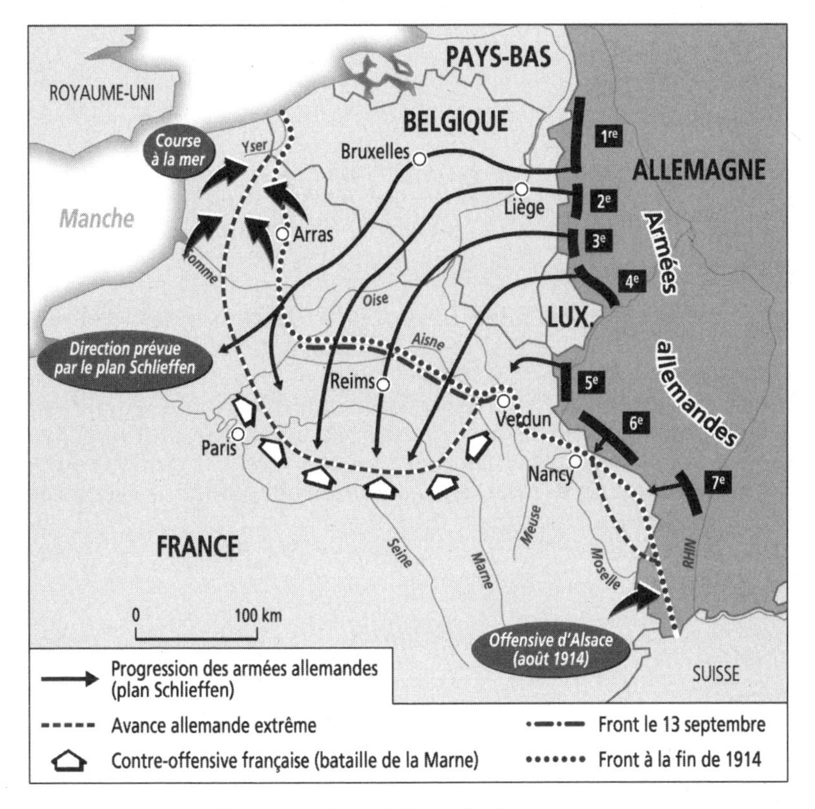

Offensives de 1914 sur le front ouest

Les Allemands tentent une grande offensive en Artois, en Picardie et en Champagne. En mai 1918, ils infligent aux Français une cruelle défaite au Chemin des Dames, puis bombardent Paris. Mais la situation change au profit des Alliés avec l'arrivée de renforts américains. En juillet, l'attaque allemande en Champagne est refoulée. Le 8 août, une contre-offensive alliée permettra de vaincre définitivement les troupes allemandes à l'automne suivant. Les Italiens parviennent en octobre 1918 à battre les Austro-Hongrois à Vittorio Veneto au nord-est de l'Italie, et les forces françaises et serbes leur infligent également une défaite dans les Balkans. Les soldats ottomans sont chassés de Syrie par les Britanniques et les Arabes. Les forces navales françaises prennent Beyrouth. Pendant ce temps, les territoires français et belge sont libérés à l'automne. La Bulgarie, la Turquie, puis l'Autriche capitulent entre fin septembre et début novembre 1918. L'Allemagne, isolée, s'effondre peu à peu, secouée par une vague révolutionnaire qui contraint l'empereur Guillaume II à abdiquer le 9 novembre au profit de la République de Weimar. En Autriche-Hongrie, l'empereur Charles Ier doit renoncer au trône deux jours plus tard. L'armistice est signé le 11 novembre à Rethondes, en forêt de Compiègne, devant le maréchal Foch, généralissime des armées alliées depuis mars 1918.

Conséquences : la Première Guerre mondiale (à laquelle ont participé peu ou prou 35 pays) prend fin, laissant derrière elle 9 millions de morts. Les pays européens, plongés dans une grave crise financière et matérielle, voient désormais leur puissance décliner.

RUSSIE

La révolution bolchevique

Dates : février-octobre 1917.
Forces en présence : les bolcheviks* contre le pouvoir tsariste.
Lieux d'impact : Russie.
Cause : insurrection de Petrograd contre le pouvoir impérial.
Déroulement : dans la Russie du début du XXe siècle, l'opposition au tsar Nicolas II prend de l'ampleur. Une première révolution, déclenchée en janvier 1905, est réprimée

dans le sang. En février 1917, les revendications sociales sont exacerbées par les pertes humaines et les pénuries engendrées par la Première Guerre mondiale. Les grèves ouvrières se succèdent à Petrograd. Ce mouvement social se mue rapidement en révolution, et le tsar doit abdiquer le 2 mars suivant. Un gouvernement provisoire est formé. Son programme est dicté par le Soviet de Petrograd, une assemblée élue de représentants ouvriers et de soldats. Les bolcheviks, menés par Lénine, exigent l'arrêt de la guerre et revendiquent une révolution à la fois ouvrière et paysanne. La situation est de plus en plus anarchique. En juillet 1917, les bolcheviks tentent de renverser le gouvernement provisoire. La répression s'accentue. Une nouvelle insurrection, menée par le général Kornilov, tente en août de soumettre les Soviets et les autres organisations ouvrières pour prendre le pouvoir. Le gouvernement provisoire s'allie aux bolcheviks pour repousser les troupes de Kornilov. Après avoir obtenu la majorité chez les représentants des Soviets en septembre 1917, les bolcheviks prennent le pouvoir à Petrograd dans la nuit du 24 au 25 octobre. Lénine est à la tête du gouvernement bolchevique, appelé « Conseil des commissaires du peuple ».

Une guerre civile s'ensuivra, entre 1918 et 1922. Les bolcheviks s'imposeront finalement contre les troupes restées fidèles au tsar, les Armées blanches, malgré le soutien des pays occidentaux.

Conséquences : l'Union des républiques socialistes soviétiques est fondée le 31 décembre 1922.

Espagne

La guerre civile

Dates : juillet 1936-1er avril 1939.

Forces en présence : troupes franquistes contre républicains et Brigades internationales.

Lieux d'impact : toute l'Espagne.

Cause : refus par les conservateurs d'accepter la victoire du Front populaire aux élections et putsch militaire.

Déroulement : lors des élections législatives de février 1936, la gauche unie au sein du *Frente Popular* (Front populaire) triomphe face aux conservateurs. Mais peu après, le nouveau pouvoir doit contenir l'agitation des éléments révolutionnaires d'extrême gauche (grèves, occupation des terres, etc.) et lutter contre les affrontements parfois meurtriers entre extrémistes de droite et de gauche. La situation va servir au général Franco qui réalise un coup d'État (*pronunciamiento*) les 17 et 18 juillet de cette même année 1936. C'est le début d'une guerre civile. Les nationalistes espagnols, franquistes, reçoivent l'appui des régimes fascistes européens (Italie, Allemagne et Portugal). Leurs adversaires, réunis sous l'appellation de « républicains », sont soutenus par l'Union soviétique (jusqu'en 1938) et par les Brigades internationales composées de volontaires de pays étrangers (France, États-Unis, Pologne, Angleterre, Italie...). Le gouvernement français, dirigé par Léon Blum, n'intervient pas, mais ouvre ses frontières aux républicains. La guerre prend fin le 1er avril 1939 avec la victoire des troupes nationalistes de Franco.

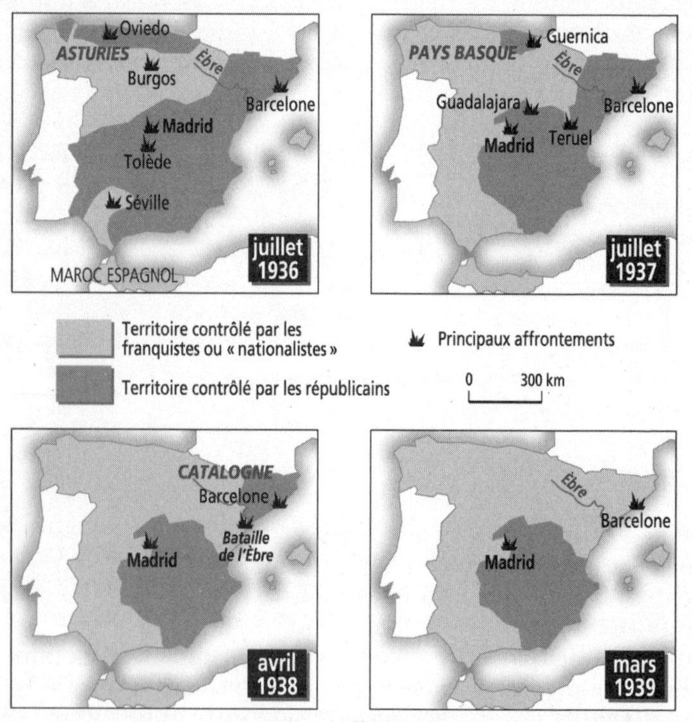

La guerre d'Espagne

Conséquences : le nombre de victimes varie selon les sources : entre 300 000 et 900 000 tués, tous camps confondus, auxquels s'ajouteraient plus de 500 000 victimes indirectes (malnutrition, maladies et manque de soins médicaux). Le général Franco instaure un régime autoritaire qui durera plus de trente-cinq années, jusqu'à sa mort, le 20 novembre 1975.

EUROPE / MONDE

La Seconde Guerre mondiale

Dates : 1er septembre 1939-2 septembre 1945.
Forces en présence : l'**Axe*** contre la **Grande Alliance***.
Lieux d'impact : le monde entier, en particulier l'Europe, l'Asie orientale et l'Afrique du Nord.
Cause : invasion de la Pologne par les troupes allemandes.
Déroulement : l'Europe des années 1930 voit se développer la menace expansionniste allemande : depuis 1933, l'Allemagne a pour chancelier Adolf Hitler, un ultranationaliste qui prône la nécessité d'un « espace vital » pour le peuple allemand et met en avant la supériorité de la race aryenne tout en manifestant un profond antisémitisme. L'Allemagne annexe l'Autriche puis une partie de la Tchécoslovaquie en 1938, et les puissances européennes française et britannique laissent faire. Hitler profite de cette situation pour mettre en œuvre ses grands projets de domination de l'Europe, après s'être allié notamment à l'Italie.

L'Allemagne envahit la Pologne le 1er septembre 1939 et, utilisant la tactique de la « **blitzkrieg*** », écrase le pays en l'espace de quelques semaines. L'Union soviétique s'empare à son tour de la partie orientale du pays. La Pologne capitule le 28 septembre 1939. Ses alliés, la France et la Grande-Bretagne, bien qu'ayant déclaré la guerre à l'Allemagne, n'ont pu lui porter secours. C'est le début de la « drôle de guerre », cette période de plusieurs mois au cours de laquelle rien ne se passe. En avril 1940, l'Allemagne envahit le Danemark et la Norvège, malgré l'intervention d'un corps expéditionnaire franco-britannique à Narvik (Norvège).

Le 10 mai 1940, une nouvelle offensive allemande atteint successivement les Pays-Bas et la Belgique, qui capitulent très rapidement, puis la France, qui combat pendant six semaines avant de signer un armistice à Rethondes le 22 juin.

Dirigée par le maréchal Pétain depuis Vichy, la France est coupée en deux par une ligne de démarcation entre la zone occupée par les Allemands et la zone libre. De son côté, le Royaume-Uni poursuit seul la guerre contre l'Allemagne.

De la fin de l'été 1940 au printemps 1941, la bataille d'Angleterre oppose les forces aériennes britanniques et allemandes. Les villes anglaises sont bombardées massivement, mais la détermination de la population anglaise, encouragée par le Premier ministre britannique Winston Churchill, ne faiblit pas.

Le conflit s'étend au cours de l'année 1941. Les Italiens, en difficulté face aux Britanniques en Libye, sont secourus par l'**Afrikakorps*** du maréchal Rommel en février. Après avoir aidé les Italiens dans les Balkans en avril, les troupes allemandes se tournent vers l'est et lancent le 22 juin 1941 l'opération Barbarossa d'invasion de l'URSS. L'avancée allemande est foudroyante. En décembre, Moscou est atteinte.

Dans le Pacifique, le Japon lance une attaque surprise sur la base américaine de Pearl Harbor (Hawaï) le 7 décembre, provoquant l'entrée en guerre des États-Unis contre les forces de l'Axe.

L'année 1942 est celle d'un renversement du rapport de forces, avec les premières victoires militaires des Alliés. L'arrivée des États-Unis, surnommés « l'arsenal des démocraties », leur procure une nette supériorité matérielle et financière. Mieux armés et mieux organisés, les Alliés prennent l'avantage sur plusieurs théâtres d'opération. En mai-juin 1942, les Américains remportent les batailles de la mer de Corail et de Midway contre les Japonais, puis débarquent à Guadalcanal en juillet, bloquant ainsi l'expansion japonaise dans le Pacifique. En Afrique du Nord, les Britanniques battent le général allemand Rommel à El-Alamein (Égypte) en novembre 1942. Ce même mois, l'opération Torch organise le débarquement des Anglo-Américains en Afrique du Nord.

Pendant ce temps, en Europe, Hitler orchestre contre les populations juives la « solution finale », décidée à la conférence de Wannsee en janvier 1942, et qui vise à faire disparaître un peuple entier dans des camps d'extermination. La France voit sa zone libre envahie en novembre et la flotte basée à Toulon se saborde. Sur le front de l'est, les troupes allemandes atteignent le Caucase et la Volga.

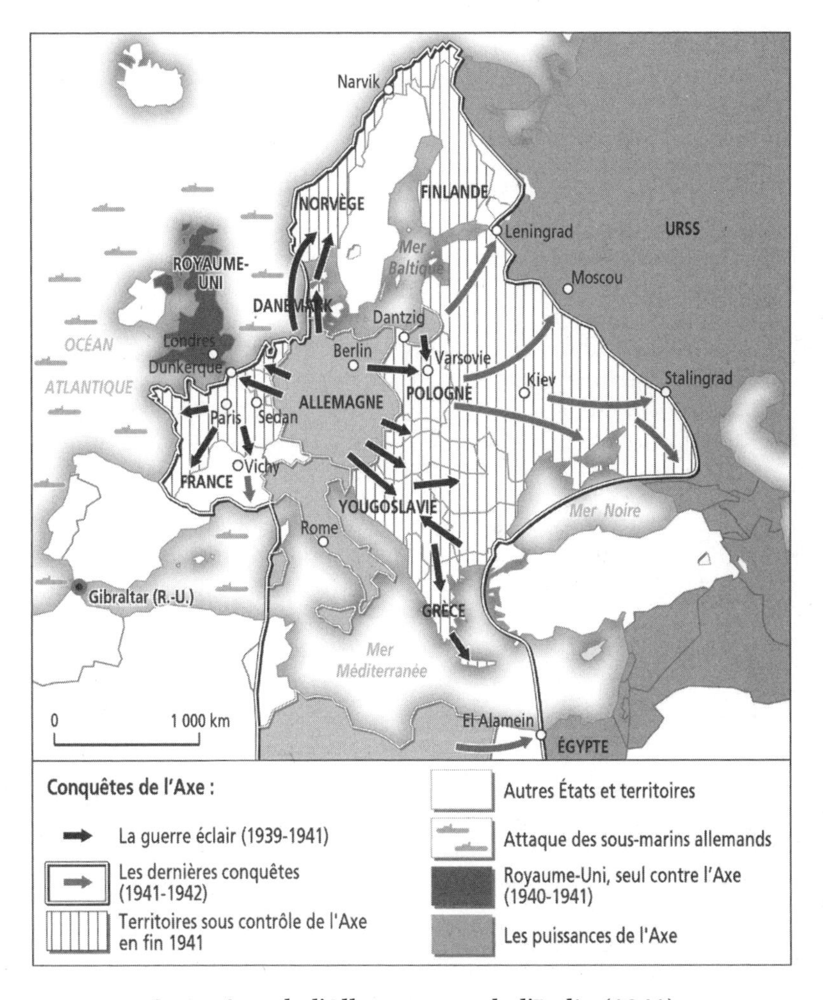

Conquêtes de l'Allemagne et de l'Italie (1941)

L'année 1943 est décisive sur de nombreux fronts, en particulier en Europe : en février, la VIe armée allemande du général von Paulus capitule à Stalingrad (Russie), ce qui constitue un tournant militaire et psychologique très important. Les Allemands sont de nouveau battus par les Soviétiques à Koursk en juillet 1943, et les Alliés remportent au printemps la bataille de l'Atlantique. Ils prennent le contrôle de la Méditerranée après le départ des troupes de l'Axe d'Afrique du Nord et suite au débarquement allié en Sicile puis sur les côtes italiennes (juillet 1943).

Les Alliés multiplient les succès en 1944, et libèrent progressivement l'Europe : les Soviétiques reconquièrent leur territoire et repoussent les Allemands vers l'Europe orientale. En mai, les Allemands sont battus à Monte Cassino (Italie) et, en juin, les Alliés entrent à Rome et débarquent en Normandie (le 6 juin). En août 1944 a lieu le débarquement de Provence.

Dans le Pacifique, les Américains sont vainqueurs aux îles Mariannes le 20, puis reprennent l'île de Guam aux Japonais en août suivant. À la fin de l'année, l'ensemble du territoire français est libéré, en dépit d'une offensive allemande dans les Ardennes au mois de décembre. Les premiers mois de l'année 1945 sont ceux de la reconquête finale sur les territoires occupés par l'Axe : en Europe, Américains et Soviétiques parviennent à se rejoindre sur l'Elbe en avril 1944, puis Berlin est investi par l'Armée soviétique. Hitler met fin à ses jours le 30 avril de la même année. Une semaine plus tard, le 8 mai, l'Allemagne signe sa capitulation.

Dans le Pacifique, les forces américaines reprennent les Philippines et l'île d'Iwo Jima en février, puis l'île japonaise d'Okinawa en juin 1944, mais la résistance acharnée des armées japonaises fait craindre une guerre prolongée. Le président américain Truman décide au mois d'août de recourir à la bombe atomique, qui est lancée sur les villes d'Hiroshima le 6 et de Nagasaki le 9 août 1944. Cinq jours plus tard, les Japonais décident de se rendre. La capitulation japonaise est signée le 2 septembre 1945.

Conséquences : c'est alors que prend fin le conflit le plus meurtrier de l'histoire mondiale, et le bilan est effrayant : plus de 50 millions de morts. On dénombre parmi eux plus de 6 millions de victimes des camps d'extermination, essentiellement des Juifs (plus de 5 millions), plusieurs centaines de milliers de Tsiganes, ainsi que des Slaves, des membres de la Résistance... L'Europe est une région dévastée moralement, financièrement, matériellement.

Grèce

La guerre civile

Dates : décembre 1944-août 1949.
Forces en présence : **partisans*** aidés par Moscou contre troupes royalistes, soutenues par Londres puis Washington.
Cause : départ des Allemands de Grèce et division politique des mouvements de résistance qui luttent chacun pour le pouvoir à Athènes.
Déroulement : guerre civile.
Conséquences : victoire des royalistes.

Hongrie

La crise de 1956

Dates : octobre-novembre 1956.
Forces en présence : population hongroise contre blindés soviétiques.
Lieux d'impact : Budapest et province hongroise.
Cause : soulèvement populaire à Budapest.
Déroulement : la crise hongroise est significative de la domination de Moscou sur les pays d'Europe de l'Est. Tandis que la **déstalinisation*** lancée par Khrouchtchev en février 1956 laisse imaginer la possibilité d'une ouverture politique, le peuple hongrois entame de grandes manifestations à partir du 6 octobre 1956, lors de la cérémonie de funérailles officielles réhabilitant Lazslo Rajik, ancien responsable politique communiste, persécuté par le régime. Les Hongrois réclament notamment le départ du dirigeant

conservateur du Parti, Erno Gero, et le retour d'un ancien président du Conseil, Imre Nagy.

Inquiet du soulèvement populaire, Moscou nomme Imre Nagy à la tête du gouvernement le 24 octobre 1956, tout en faisant intervenir les blindés soviétiques. Erno Gero est quant à lui remplacé à la tête du Parti par Janos Kadar le lendemain. Nagy lance un appel au calme et Moscou décide de retirer ses troupes ; toutefois, les initiatives de Nagy sont jugées insuffisantes par les opposants à Moscou. Le nouveau président du Conseil, qui a formé un gouvernement de coalition le 1er novembre, adopte alors des mesures plus osées, dénonçant par exemple l'adhésion de la Tchécoslovaquie au **pacte de Varsovie*** et officialisant la neutralité du pays. Les autorités soviétiques ne peuvent tolérer cette politique d'indépendance à leur égard et envahissent le pays le 4 novembre. Nagy se réfugie à l'ambassade yougoslave, alors que les blindés foncent sur Budapest. En quelques jours, les forces insurrectionnelles hongroises sont écrasées, y compris en province.

Conséquences : on dénombre près de 3 000 morts et plus de 20 000 blessés. La répression qui s'abat ensuite conduit à l'arrestation de milliers d'opposants et à des centaines d'exécutions, dont celle de Nagy.

TCHÉCOSLOVAQUIE

Le printemps de Prague

Dates : 1968.

Forces en présence : résistance passive de la population tchécoslovaque contre cinq armées du **pacte de Varsovie***.

Lieu d'impact : Prague.

Cause : au printemps 1968, le régime tchécoslovaque se libéralise grâce à l'action d'Alexandre Dubcek qui prône un « socialisme à visage humain ». Pour contrer cette politique, Moscou prépare d'avril à juin 1968 une intervention armée.

Déroulement : intervention armée des troupes du pacte de Varsovie en Tchécoslovaquie le 21 août (opération Danube).

Conséquences : il n'y a pas de heurts sanglants, en raison de l'absence d'affrontements avec la population.

ESPAGNE

Le nationalisme basque

Dates : depuis 1968, guérilla contre l'État espagnol.
Forces en présence : l'ETA (*Euzkadi ta Azkatasuna*) contre le gouvernement espagnol.
Lieu d'impact : Espagne.
Cause : volonté indépendantiste des nationalistes basques.
Déroulement : le mouvement nationaliste armé basque, regroupé au sein de l'ETA, fondé en juillet 1959, a recours à l'action armée (des attentats ou des enlèvements) pour faire reconnaître l'indépendance du Pays basque espagnol.
Conséquences : les nationalistes basques se heurtent de plus en plus à l'opposition de la population qui manifeste régulièrement pour la paix.

IRLANDE DU NORD

Bloody Sunday

Dates : février 1971-10 avril 1998.
Forces en présence : nationalistes nord-irlandais contre Britanniques.
Lieux d'impact : Ulster (Irlande du Nord), Grande-Bretagne.
Cause : refus des nationalistes irlandais d'accepter le rattachement de la province de l'Ulster à la Grande-Bretagne.
Déroulement : l'indépendance de l'Irlande, reconnue le 6 décembre 1921 après huit siècles de lutte contre l'occupation britannique, ne comprend pas la province située au nord, l'Ulster, qui demeure rattachée à la Grande-Bretagne. La revendication de celle-ci par les nationalistes irlandais devient un sujet de grave discorde entre les deux pays.

Le 30 janvier 1972, une manifestation nord-irlandaise à Londonderry (Irlande du Nord) est réprimée dans le sang par les troupes britanniques, faisant 14 victimes. Ce tragique événement, baptisé « Bloody Sunday », restera le symbole de la lutte des Nord-Irlandais pour l'Ulster. L'IRA (*Irish Republican Army*), organisation apparue en 1970, multiplie les actes de guérilla contre les autorités britanniques de février 1971 jusqu'aux accords dits « du vendredi saint », le 10 avril 1998, date à laquelle les représentants des gouvernements britannique et irlandais et un représentant du mouvement nationaliste nord-irlandais concluent officiellement la paix en Ulster.

Conséquences : La paix est revenue et, depuis, seule une branche radicale de l'IRA tente de poursuivre la lutte, avec des moyens bien moindres.

PORTUGAL

La révolution des Œillets

Date : 25 avril 1974.

Forces en présence : le Mouvement des forces armées (MFA) contre le gouvernement de Marcello Caetano.

Lieu d'impact : Lisbonne.

Causes : contestation du régime autoritaire hérité du dictateur Salazar (décédé en 1970) et de la poursuite des guerres coloniales en Afrique.

Déroulement : après l'échec d'une rébellion militaire les 15 et 16 avril 1974, une seconde tentative réussit dix jours plus tard.

Conséquence : le changement de régime aboutit à la démocratisation du Portugal.

SLOVÉNIE

Dates : 27 juin -18 juillet 1991.

Forces en présence : Slovènes contre troupes fédérales yougoslaves (serbes).

Lieu d'impact : Slovénie.

Cause : proclamation de l'indépendance de la Slovénie le 25 juin 1991.
Déroulement : après dix jours de conflit de faible intensité, la paix est signée aux accords de Brioni, le 7 juillet 1991.
Conséquences : les troupes fédérales quittent la Slovénie le 18 juillet.

Croatie

Dates : octobre 1991-novembre 1992.
Forces en présence : Croates contre forces fédérales yougoslaves (serbes).
Lieu d'impact : Croatie.
Cause : proclamation de l'indépendance de la Croatie, le 25 juin 1991.
Déroulement : premières attaques en octobre 1991 contre la ville de Dubrovnik, progression des troupes fédérales qui prennent Vukovar le 19 novembre, deux cessez-le-feu successifs en janvier puis octobre 1992.

La double proclamation d'indépendance de la Slovénie et de la Croatie, le 25 juin 1991, provoque une vive opposition à Belgrade, où siège le gouvernement fédéral yougoslave, qui refuse l'éclatement du pays. L'armée fédérale intervient alors en Slovénie (voir plus haut), puis en Croatie où réside une importante communauté serbe, en Krajina (qui avait proclamé dès le 17 mars son rattachement à la Serbie) et en Slavonie. Le 27 novembre, l'armée yougoslave installe dans la ville de Vukovar un gouvernement de la « région autonome serbe de Slavonie, Baranja et Ouest-Srijem ».

Un cessez-le-feu, signé à Sarajevo le 30 janvier 1992, met fin au conflit entre Croates et armée fédérale, menée par les Serbes. Les deux camps acceptent le plan Vance proposé par les Nations unies. Ce plan prévoit notamment l'envoi de Casques bleus (la **FORPRONU***) dans les trois régions croates fortement peuplées de Serbes (Krajina, Slavonie occidentale et orientale). Mais les hostilités reprennent et il faut attendre le 23 novembre 1992 pour que soit signé un nouvel accord de cessez-le-feu, à Genève, entre Croates et Serbes.

Conséquences : la Croatie conserve son indépendance, mais se voit privée de près de 30 % de son territoire au profit de la Serbie, qu'elle récupérera en 1995 et 1998.

Bosnie

Dates : 6 avril 1992-21 novembre 1995.
Forces en présence : communautés serbes, croates et musulmanes de Bosnie.
Lieu d'impact : Bosnie-Herzégovine.
Cause : proclamation de l'indépendance de la Bosnie.
Déroulement : alors que le communisme s'effondre en Europe orientale et que se multiplient les revendications nationalistes, la Fédération de Yougoslavie[1] est au bord de l'éclatement.

Entre juin et septembre 1991, six enclaves serbes situées en Bosnie-Herzégovine proclament leur autonomie. En octobre, c'est la Bosnie qui revendique officiellement sa souveraineté, alors que d'autres républiques fédérées yougoslaves, celles de Slovénie et de Croatie, ont proclamé leur indépendance un mois plus tôt. Dès le mois de décembre 1991, des affrontements armés ont lieu entre les trois communautés vivant en Bosnie. Les musulmans bosniaques réclament l'indépendance du pays, les Serbes demandent le maintien de la Fédération yougoslave et les Croates de Bosnie revendiquent le rattachement de leur zone à la Croatie.

La Bosnie devient indépendante le 3 mars 1992 (elle est reconnue officiellement par la CEE, les États-Unis et l'ONU en avril). L'accord de Sarajevo du 20 mars suivant établit sous l'égide de la CEE une fédération bosniaque divisée en trois entités. Mais les Serbes ne l'entendent pas ainsi : une semaine plus tard, ils annoncent la création d'une République serbe de Bosnie-Herzégovine et, dans le cadre d'une politique de « purification ethnique », contraignent au départ

1. Six républiques fédérées (Serbie, Croatie, Bosnie-Herzégovine, Slovénie, Macédoine, Monténégro) et deux provinces autonomes (Kosovo et Vojvodine).

les communautés croates et musulmanes bosniaques qui s'y trouvent.

L'armée (ex-fédérale, car la Serbie s'est autoproclamée République le 7 avril sur les restes de la Fédération yougoslave) et les milices serbes à partir du 6 avril 1992 envahissent les deux tiers du territoire bosniaque. Les Croates détiennent quant à eux la région d'Herzégovine où est proclamé l'Herceg-Bosna, un État autonome, en août 1993.

Le plan de paix Vance-Owen est proposé en janvier 1993 sous l'égide des Nations unies. Il est rejeté par les Serbes de Bosnie, qui multiplient leurs opérations, conduisant les forces de l'**OTAN*** à intervenir à partir de février 1994 aux côtés de la **FORPRONU***. En mars 1995, la Force de réaction rapide (FRR) est aussi créée pour soutenir l'action des Casques bleus.

La prise de Sebrenica par les Serbes, en juillet 1995, est un échec pour les Casques bleus : des milliers de musulmans sont massacrés. Croates, Bosniaques musulmans et forces de l'OTAN et de la FRR accélèrent alors les opérations contre les forces serbes.

Le 14 décembre 1995 sont signés à Paris des accords (conclus à Dayton le 21 novembre) entre les belligérants, et la paix revient en Bosnie.

Conséquences : le pays est maintenu dans ses frontières mais divisé en deux entités : une fédération croato-musulmane et une République serbe de Bosnie.

Russie

La Tchétchénie

Dates : décembre 1994-août 1996, et août 1999-novembre 2001.

Forces en présence : troupes russes, parmi lesquelles les forces spéciales (Spetsnaz), face aux indépendantistes tchétchènes.

Lieu d'impact : Tchétchénie.

Cause : refus de Moscou de satisfaire les volontés indépendantistes tchétchènes.

Déroulement : profitant de la prochaine disparition de l'Union soviétique, les nationalistes tchétchènes autoproclament leur indépendance, le 1er novembre 1991. Cette décision n'est pas reconnue par Moscou qui concède cependant à la Tchétchénie un statut d'autonomie. Quatre mois plus tard, la Tchétchénie refuse de signer le traité la liant à la fédération de Russie.

Les Russes montent les différents clans tchétchènes les uns contre les autres avant d'intervenir militairement en décembre 1994. La première guerre de Tchétchénie est ainsi déclenchée. Les Russes parviennent à prendre la capitale, Groznyï, en février 1995, mais doivent affronter une opposition armée redoutable de la part des nationalistes tchétchènes. Ceux-ci parviennent à reprendre la capitale à l'été 1996 et l'armée russe est contrainte de reculer. Les deux camps signent un accord de paix à Khassaviourt en août 1996, mais aucun statut définitif n'est adopté pour la province.

Trois ans plus tard, les combats reprennent : c'est la seconde guerre de Tchétchénie. En août 1999, les opérations russes touchent la province autonome voisine du Daghestan, où ont été installées des bases logistiques tchétchènes ; l'armée russe pénètre en Tchétchénie en octobre suivant et fait intervenir cette fois ses forces spéciales, les Spetsnaz. Les combats sont féroces. Fin 2001, le nouveau président russe, Vladimir Poutine, propose de nouvelles négociations, et la suspension des interventions armées.

Conséquences : en 2003, l'élection d'un nouveau président de la République autonome de Tchétchénie, élu avec le soutien de Moscou, avait pu faire croire à un arrêt définitif du conflit. Son assassinat en mai 2004 rappelle que la résistance des indépendantistes tchétchènes réfugiés dans la montagne se poursuit.

Le Daghestan

Dates : juillet-août 1999 – situation très difficile depuis cette date.

Forces en présence : rebelles indépendantistes du Daghestan contre forces armées russes.

Lieu d'impact : Daghestan (république autonome appartenant à la fédération de Russie).

Causes : autoproclamation de l'indépendance de l'État islamiste du Daghestan et lancement de la « guerre sainte » contre les autorités russes en août 1999.

Déroulement : entrée au Daghestan des troupes indépendantistes de Chamil Bassaïev et du commandant Kattab, venus de Tchétchénie en juillet 1999. Les troupes russes interviennent militairement en août suivant, quelques jours après la proclamation d'indépendance des séparatistes du Daghestan.

Conséquence : cette république est maintenue dans la fédération de Russie.

Serbie

Le Kosovo

Dates : 24 mars 1999-9 juin 1999.

Forces en présence : OTAN* contre troupes serbes.

Lieu d'impact : Kosovo (province autonome de Serbie).

Cause : opposition entre Serbes et Albanais du Kosovo.

Déroulement : le Kosovo, province yougoslave majoritairement peuplée de musulmans d'origine albanaise, revendique son indépendance depuis septembre 1991. À partir de 1996, une milice, l'UCK (armée de libération du Kosovo), multiplie les actions contre les autorités serbes du Kosovo, tandis que celles-ci pratiquent une répression croissante à l'égard des Kosovars mulsumans. Une politique de « purification ethnique » est bientôt lancée par le gouvernement serbe de Slobodan Milosevic. Devant l'aggravation de la situation, la communauté internationale décide d'organiser à Rambouillet, en février 1999, une conférence de la paix visant à contraindre les Serbes à accorder davantage d'autonomie aux Kosovars. Mais devant l'échec des pourparlers entre le président yougoslave (serbe) Milosevic et l'UCK, et le non-respect des ultimatums adressés à la Serbie, les forces de l'OTAN lancent l'opération « Force alliée », le 24 mars 1999. Jusqu'au 3 juin suivant, une série de bombardements aériens s'abat sur les positions serbes. L'avancée des forces serbes au Kosovo conduit les habitants d'origine albanaise à se réfugier dans les pays voisins. Le

9 juin, la Serbie retire ses forces du Kosovo. La KFOR (force internationale de paix au Kosovo) se déploie sur le terrain pour permettre aux Albanais du Kosovo de rentrer chez eux. L'UCK consent de son côté à rendre les armes le 21 juin.

Une mission des Nations unies pour le Kosovo (la MINUK) est chargée d'administrer la reconstruction de la province.

Conséquences : en dépit de la présence des forces occidentales, les hostilités demeurent latentes entre les communautés serbe et albanaise du Kosovo.

Chapitre 2

Afrique

1899-1902 : la guerre des Boers en Afrique du Sud

*

1904-1906 : la révolte des Hereros en Namibie

*

1921-1924 et 1925-1926 : la guerre du Rif

*

1935-1936 : l'invasion italienne en Éthiopie

*

1947-1948 : la révolte contre les colons français à Madagascar

*

1948-1994 : la lutte anti-apartheid en Afrique du Sud

*

1954-1962 : la guerre d'indépendance de l'Algérie

*

1955-1972 et depuis 1983 : les guerres civiles au Soudan

*

1956 : la crise de Suez

*

1961-1975 : la lutte pour l'indépendance en Angola

*

1962-1991 : la guerre d'indépendance de l'Érythrée

*

1967-1970 : la guerre du Biafra en Namibie

*

1968-1987 : le Tchad

*

Depuis 1975 : le Sahara occidental

*

1975-1994 : la guerre civile en Angola

*

1975-1994 et 1998-2002 : la guerre civile au Liberia

*

1976-1978 : les Comores

*

Depuis 1982 : le conflit séparatiste de Casamance au Sénégal

*

1986-1987 et 1994 : rébellions ethniques en Ouganda

*

1991-1994 : la guerre civile à Djouti

*

1991-2000 : Sierra Leone

*

1991-2002 : la guerre civile en Somalie

*

1994 : le génocide rwandais

*

Depuis 1997 : République démocratique du Congo

*

1998-2000 : la guerre d'indépendance de l'Érythrée

*

Depuis 2002 : la guerre civile en Côte-d'Ivoire

AFRIQUE DU NORD

Maroc

La guerre du Rif

Dates : 1921-1924 et 1925-1926.
Forces en présence : les Rifains contre les colonisateurs espagnols, puis français.
Lieu d'impact : nord du Maroc.
Cause : rébellion des Rifains.
Déroulement : les habitants du Rif s'opposent à la colonisation du Maroc. Menés par Abd el-Krim, ils se soulèvent en 1921 contre l'occupant espagnol, qui renonce à pénétrer dans le Rif en 1924. L'année suivante, les Rifains attaquent les Français, qui ripostent conjointement avec les Espagnols et soumettent Abd el-Krim en 1926.
Conséquences : la rébellion est définitivement réprimée en 1927.

Algérie

La guerre d'indépendance

Dates : 1er novembre 1954-18 mars 1962.
Forces en présence : indépendantistes algériens du FLN (Front de libération nationale) contre colons français.
Lieu d'impact : Algérie.
Cause : volonté d'indépendance des nationalistes algériens.

Déroulement : alors que des troubles avaient déjà éclaté en mai 1945 (insurrection de Sétif), une série d'attentats est lancée le 1er novembre 1954 par les indépendantistes algériens. Les forces du FLN s'en prennent d'abord aux civils, puis aux militaires français dont les effectifs sont renforcés. En janvier 1957, les forces françaises sont confiées au commandement du général Massu qui a pour tâche de pacifier le pays. Il gagne la bataille d'Alger mais le retour au pouvoir du général de Gaulle en mai 1958 change la situation. L'année suivante, de Gaulle proclame le droit des Algériens à l'autodétermination.

Alors que le général Challe lance en 1959 une série d'opérations d'anéantissement des forces rebelles algériennes, de Gaulle entame des pourparlers avec le FLN. Un référendum est organisé en métropole le 8 janvier 1961, qui recueille 75 % de voix favorables pour une réforme de l'organisation des pouvoirs publics en Algérie. Sentant venir l'indépendance de l'Algérie, quatre généraux français tentent un putsch le 21 avril 1961. Malgré leur échec, le 25 avril, ils poursuivent le combat clandestinement. L'OAS (Organisation armée secrète) prend les armes contre les rebelles algériens et les partisans français de l'indépendance, multipliant les attentats, y compris en métropole.

Le 18 mars 1962, les accords d'Évian donnent aux Algériens la souveraineté sur les départements de l'Algérie et du Sahara. Le cessez-le-feu prend effet le lendemain.

Conséquences : l'indépendance de l'Algérie est reconnue officiellement le 2 juillet 1962. Un million de Français d'Algérie, les « pieds-noirs », rentrent en métropole.

Cette guerre a coûté la vie à plus de 32 000 Français et à 350 000 Algériens.

ÉGYPTE

La crise de Suez

Dates : octobre-novembre 1956.

Forces en présence : corps expéditionnaire franco-britannique et troupes israéliennes contre troupes égyptiennes.

Lieux d'impact : zone du canal de Suez, en Égypte (et Sinaï).

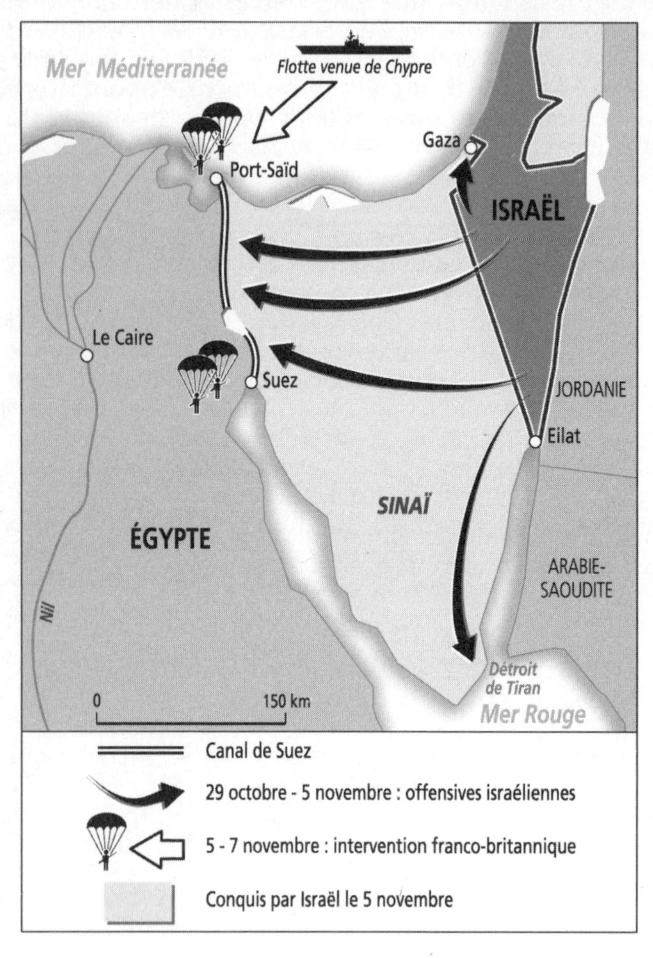

La crise de Suez

Cause : la nationalisation du canal de Suez, le 26 juillet 1956.

Déroulement : les Français et les Britanniques s'opposent à la décision du président égyptien Nasser de nationaliser le canal de Suez. Ils lancent l'opération Mousquetaire le 31 octobre 1956. Un corps expéditionnaire débarque à Port-Saïd le 5 novembre, occupant rapidement la zone du canal. Mais l'opposition des États-Unis et de l'URSS les contraint à signer un cessez-le-feu le 6 novembre.

Conséquences : les forces franco-britanniques se retirent rapidement, ainsi que les troupes israéliennes, qui avaient de leur côté envahi le Sinaï. Une force des Nations unies est envoyée pour s'interposer entre Égyptiens et Israéliens. Les deux pays européens sont déconsidérés et comprennent qu'ils ne sont plus des grandes puissances.

Le Sahara-Occidental

Date : depuis 1975.
Forces en présence : Front Polisario (et Algériens) contre Marocains.
Lieu d'impact : Maroc.
Cause : volonté indépendantiste des Sahraouis.
Déroulement : le Sahara-Occidental, ancienne colonie espagnole au sud du territoire marocain, aspire à l'indépendance depuis le départ des Espagnols en 1976. Or, le Maroc refuse de la leur accorder. Le groupe armé séparatiste sahraoui, le Front Polisario, parfois soutenu par l'Algérie voisine, et les soldats marocains se sont affrontés régulièrement depuis.
Conséquences : en dépit d'une intervention des Nations unies, le Sahara-Occidental n'a toujours pas obtenu son indépendance.

AFRIQUE SUBSAHARIENNE

Afrique du Sud

La guerre des Boers

Dates : 11 octobre 1899 – 31 mai 1902.

Forces en présence : les Boers (en hollandais « paysans ») du Transvaal alliés à l'État libre d'Orange face aux colons anglais.

Lieu d'impact : Afrique du Sud.

Cause : revendication britannique sur le Transvaal.

Déroulement : les Boers, qui ont fondé l'État libre d'Orange (1854) et celui du Transvaal (1852), ont déjà affronté les Anglais qui avaient tenté en 1877 d'annexer le Transvaal (où des gisements d'or et de diamants avaient été découverts). En 1899, les Anglais lancent un ultimatum aux Boers du Transvaal concernant la discrimination qui frappe les Anglais de ce petit État. Une nouvelle guerre éclate et les Anglais finissent par soumettre les Boers, au prix de pertes considérables.

Le conflit s'achève avec la signature du traité de Vereeniging, le 31 mai 1902 et les Anglais annexent le Transvaal et l'État d'Orange.

Conséquences : à la suite de ce conflit, l'État libre d'Orange et le Transvaal sont intégrés au Natal et à la province du Cap. L'Afrique du Sud devient l'Union sud-africaine, un dominion* britannique autonome en 1910.

Particularités : les premiers camps de concentration sont mis en place par les Anglais pour y regrouper les Boers faits prisonniers.

Namibie

La révolte des Hereros

Dates : janvier 1904-1906.
Forces en présence : tribu des Hereros contre colons allemands
Lieu d'impact : Sud-Ouest africain (future Namibie).
Cause : révolte contre les colonisateurs.
Déroulement : le 12 avril 1904, les guerriers hereros se révoltent contre l'occupant allemand. Deux cents Allemands sont tués en l'espace de trois jours.
Conséquences : la riposte est sans pitié et, pendant trois années, les Hereros sont exterminés par dizaines de milliers.

Éthiopie

L'invasion italienne

Dates : 2 octobre 1935-5 mai 1936.
Forces en présence : Éthiopiens contre Italiens.
Lieu d'impact : Éthiopie.
Cause : invasion des troupes italiennes.
Déroulement : l'Italie de Mussolini veut se doter d'un empire colonial et entreprend de conquérir l'Éthiopie. Les armées italiennes envahissent ce pays le 2 octobre 1935, mais se heurtent à une résistance farouche. Le 5 mai 1936, trois jours après avoir pris la capitale Addis-Abeba et chassé l'empereur Haïlé Sélassié, l'Italie annexe officiellement l'Éthiopie.
Conséquences : l'Afrique orientale italienne comprend alors l'Érythrée (prise en 1890), la Somalie (colonisée en 1905) et l'Éthiopie.

MADAGASCAR

La révolte contre les colons français

Dates : 1947-1948.
Forces en présence : rebelles malgaches contre colons français.
Lieu d'impact : île de Madagascar.
Cause : refus par le gouvernement français d'un projet de loi indépendantiste malgache.
Déroulement : conquise par les Français en 1895, l'île de Madagascar refuse son statut de colonie et une importante révolte éclate le 29 mars 1947 en plusieurs endroits de l'île. L'insurrection est sévèrement réprimée par le corps expéditionnaire français envoyé sur place.
Conséquences : il y aurait eu environ 90 000 victimes du côté des rebelles malgaches et près de 2 500 victimes parmi les coloniaux et alliés malgaches de la France.

AFRIQUE DU SUD

La lutte anti-apartheid

Dates : 1948-1994.
Forces en présence : population noire face aux Blancs nationalistes.
Lieu d'impact : Afrique du Sud.
Cause : politique profondément discriminatoire des Blancs envers les populations de couleur.
Déroulement : en 1948, un candidat blanc, Daniel Malan, est élu au gouvernement sud-africain sur un programme d'**apartheid*** (qui signifie « développement séparé »). Les gens de couleur, en particulier les Noirs, sont victimes d'une discrimination touchant tous les domaines de vie courante. À partir de 1952, l'African National Congress (ANC) encourage la population à se révolter (d'abord pacifiquement, puis violemment) contre le régime d'apartheid, mais la répression est sévère. Interdit en 1960, l'ANC voit un de ses dirigeants, Nelson Mandela, emprisonné quatre ans plus tard. Les tensions se succèdent dans les années 1970 et

1980, et le gouvernement de Frederik De Klerk choisit de faire appel à Mandela. Ce dernier est libéré en février 1990, tandis que les lois d'apartheid sont supprimées en juin. En dépit de ces avancées, des combats opposent les membres de l'ANC (à nouveau officiellement autorisé) et ceux de l'Inkhata Freedom Party, autre mouvement noir.

En avril 1994, Nelson Mandela (qui a reçu quelques mois plus tôt le prix Nobel de la Paix) est élu président de la République sud-africaine. L'apartheid est définitivement fini.

SOUDAN

Les guerres civiles

Dates : 1955-1972, et depuis 1983.
Forces en présence : les partisans du SPLA contre les forces gouvernementales soudanaises.
Lieu d'impact : Sud-Soudan.
Causes : la division du pays en deux zones ethnico-religieuses différentes et les ressources en pétrole du sud du pays.
Déroulement : l'indépendance est accordée au Soudan en décembre 1955, et une guerre civile opposant les clans du nord à ceux du sud éclate au même moment. Ce premier conflit se solde par les accords d'Addis-Abeba de mars 1972 qui fixent un compromis au sujet de l'autonomie des provinces du sud désormais regroupées entre elles.

Mais en 1983 la guerre civile reprend entre les deux clans : les autorités soudanaises, aux mains des ethnies du Nord (musulmanes), d'une part, et les populations du Sud, notamment les partisans de l'Armée de libération des peuples du Soudan (SPLA) menés par le colonel John Garang, d'autre part. En 1989, le pouvoir soudanais passe aux mains du général Béchir qui instaure un régime islamiste, ce qui ne fait que creuser le fossé avec les Soudanais du Sud, chrétiens ou animistes. En 1990, une opposition se forme au nord du pays avec l'Alliance nationale démocratique (NDA) qui combat aux côtés des rebelles du Sud. En juillet 2002, le gouvernement et le SPLA ont signé un accord : dans un délai de six ans, le sud du Soudan pourrait obtenir son autonomie à l'issue d'un référendum d'autodétermination.

Conséquences : en dépit des négociations, le pays n'est pas pacifié et de nombreux blocages subsistent, dont la question de la liberté religieuse. Malgré un nouvel accord en novembre 2003, les zones non sécurisées sont encore nombreuses.

Particularités : les populations du Sud sont réduites en esclavage par des membres de clans du Nord-Soudan.

Éthiopie

La guerre d'indépendance de l'Érythrée

Dates : 1962–1991.

Forces en présence : les groupes rebelles du FLE, puis FPLE et FPLT contre les forces gouvernementales éthiopiennes soutenues par les Soviétiques.

Lieu d'impact : Éthiopie.

Cause : volonté séparatiste de l'Érythrée après son annexion par l'empereur éthiopien, le Négus Haïlé Sélassié, en novembre 1962.

Déroulement : en 1962, l'Érythrée, qui faisait partie d'une fédération avec l'Éthiopie depuis 1952, est annexée par l'Éthiopie. La lutte pour l'indépendance est lancée à l'initiative du Front de libération de l'Érythrée (FLE). Au début des années 1970 apparaît le FPLE (Front de libération du peuple érythréen) et, en l'espace de quelques années, les deux mouvements contrôlent une grande partie du territoire. L'Éthiopie fait alors appel aux Soviétiques, ce qui permet de renforcer la junte du lieutenant-colonel Mengistu, au pouvoir en Éthiopie depuis 1977. Mais les combats se poursuivent. Aux fronts indépendantistes érythréens s'ajoute alors un mouvement d'opposition éthiopien, le FPLT (Front de libération du peuple du Tigré). En 1991, l'alliance de ces trois groupes leur permet de prendre la capitale : le FPLT renverse le régime marxiste de Mengistu et prend le pouvoir en Éthiopie. De son côté, le FPLE annonce l'indépendance de l'Érythrée.

Conséquences : l'indépendance de l'Érythrée est effective à la fin du mois de mai 1993, à la suite d'un référendum d'autodétermination.

NIGERIA

La guerre du Biafra

Dates : juin 1967-janvier 1970.
Forces en présence : Ibos contre forces gouvernementales nigériennes.
Lieu d'impact : province du Biafra, au Nigeria.
Cause : proclamation de l'indépendance du Biafra, le 30 mai 1967.
Déroulement : à l'issue de la première année de conflit (commencé en juin 1967), les Ibos se retrouvent encerclés dans leur province du Biafra. Malgré un pont aérien avec le Gabon, ils sont victimes d'une famine qui les oblige à signer une capitulation sans condition le 15 janvier 1970.
Conséquences : on dénombre 1 million de victimes.

TCHAD

Dates : 1968-1987.
Forces en présence : les rebelles toubous, soutenus par les troupes libyennes, contre les troupes gouvernementales tchadiennes. Intervention des forces françaises en 1969, 1977, 1983 et 1986.
Lieu d'impact : Tchad.
Cause : revendications des Toubous qui s'estiment lésés par le pouvoir aux mains des Bantous.
Déroulement : une guerre civile s'engage en 1968 entre les populations du nord (les Toubous) et celles du sud (les Bantous), conduisant en 1969 le gouvernement à faire appel à l'intervention des troupes françaises. En 1973, les troupes libyennes interviennent au profit des rebelles du nord en envahissant la bande frontalière d'Aozou, qu'elles revendiquent. En 1977, les Français interviennent à nouveau. En 1983, après un bref retour au calme, les combats reprennent et les Français refoulent les Toubous et les Libyens. De 1986 à 1987 se déroulent les derniers combats avec une nouvelle intervention française.
Conséquences : un cessez-le-feu est signé le 11 septembre 1987, et la Libye renonce officiellement à la bande d'Aozou en 1994.

ANGOLA

La lutte pour l'indépendance

Dates : 1961-1975.
Forces en présence : les indépendantistes angolais contre les colons portugais.
Lieu d'impact : Angola.
Cause : période de décolonisation en Afrique.
Déroulement : deux mouvements indépendantistes s'opposent à la colonisation portugaise : le Mouvement populaire de libération de l'Angola (MPLA) d'Agostino Neto, fondé en 1956, et le Front national de libération de l'Angola (FNLA) créé en 1957 par Holden Roberto. Issue du FNLA, l'Union nationale pour l'indépendance totale de l'Angola (UNITA) naît en 1966. En janvier 1975, les accords d'Alvor sont signés entre le Portugal et les indépendantistes.
Conséquences : l'Angola proclame son indépendance le 11 novembre 1975.

La guerre civile

Dates : 1975-1994 puis 1998-2002.
Forces en présence : les forces du MPLA, soutenus par les troupes cubaines, contre celles du FNLA puis de l'UNITA, soutenues par l'Afrique du Sud.
Lieu d'impact : Angola.
Cause : lutte pour le pouvoir angolais après la proclamation d'indépendance.
Déroulement : une guerre civile éclate entre factions rivales après le départ des colons portugais. Le pouvoir aux mains du MPLA est contesté par les partisans de l'UNITA, qui cherchent à détenir eux aussi les ressources pétrolifères angolaises. De leur côté, les opposants se livrent une guerre ethnique et idéologique. La paix est signée en novembre 1994 à Lusaka, et une mission de pacification des Nations unies intervient (la MONUA), mais les hostilités reprennent en 1998. Un nouveau cessez-le-feu est signé en avril 2002.
Conséquences : le pays est ravagé économiquement et de nombreux réfugiés ont été victimes de la famine.

Comores

Dates : août 1976-mai 1978.
Forces en présence : les partisans du président Abdallah contre le Comité national révolutionnaire.
Lieu d'impact : Comores.
Cause : lutte pour le pouvoir.
Déroulement : à la suite de l'indépendance des Comores, acquise en 1975, cet ancien protectorat français connaît une vague de violence. Le nouveau président, Ahmed Abdallah, est bientôt destitué par un Comité national révolutionnaire au profit d'Ali Soilih, qui devient président. Dans ce régime autoritaire, la répression s'aggrave et les heurts se multiplient jusqu'en mai 1978, lorsque le gouvernement est renversé par un coup d'État dicté par un mercenaire français, Bob Denard.
Conséquences : les mercenaires ramènent l'ancien président Abdallah au pouvoir tandis que la République fédérale et islamique est proclamée.

Sénégal

Le conflit séparatiste de Casamance

Dates : depuis 1982.
Forces en présence : Sénégalais contre séparatistes de Casamance.
Lieu d'impact : Casamance, surtout la région de Ziguinchor.
Causes : revendication sécessionniste de la Casamance (sénégalaise), une enclave entre la Gambie et la Guinée-Bissau.
Déroulement : sous l'impulsion de l'abbé Diamacoune, puis du Mouvement des forces démocratiques de Casamance (MFDC), la Casamance veut faire sécession avec le Sénégal. Depuis 1982, des affrontements armés ont lieu régulièrement.
Conséquences : on dénombre 1 millier de victimes.

OUGANDA

Rébellions ethniques

Dates : 1986-1987 et depuis 1994.

Forces en présence : les rebelles du Holly Spirit Movement puis ceux du LRA (Lord Resistance Army) contre les forces gouvernementales.

Lieu d'impact : surtout nord et ouest de l'Ouganda.

Cause : la rébellion en 1986 des ethnies du sud, animistes et musulmanes, contre le gouvernement et les Bantous du nord, chrétiens.

Déroulement : en 1986 la lutte armée du Holly Spirit Movement est lancée contre les autorités gouvernementales du président Yoweri Museveni. Ces dernières parviennent à vaincre les rebelles l'année suivante, mais la lutte reprend en 1994, menée cette fois par le LRA, qui défend les intérêts de la minorité acholie, une ethnie du nord, soutenue par le Soudan.

Conséquences : malgré un apaisement de la situation, les tensions n'ont pas complètement disparu.

LIBERIA

La guerre civile

Dates : décembre 1989-juillet 1997.

Forces en présence : forces gouvernementales contre le NPLF de Charles Taylor.

Lieu d'impact : Liberia.

Cause : la révolte du NPLF (National Patriotic Front of Liberia) contre la dictature de Samuel Doe.

Déroulement : le gouvernement au pouvoir pratique une politique autoritaire et favorise l'ethnie des Krahns au détriment du reste de la population, ce qui encourage une rébellion. Tandis que le NPLF gagne du terrain, une force d'interposition africaine se met en place, l'Ecomog. Menée par le Nigeria favorable au président Doe, l'Ecomog repousse les rebelles mais les milices se multiplient et donnent une ampleur nouvelle à la guerre civile. Elle ne s'essoufflera qu'en 1996.

Conséquences : la guerre civile prend fin à la suite d'élections remportées par Charles Taylor en juillet 1997.

SIERRA LEONE

Dates : mars 1991-novembre 2000.

Forces en présence : les forces armées du RUF (Front révolutionnaire uni) contre les forces gouvernementales.

Lieu d'impact : Sierra Leone.

Cause : attaque du RUF contre deux villages en mars 1991.

Déroulement : une partie de la population de la Sierra Leone souhaite un meilleur partage du pouvoir et des richesses du pays (les diamants surtout). Au printemps 1991 le RUF, fondé par Foday Sankoh, engage la lutte armée. Deux coups d'État se succèdent entre 1992 et 1996. Les actions du RUF s'intensifient en 1995, mais des négociations aboutissent en novembre 1996 à la signature des accords d'Abidjan (Côte-d'Ivoire). Ces accords s'avèrent être un échec et les combats reprennent l'année suivante. Un membre du RUF, Johnny Paul Koroma, parvient à renverser le gouvernement du président Kabbah, le 25 mai 1997. L'intervention d'une force africaine d'interposition, l'Ecomog, contraint Koroma à quitter le pays tandis que le président Kabbah est réhabilité. Le RUF multiplie les actions violentes et recrute des adolescents pour pratiquer les pires atrocités. L'intervention des Nations unies (par la MONUSIL, puis la MINUSIL) qui décrètent notamment un embargo et la mise en place de l'état d'urgence aura raison du RUF. Un cessez-le-feu définitif est signé à Abuja (Nigeria) en novembre 2000.

Conséquences : le conflit a fait 150 000 morts et 4 000 mutilés.

Djibouti

La guerre civile

Dates : novembre 1991-décembre 1994.
Forces en présence : Afars contre Somalis.
Lieu d'impact : République de Djibouti.
Cause : lutte de pouvoir entre clans rivaux.
Déroulement : les Afars contestent le pouvoir aux mains d'un des clans somalis (les Issas mamassans) ; le Front pour la restauration de l'unité et la démocratie (FRUD) lance la lutte armée en novembre 1991. Cette opposition des Afars se termine en décembre 1994 avec un accord de paix prévoyant l'entrée du FRUD dans la légalité en devenant un parti politique reconnu.
Conséquences : la paix est revenue, mais il existe depuis lors des oppositions au sein même des clans somalis.

Somalie

La guerre civile

Dates : 1991-2002.
Forces en présence : cinq grands clans rivaux, intervention des troupes américaines, puis éthiopiennes.
Lieux d'impact : le sud de la Somalie et la capitale, Mogadiscio.
Cause : rivalité entre les cinq principaux clans somaliens (Darods, Dir, Issak, Hawiye, Sab), eux-mêmes divisés en sous-clans et tribus.
Déroulement : au terme de près d'une décennie de conflit, le régime du président somalien, Siyad Barré, est renversé en 1991 suite à l'alliance entre plusieurs groupes rebelles. Le pays entre alors dans une phase de complète anarchie en raison de l'absence de pouvoir centralisateur. Les anciens alliés se divisent et s'affrontent désormais pour prendre le pouvoir. Le sud du pays, où sévissent des milices, est le théâtre des pires affrontements. En 1992, les États-Unis décident d'intervenir dans le cadre de l'opération

« Restore Hope », mais celle-ci échoue rapidement et les Américains quittent le pays l'année suivante. Les Nations unies envoient alors des Casques bleus qui doivent quitter à leur tour le pays en 1995. À partir de 1997, Éthiopiens et Égyptiens se mêlent directement ou indirectement au conflit : deux ans plus tard, les troupes éthiopiennes pénètrent en Somalie pour mettre en difficulté les clans islamistes (financés par les Saoudiens).

Conséquences : prolifération des armes, famine et détournement de l'aide alimentaire, et insécurité chronique règnent en Somalie, privée d'un pouvoir étatique.

Particularités : la Somalie a été qualifiée par George Bush de « second Afghanistan » en 2002, mais les États-Unis ont choisi de ne pas y revenir. Le 27 octobre 2002, un cessez-le-feu était signé après de nouveaux affrontements entre factions rivales.

Rwanda

Le génocide

Dates : avril-juillet 1994.

Forces en présence : Hutus contre Tutsis.

Lieux d'impact : Rwanda et pays voisins (ex-Zaïre, Burundi, Ouganda) abritant des réfugiés.

Cause : la mort dans un attentat du président hutu Habyarimana, le 6 avril 1994, sert de prétexte aux extrémistes hutus pour engager les massacres.

Déroulement : les Forces armées rwandaises (FAR), aux mains des Hutus, lancent dès l'annonce de la mort du président une série de massacres de la minorité tutsi ; la situation s'inverse, et ce sont ensuite les Hutus qui sont exterminés par les Tutsis du Front patriotique rwandais (FPR). Ces derniers prennent le pouvoir en juillet suivant. En dépit de l'intervention des forces armées françaises et des Casques bleus des Nations unies, la guerre civile au Rwanda se solde par un véritable génocide.

Conséquences : un gouvernement d'« union nationale » comprenant des représentants des deux ethnies est mis en place à l'issue du conflit. On dénombre environ 1 million de morts.

RÉPUBLIQUE DÉMOCRATIQUE DU CONGO (EX-ZAÏRE)

Dates : depuis 1997.

Forces en présence : rebelles hémas et lendus soutenus par le Rwanda et l'Ouganda contre les forces gouvernementales de Kabila.

Lieu d'impact : République démocratique du Congo, surtout la zone nord-est.

Cause : affrontement récurrent entre les groupes ethniques et visées expansionnistes de pays voisins.

Déroulement : en mai 1997, Laurent-Désiré Kabila, à la tête de l'Alliance des forces pour la libération du Congo-Zaïre (AFDL), parvient à prendre le pouvoir après des décennies de lutte contre le régime du président Mobutu. Cet événement entraîne les pays voisins (surtout le Rwanda et l'Ouganda) à intervenir militairement, mais Mobutu disparaît ; Kabila instaure un régime autoritaire. Il reçoit une aide militaire de l'Angola, du Zimbabwe et de la Namibie, mais il est abattu en janvier 2001. Son fils, Joseph, lui succède.

Les opposants au régime sont soutenus par le Rwanda et l'Ouganda, attirés par les grandes richesses de la République démocratique du Congo, notamment l'or et les diamants. Cette lutte a pour conséquence de diviser le pays en plusieurs grandes zones, chacune sous la coupe d'un chef de guerre. En 1999, le pays est divisé ainsi : l'ouest et le sud contrôlés par le gouvernement et ses alliés, le nord et l'est contrôlés par des mouvements d'opposition au régime de Kabila. Cette dernière zone est elle-même divisée en plusieurs parties et sous l'influence du Rwanda et de l'Ouganda.

En 2002, les troupes rwandaises et ougandaises acceptent de se retirer, mais la situation demeure très instable et les hostilités ne tardent pas à renaître. L'accord de paix de Pretoria, le 17 décembre 2002, n'est pas parvenu à calmer la situation ni à faire libérer la partie orientale du pays.

À la suite du retrait des forces étrangères, un gouvernement provisoire est institué. Il a pour mission de préparer l'élection présidentielle 2005. Un processus de réunification du pays est lancé en juillet 2003, mais l'insécurité régionale remet en question les espoirs de paix. L'Ouganda et le

Rwanda continuent d'agir *via* des milices interposées. Le 1er juin 2003, une force des Nations unies, la MONUC, est envoyée en République démocratique du Congo. Elle est secondée par 1 500 soldats de l'opération Mamba.
Conséquences : le conflit congolais aurait fait en une dizaine d'années entre 2 et 3 millions de morts.
Particularités : des enfants-soldats sévissent au nord-est du pays.

Éthiopie-Érythrée

Dates : mai 1998-juin 2000.
Forces en présence : les forces armées de l'Érythrée contre les forces armées éthiopiennes.
Lieu d'impact : zone frontalière entre l'Érythrée et l'Éthiopie.
Cause : assassinat le 6 mai 1998 de militaires érythréens par des militaires éthiopiens.
Déroulement : le 6 mai 1998, des combats s'engagent entre les deux pays, suite à l'invasion de la zone frontalière de Badmé par l'Érythrée. Quelques jours plus tard, l'Éthiopie entre en guerre. Deux années de guerre de tranchées entraînent la mort de 100 000 combattants.
Conséquences : en juin 2000, un cessez-le-feu est signé sous l'égide de l'Organisation de l'Unité africaine. Les troupes éthiopiennes achèvent leur retrait du territoire érythréen l'année suivante.

Côte-d'Ivoire

La guerre civile

Dates : depuis septembre 2002.
Forces en présence : les rebelles du MPCI, du MPIGO et du MJP contre les forces gouvernementales.
Lieu d'impact : Côte-d'Ivoire.

Cause : revendication d'une partie de la population s'estimant lésée par la politique nationaliste d'ivoirité qui consiste à privilégier les ethnies du sud et de l'ouest.

Déroulement : le conflit ivoirien débute après la mutinerie de plusieurs casernes le 19 septembre 2002. Une partie de la population, dont des militaires, se révolte contre le gouvernement de Laurent Gbagbo. Très rapidement, le Mouvement patriotique de Côte-d'Ivoire (MPCI) prend le contrôle du nord du pays. L'intervention des forces françaises permet de mettre un terme à leur avancée, mais fin 2002 interviennent d'autres rebelles, liés au Mouvement populaire ivoirien du Grand Ouest (MPIGO) et au Mouvement pour la justice et la paix (MJP). Sous les auspices de la France, les accords de Marcoussis tentent en janvier 2003 de former un gouvernement de réconciliation nationale.

Conséquences : s'estimant agressé par l'État voisin du Liberia, le président Gbagbo a sollicité l'intervention de la France en vertu des accords de défense passés après l'indépendance de la Côte-d'Ivoire.

Particularités : l'ONUCI (Opération des Nations unies en Côte-d'Ivoire), qui compte plusieurs milliers de Casques bleus, doit depuis le premier semestre 2004 superviser le cessez-le-feu et les mouvements des groupes armés.

Chapitre 3

Amérique

1899-1903 : la guerre des « mille jours » au Panama

*

1910-1920 : la révolution mexicaine

*

1932 : le Salvador

*

1932-1953 : la Violencia en Colombie

*

1952 : l'insurrection en Bolivie

*

1956-1958 : la révolution cubaine

*

1961 : le désastre de la baie des Cochons

*

Depuis 1961 : la guérilla en Colombie

*

1962 : la crise des fusées de Cuba

*

1973 : Chili

*

1978-1979 : la lutte anti-Somoza au Nicaragua

*

1980-1988 : la lutte antisandiniste au Nicaragua

*

1980-1992 : Salvador

*

1982 : la guerre des Malouines en Argentine

*

1989 : l'intervention américaine au Panama

*

1994 : la révolte du Chiapas au Mexique

AMÉRIQUE CENTRALE

PANAMA

La guerre des « mille jours »

Dates : 1899-1903.
Forces en présence : rébellion des libéraux colombiens contre les conservateurs au pouvoir.
Lieu d'impact : nord de la Grande Colombie.
Cause : l'opposition politique est encouragée par les États-Unis qui souhaitent contrôler la future zone du canal de Panama.
Déroulement : après des années d'opposition politique, les libéraux colombiens s'engagent dans une rébellion armée en 1899, qui devient une guerre d'indépendance surnommée la guerre des « mille jours ». Elle s'achève en 1903 avec la séparation de la région nord de la Colombie, qui devient l'État du Panama.
Conséquences : cette guerre a fait 100 000 victimes.
Particularités : Le canal de Panama, qui avait poussé les Américains à soutenir la sécession du nord de la Colombie, est inauguré en 1914.

MEXIQUE

La révolution mexicaine

Dates : 1910-1920.
Forces en présence : la rébellion populaire contre le pouvoir mexicain aux mains des grands propriétaires terriens,

d'abord, et la dictature du général Porfirio Diaz (1830-1915), ensuite.

Lieu d'impact : Mexique.

Cause : la misère populaire fait grandir l'opposition au régime, qui demande une réforme agraire.

Déroulement : le Mexique souffre d'une instabilité politique chronique : deux coups d'État ont lieu entre 1911 et 1914. La pauvreté dans les campagnes est immense. En 1910 éclate la révolution mexicaine au cours de laquelle les forces gouvernementales affrontent la révolte menée sur deux fronts : celle du nord du pays dirigée par Venustanio Carranza et Alvaro Obregon, et surtout celle du sud dirigée par Emiliano Zapata. Ce dernier, allié à un autre chef rebelle, Pancho Villa, parvient à prendre Mexico en décembre 1914.

Conséquences : le pouvoir, passé aux mains du général Alvaro Obregon, mate la rébellion en 1920 : Zapata est mort l'année précédente et Pancho Villa doit se soumettre en décembre. Mais il faut encore une quinzaine d'années avant que la paix revienne au Mexique. Le président Lazaro Cardenas, élu en 1934, initie finalement une série de réformes agraires et sociales.

Particularités : Emiliano Zapata, exécuté sur ordre du gouvernement en 1919, lors d'un guet-apens, est resté un symbole fort dans la mémoire des Mexicains. Son nom est repris dans les années 1990 par un mouvement de rébellion, l'EZLN.

Salvador

Date : 1932.

Forces en présence : opposition paysanne menée par Farabundo Marti contre le régime du général Martinez.

Lieu d'impact : Salvador.

Cause : révolte contre l'exploitation de la population.

Déroulement : face à la multiplication des révoltes paysannes, le général Martinez impose une répression sévère.

Conséquences : on dénombre 30 000 morts à la suite des mesures de répression adoptées par le gouvernement salvadorien.

Particularités : dans les années 1980, le Front Farabundo Marti de libération nationale (FMLN), un mouvement révolutionnaire d'obédience marxiste, a mené une guerre contre le régime démocratique du président Duarte.

CUBA

La révolution cubaine

Dates : décembre 1956-décembre 1958.
Forces en présence : le mouvement révolutionnaire dit « du 26 juillet » face au gouvernement cubain.
Lieu d'impact : Cuba.
Cause : opposition d'une partie de la population cubaine contre le régime de dictature.
Déroulement : les méthodes arbitraires du dictateur Fulgencio Batista lui attirent un nombre croissant d'opposants. Parmi eux se distingue Fidel Castro, un jeune avocat cubain qui a fondé le Mouvement du 26 juillet en mémoire de l'attaque d'une caserne qu'il avait menée en juillet 1953. En décembre 1956, Fidel Castro, Ernesto « Che » Guevara, révolutionnaire argentin, et leurs compagnons débarquent sur l'île avec pour objectif de lancer une guérilla. Depuis les forêts de l'Oriente, principal relief de Cuba appelées la sierra Maestra, les révolutionnaires (surnommés « barbudos ») luttent contre le régime de Batista. En décembre 1958, leurs efforts sont récompensés : ils prennent la ville de Santa Clara et atteignent La Havane.
Conséquences : en janvier 1959, Fidel Castro prend le pouvoir alors que Batista s'enfuit à l'étranger.
Particularités : un régime socialiste est adopté l'année suivante, au grand dam des Américains.

Le désastre de la baie des Cochons

Date : 17 avril 1961.
Forces en présence : opposants cubains aidés des services secrets américains contre le régime cubain de Fidel Castro.
Lieu d'impact : baie des Cochons à Cuba.

Cause : les États-Unis sont ulcérés d'apprendre en 1960 que Cuba a passé une alliance avec les Soviétiques et que ce pays fait donc partie du monde socialiste. Ils décident de soutenir les opposants ou anticastristes.

Déroulement : le 17 avril 1961, 1 500 exilés cubains débarquent dans la baie des Cochons, sur l'île de Cuba, dans le but de renverser le régime castriste. Cette opération a été organisée par la CIA américaine, mais la participation américaine est moins importante que prévue. De plus, Fidel Castro a été informé à l'avance et s'est préparé à leur arrivée.

Conséquences : cette opération est un échec et les opposants sont massacrés en touchant le sol. Les États-Unis se contentent ensuite d'un blocus contre Cuba.

Particularités : les Américains renforcent leur surveillance sur l'île. L'année suivante, cette mesure s'avère décisive (voir la crise des fusées).

La crise des fusées

Date : octobre 1962.

Forces en présence : l'Union soviétique (et Cuba) contre les États-Unis.

Lieu d'impact : le territoire cubain est au centre du différend.

Cause : installation de rampes de lancement de missiles balistiques soviétiques à Cuba.

Déroulement : en octobre 1956, un avion espion américain, U2, découvre l'installation de rampes de lancement de missiles soviétiques sur le territoire cubain. Il s'agit de missiles SS-4 et SS-5 à portée intermédiaire (3 500 kilomètres), susceptibles d'atteindre directement le territoire américain. Le président américain Kennedy réagit immédiatement en exigeant du dirigeant soviétique Nikita Khrouchtchev qu'il retire ces installations. Au terme d'une crise de treize jours, la demande de Washington est acceptée. La paix est sauvée.

Conséquences : les Soviétiques consentent le 28 octobre à retirer les rampes de lancement tandis que les États-Unis s'engagent de leur côté au retrait de leurs missiles Jupiter, stationnés en Turquie et tournés vers le territoire soviétique. Washington promet aussi de ne jamais chercher à envahir le territoire cubain.

Particularités : jamais encore le monde ne s'était trouvé aussi près d'une troisième guerre mondiale. Une nouvelle ère s'ouvre dans les relations internationales, celle de la Détente. Les chefs d'État américain et soviétique décident d'installer une ligne directe entre eux, le « téléphone rouge » (un téléscripteur).

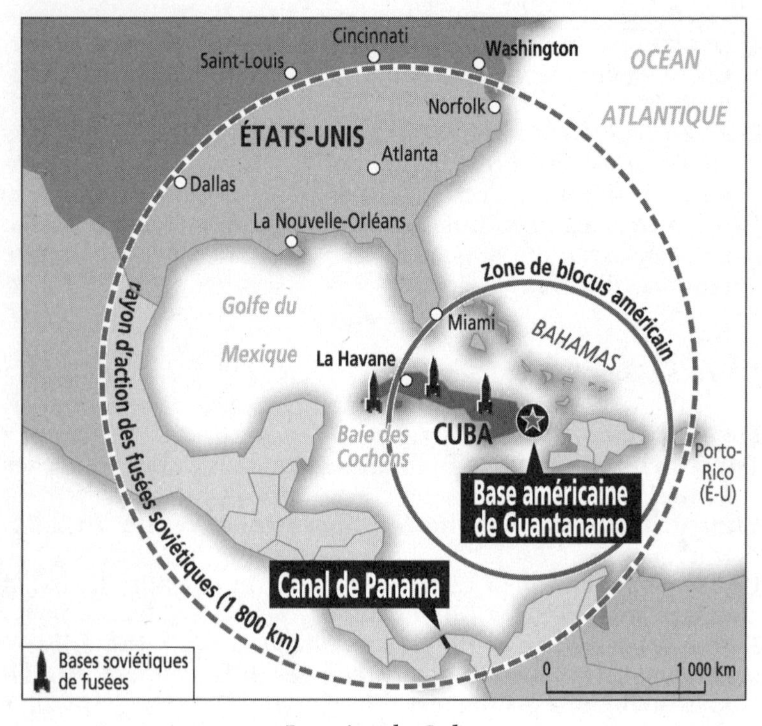

La crise de Cuba

NICARAGUA

La lutte anti-Somoza

Dates : 1978-1979.
Forces en présence : les partisans du FSLN contre le gouvernement de Somoza.
Lieu d'impact : Nicaragua.
Cause : lutte armée des opposants au régime répressif de Somoza.
Déroulement : le Front **sandiniste*** de libération nationale (FSLN) voit le jour au début des années 1960, et l'opposition au régime de la dynastie des Somoza s'accentue à la fin des années 1970 avec le ralliement massif d'une population excédée par la répression. En janvier 1978, le rédacteur en chef du journal d'opposition *La Prensa*, Pedro Joachim Chamorro, est assassiné, ce qui provoque une nouvelle rébellion. Peu après, les forces sandinistes réalisent un coup d'éclat en prenant en otage le palais national (1 500 personnes, qui seront échangées contre des armes et de l'argent). Malgré une sévère offensive du FSLN, soutenu par la population, en septembre 1978, le président Somoza refuse de quitter le pouvoir et accentue encore la répression. Les sandinistes réussissent enfin à prendre le pouvoir, le 17 juillet 1979.
Conséquences : on dénombre plus de 40 000 morts et 100 000 blessés, la situation économique du pays est catastrophique.
Particularités : une nouvelle guerre voit le jour très rapidement, l'opposition aux sandinistes étant toujours active.

La lutte antisandiniste

Dates : 1980-1988.
Forces en présence : les Contras contre les **sandinistes***.
Lieux d'impact : Nicaragua, et zone frontalière avec le Honduras.
Cause : soutien des Américains aux Contras, l'opposition antisandiniste.
Déroulement : les membres du Front sandiniste de libération nationale (FSLN) ont renversé le pouvoir d'Anastasio

Somoza en juillet 1979. Les Américains s'inquiètent du soutien que ceux-ci apportent à la guérilla salvadorienne. Washington décide alors d'armer l'opposition des Contras (partisans de l'ancien régime de Somoza), ce qui accentue la radicalisation du régime sandiniste, qui se tourne vers Moscou, et provoque une guerre civile. La guerre s'achève en mars 1988 par les accords de paix de Sapoa.

Conséquences : après la signature des accords de paix, la démocratie revient au Nicaragua.

Particularités : l'aide apportée par les Américains aux Contras est financée par la vente d'armes à l'Iran, ce qui provoqua le scandale de l'*Irangate* aux États-Unis.

SALVADOR

Dates : 1980-1992.

Forces en présence : les rebelles du Front Farabundo Marti de libération nationale (FFMLN) et des milices d'extrême droite contre le gouvernement salvadorien de Napoléon Duarte, puis de d'Alfredo Cristiani.

Lieu d'impact : Salvador.

Cause : opposition au pouvoir démocratique.

Déroulement : le président Napoléon Duarte a été élu démocratiquement, mais l'instabilité récurrente au Salvador s'accentue. Les propriétaires fonciers, craignant une redistribution des terres, financent des milices d'extrême droite (également soutenues par les Américains). De son côté, le mouvement marxiste du FFMLN tente de prendre le pouvoir. Le pays est en pleine guerre civile jusqu'aux accords de paix de Chaputelpec en 1992, qui consacrent le maintien de la démocratie dans le pays (à laquelle participe désormais le FFMLN).

Conséquences : cette guerre civile a coûté la vie à 70 000 personnes.

Particularités : les milices sont connues sous le nom d'« escadrons de la mort » en raison de la violence de leurs exactions.

Panama

L'intervention américaine de 1989

Dates : 20-24 décembre 1989.
Forces en présence : partisans du général Noriega contre les forces armées américaines.
Lieu d'impact : Panama.
Cause : opposition du président Bush et d'une partie de la population panaméenne au maintien au pouvoir du général Noriega.
Déroulement : depuis 1987, les émeutes se multiplient pour obtenir la démission du général Manuel Noriega. À la tête des forces militaires panaméennes depuis quatre ans, ce dernier est par ailleurs étroitement mêlé au trafic de drogue. Les Américains, présents dans la zone du canal jusqu'en 1999, sont critiqués par le général et décident donc de suspendre leur aide financière au Panama et de lâcher Noriega. Mais une élection présidentielle organisée en mai 1989 dégénère (on dénombre une quinzaine de victimes) et est finalement suspendue. Les Américains renforcent alors leur contingent dans le pays et appellent la population panaméenne à renverser Noriega. Ce dernier se fait proclamer chef du gouvernement en décembre 1989, et ouvre les hostilités contre les Américains. Le président Bush lance alors l'opération « Juste cause » d'intervention des troupes américaines (près de 30 000 hommes au total) au Panama le 20 décembre 1989. Noriega se réfugie à la nonciature du Vatican quatre jours plus tard.
Conséquences : en janvier 1990, le général Noriega se rend aux Américains ; il est condamné en 1992 à quarante années de prison pour sa participation au trafic de drogue.
Particularités : les Américains dédommageront les quelque 3 000 familles des victimes de leur intervention de 1989.

Mexique

La révolte du Chiapas

Date : 1er janvier 1994.
Forces en présence : l'Armée zapatiste de libération nationale contre le gouvernement du président mexicain Carlos Salinas.
Lieu d'impact : État fédéré du Chiapas, au sud du Mexique.
Cause : révolte des paysans indiens.
Déroulement : le 1er janvier 1994, des membres de l'Armée zapatiste de libération nationale (EZLN) s'emparent de plusieurs villes du Chiapas. L'EZLN, menée par le sous-commandant Marcos, dénonce la corruption du gouvernement et demande notamment un meilleur partage des richesses. Immédiatement, le gouvernement réagit. On dénombre 300 victimes parmi les rebelles. Mais l'EZLN trouve des alliés dans l'opposition politique et le président Salinas préfère proposer un « Compromis pour une paix digne dans le Chiapas », néanmoins refusé par Marcos. Le successeur de Salinas, Ernesto Zedillo, décide de lancer un mandat d'arrêt contre les dirigeants de l'EZLN et tente de ternir l'image de Marcos, populaire auprès des Indiens. Mais Marcos, toujours libre, parvient à obtenir la transformation de l'EZLN en parti politique.

En janvier 1996, l'EZLN devient le Front zapatiste de libération (FZLN). En dépit d'une amélioration avec les accords de San Andrès au bénéfice des Indiens, en février 1996, les heurts se poursuivent. Dans la ville d'Acteal en décembre 1997, 45 Indiens disparaissent, victimes de milices soutenues par le gouvernement pour lutter contre l'EZLN.

Conséquences : en 1998, de nouvelles négociations permettent de satisfaire une partie des revendications de l'EZLN au profit de la population indienne du Chiapas.
Particularités : le sous-commandant Marcos a bénéficié d'une importante médiatisation de son mouvement, et a utilisé Internet pour se faire connaître en Occident.

AMÉRIQUE DU SUD

Colombie

La Violencia

Dates : 1948-1953.
Forces en présence : les libéraux colombiens contre les conservateurs au pouvoir.
Lieu d'impact : Colombie.
Cause : rivalités politiques et frustration de la population.
Déroulement : les tensions entre les groupes politiques se transforment en guerre civile après l'assassinat du leader populiste Jorge Eliecer Gaitan. Des milices paysannes affrontent les forces gouvernementales et les combats poussent les populations à se réfugier dans les villes. Au bout de cinq années de conflit, un coup d'État réalisé par le général Rojas Pinilla ramène le calme dans le pays.
Conséquences : la guerre s'achève avec le sinistre bilan de 250 000 victimes. Libéraux et conservateurs parviennent à s'entendre et signent un accord d'alternance politique en 1957.
Particularités : cette guerre civile est restée célèbre dans la mémoire des Colombiens sous le nom de « La Violencia ».

Bolivie

L'insurrection de 1952

Date : 8-11 avril 1952.
Forces en présence : les partisans du Mouvement national révolutionnaire (MNR) contre le gouvernement du général Hugo Ballivian Rojas.

Lieu d'impact : Bolivie.

Cause : le président Victor Paz Estenssoro, élu en juin 1956, a été renversé par un putsch. Le MNR cherche alors à récupérer le pouvoir.

Déroulement : les membres du MNR, opposés au nouveau régime qui leur a « volé » une victoire électorale l'année précédente, provoquent en février 1952 une série d'émeutes et de grèves. Le bras droit de l'ex-président Paz, Hernan Siles Suazo, appelle la population à se joindre aux partisans du MNR pour lancer une insurrection, du 8 au 11 avril 1952. Vaincue, l'armée gouvernementale doit se rendre aux insurgés au bout de trois jours. Le président Victor Paz Estenssoro revient au pouvoir en Bolivie le 13 avril suivant.

Conséquences : on dénombre 600 victimes.

COLOMBIE

La guérilla

Date : depuis 1961.

Forces en présence : rebelles de l'ALN, puis des FARC et du M-19 contre les autorités gouvernementales colombiennes.

Lieu d'impact : Colombie.

Causes : la lutte pour le pouvoir entre des mouvements de tendances politiques différentes, le trafic de drogue et la corruption au plus haut niveau de l'État ont empoisonné la vie politique colombienne et permis à la guérilla de se maintenir depuis les années 1960.

Déroulement : en 1961 débute une guérilla à l'initiative de l'Armée de libération nationale (ALN), relayée quatre ans plus tard par les Forces armées révolutionnaires colombiennes (FARC), et par le Mouvement du 19 avril (M-19) en 1974.

Contre ces mouvements, des milices privées se greffent à celles des trafiquants de drogue appartenant aux puissants cartels des villes de Bogota, Cali et Medellin.

Durant les années 1980 et 1990, la guérilla s'intensifie. Le gouvernement colombien, qui soutient les forces paramilitaires contre les rebelles, s'avère incapable d'enrayer la corruption qui gangrène le pays. En 1998, soucieux de pacifier les relations avec les FARC, le président Pastrana leur octroie une portion de territoire de 42 000 km^2 située au sud et devant être démilitarisée. Contrairement à ce qui était prévu, cette région est depuis considérée comme définitivement acquise par les FARC, qui y font la loi et ont poursuivi attentats et enlèvements, dont celui du sénateur Ingrid Bétancourt.

Conséquences : la situation en Colombie reste très incertaine et l'insécurité demeure.

Particularités : le président colombien élu en 2002, Alvaro Uribe (qui fut gouverneur de Medellin), avait déjà échappé à une quinzaine d'attentats contre sa personne au moment de son élection.

Chili

Date : 11 septembre 1973.

Forces en présence : le général Pinochet contre le président Salvador Allende.

Lieu d'impact : Santiago (capitale du Chili).

Cause : depuis septembre 1970, un socialiste, Salvador Allende, est le président élu de la République chilienne. Sa politique, notamment de nationalisations, déplaît beaucoup aux Américains qui s'inquiètent de la menace qui pèse sur leurs intérêts économiques et politiques dans le pays. Son action suscite également l'opposition d'une partie de la population, en particulier l'armée.

Déroulement : soutenus par les services secrets américains (la CIA), les opposants au régime d'Allende tentent d'abord de déstabiliser le gouvernement. Mais cette tentative échoue avec la victoire du gouvernement aux élections législatives de mars 1973. L'automne suivant, l'opposition opte pour une mesure bien plus radicale : le général Pinochet, récemment promu chef d'état-major de l'armée de terre chilienne, provoque un coup d'État. Le 11 septembre 1973, l'armée s'empare du palais présidentiel et le président Allende trouve la mort pendant les combats.

Conséquences : le général Pinochet instaure une dictature militaire et devient l'année suivante le « chef suprême de la nation ».

Particularités : la répression du nouveau régime entraîne la disparition de milliers de personnes. Le général Pinochet, qui n'est plus au pouvoir depuis 1989, a été l'objet de démarches judiciaires en 2000 visant à le faire comparaître devant la justice. Pinochet ayant été jugé « sénile » après examen médical, les poursuites judiciaires sont abandonnées l'année suivante (mais pourraient reprendre prochainement, sa sénilité étant mise en doute).

Argentine

La guerre des Malouines

Dates : 1er mai-14 juin 1982.

Forces en présence : les forces armées argentines contre les forces armées britanniques.

Lieu d'impact : îles Malouines (*Falkland* en anglais), à 600 kilomètres des côtes argentines.

Cause : revendication par l'Argentine des îles Malouines appartenant au Royaume-Uni.

Déroulement : désireux de détourner l'attention de la population afin de faire oublier les difficultés politiques et économiques du pays, le général Galtieri au pouvoir en Argentine envoie début avril 1982 des troupes dans l'archipel des Malouines. Cette intervention est immédiatement condamnée par la communauté internationale. Les Britanniques lancent un ultimatum. Les Argentins refusant de se retirer, les Britanniques débarquent dans l'archipel le 25 avril suivant. La guerre débute le 1er mai et s'achève par la victoire des forces britanniques, le 14 juin 1982, date à laquelle l'Argentine capitule. Le général Galtieri doit démissionner.

Conséquences : on dénombre 750 victimes argentines et 254 britanniques. La démocratie est proclamée en Argentine en 1984, après le départ de la junte militaire.

Chapitre 4

Asie

1899-1901 : la révolte des Boxers en Chine
*
1904-1905 : la guerre russo-japonaise en Mandchourie
*
1915-1916 : le génocide arménien
*
1937 : l'invasion japonaise en Chine
*
1946-1954 : la guerre d'Indochine
*
1947 : le Cachemire
*
1948-1949 : la première guerre israélo-arabe
*
1949 : Taiwan
*
1950-1953 : la guerre de Corée
*
1965-1975 : la guerre du Vietnam
*
1967 : la guerre des Six Jours
*
1970 : septembre noir en Jordanie
*
1971 : le Pakistan-Oriental
*
1973 : la guerre du Kippour
*
1975-1996 : les Khmers rouges au Cambodge
*
1976 : la « guerre de deux ans » au Liban
*
1979-1988 : l'invasion soviétique en Afghanistan
*
1980-1988 : la guerre Iran/Irak
*
1980-1992 : l'Intifada
*
1984-1998 : le Kurdistan
*
1987-1988 : la guerre civile au Liban
*
1989-1994 : la guerre civile en Géorgie
*
1991 : la guerre du Golfe
*
1998 : l'opération « Renard du désert »
*
2000 : la seconde Intifada
*
2001 : l'opération « Liberté immuable »
*
2003 : la seconde guerre du Golfe

PROCHE ET MOYEN-ORIENT

ISRAËL

La première guerre israélo-arabe

Dates : 14 mai 1948-20 juillet 1949.
Forces en présence : les troupes israéliennes font face aux forces armées de Transjordanie, d'Égypte et de Syrie ainsi qu'aux troupes libanaises et irakiennes.
Lieu d'impact : Israël.
Cause : refus des pays arabes de reconnaître la proclamation de l'État d'Israël.
Déroulement : les troupes arabes attaquent les Israéliens dès l'annonce de la création de l'État d'Israël, le 14 mai 1948. Après avoir remporté plusieurs victoires, les forces arabes doivent ensuite reculer devant les forces israéliennes mieux organisées. Au cours des premiers mois de 1949, les pays arabes demandent l'armistice les uns après les autres.
Conséquences : le conflit s'achève par des négociations menées entre le 23 février et le 20 juillet 1949 sous les auspices des Nations unies. L'État israélien agrandit son territoire de 6 000 km^2.
Particularités : l'État palestinien n'est pas proclamé, contrairement aux dispositions des Nations unies de 1947 (résolution 181), et 800 000 Palestiniens sont contraints de quitter leur territoire.

La guerre des Six Jours

Dates : 5-10 juin 1967.
Forces en présence : les forces israéliennes s'opposent aux forces armées égyptiennes, syriennes et jordaniennes.

Lieux d'impact : territoires limitrophes de l'État israélien.

Cause : le 22 mai 1967, le président égyptien Nasser entreprend de bloquer l'accès au golfe d'Aqaba aux Israéliens ; les Israéliens s'inquiètent des menaces de leurs pays voisins.

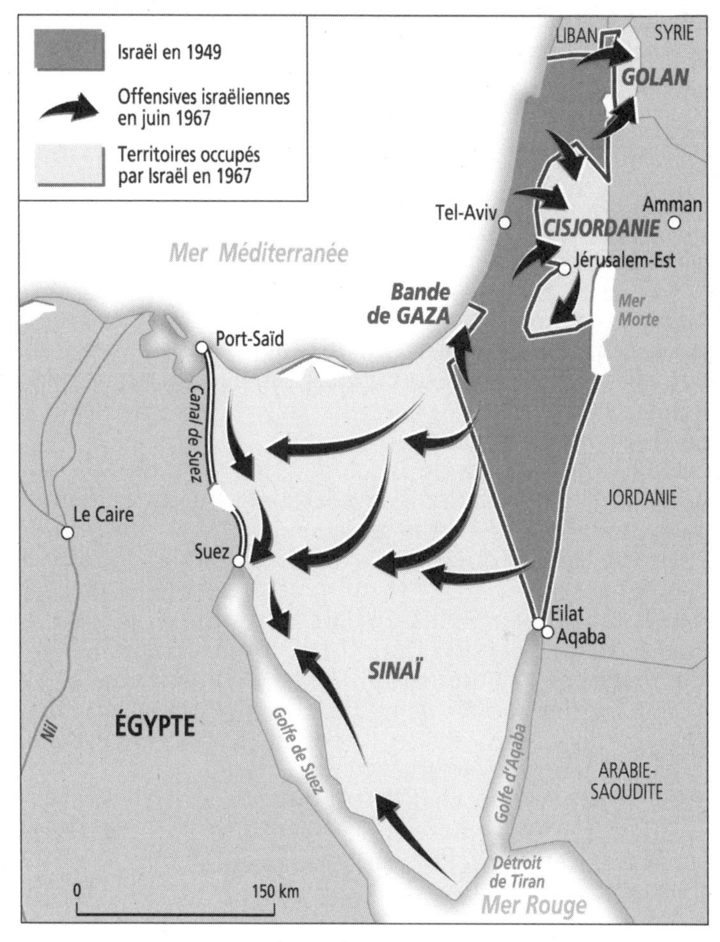

Guerre des Six Jours

Déroulement : le général israélien Rabin préfère attaquer le premier ; il lance une guerre éclair le 5 juin et ses troupes envahissent à la fois le désert du Sinaï (Égypte), le Golan (Syrie) la Cisjordanie et Gaza. Cinq jours plus tard, les armées arabes demandent un cessez-le-feu.

Conséquences : les Israéliens proclament Jérusalem leur capitale. En dépit de la résolution 242 des Nations unies qui leur demandent de restituer les territoires pris à l'ennemi, les Israéliens les conservent, ce qui entraîne le départ supplémentaire de 250 000 Palestiniens.
Particularités : les conquêtes de 1967 ne sont pas reconnues par la communauté internationale.

JORDANIE

Septembre noir

Dates : 17 septembre-6 octobre 1970.
Forces en présence : les fedayin (combattants engagés dans des opérations de guérilla) palestiniens contre l'armée jordanienne.
Lieu d'impact : Jordanie.
Cause : le roi Hussein de Jordanie craint la montée en puissance des organisations armées palestiniennes dans son pays, en particulier le Front populaire de libération de la Palestine (FPLP) qui menace directement la monarchie jordanienne.
Déroulement : le roi Hussein fait réprimer les agitateurs qui menacent son pays en faisant intervenir l'armée.
Conséquences : on dénombre 3 500 victimes de cette intervention, qui est suivie de nombreuses expulsions. Soucieux de parvenir néanmoins à une entente avec la forte minorité palestinienne de Jordanie, le roi Hussein passe un accord avec Yasser Arafat, chef de l'Organisation de libération de la Palestine (OLP). Les milices palestiniennes expulsées de Jordanie trouvent refuge en Syrie et au Liban, où leur présence a un rôle certain dans la guerre civile qui éclate dans ce pays en 1982.
Particularités : en septembre 1972, un groupe terroriste palestinien appelé « Septembre noir » en mémoire de la répression jordanienne prend en otage et massacre onze athlètes israéliens lors de jeux Olympiques de Munich.

ISRAËL

La guerre du Kippour

Dates : 6-25 octobre 1973.
Forces en présence : l'armée israélienne contre les forces armées égyptiennes et syriennes.
Lieux d'impact : zones limitrophes du territoire israélien, dont le Golan et la frontière israélo-égyptienne.
Cause : les pays arabes demandent l'application de la résolution 242 des Nations unies sur le retrait des territoires occupés par les Israéliens depuis 1967.
Déroulement : les pays arabes lancent le 6 octobre (jour de la fête juive du Grand Pardon, le Kippour) une attaque aux frontières de l'État hébreu. Les forces israéliennes doivent affronter les Syriens au nord et les Égyptiens au sud, dans le Sinaï.

En moins de trois semaines, Israël parvient à vaincre les armées arabes qui demandent un cessez-le-feu les 23 et 24 octobre 1973.
Conséquences : les pays arabes humiliés feront subir des représailles aux Occidentaux *via* **l'OPEP*** en quadruplant le prix du baril de pétrole entre octobre et décembre 1973.
Particularités : c'est le général Ariel Sharon, futur Premier ministre, qui commandait l'armée israélienne pendant la guerre du Kippour.

LIBAN

La « guerre de deux ans »

Dates : 13 avril 1975-18 octobre 1976.
Forces en présence : les phalangistes chrétiens contre les musulmans libanais alliés aux Palestiniens.
Lieu d'impact : Liban.
Cause : les chrétiens du Liban voient leur pouvoir de plus en plus contesté par les musulmans. L'arrivée massive de réfugiés palestiniens au Liban augmente l'opposition des deux communautés.

Déroulement : le massacre de Palestiniens et de Libanais le 13 avril 1975 par des phalangistes (chrétiens maronites) déclenche la guerre civile. Le conflit se répand immédiatement dans les grandes villes libanaises. En janvier 1976 a lieu la « bataille de la quarantaine » opposant les phalangistes aux Palestiniens de Beyrouth, la capitale. La Syrie intervient pour protéger le gouvernement et combattre à son tour les Palestiniens. Cette intervention permet de signer un cessez-le-feu, négocié à Riyad, la capitale saoudienne, le 18 octobre 1976.

Conséquences : en dépit de cet accord, les tensions demeurent vives entre les communautés du Liban et donnent lieu six ans plus tard à une nouvelle guerre civile, plus terrible encore.

IRAN/IRAK

La guerre

Dates : 22 septembre 1980-20 août 1988.

Forces en présence : les forces armées irakiennes s'opposent aux forces armées iraniennes.

Lieu d'impact : Iran-Irak.

Cause : une rivalité de puissance dans la région oppose Saddam Hussein et l'**ayatollah*** Khomeyni.

Déroulement : les troupes irakiennes lancent une offensive contre l'Iran le 22 septembre 1980 et parviennent à prendre la zone du Chatt al-Arab. En dépit des difficultés, l'Iran refuse un cessez-le-feu et la guerre se poursuit, particulièrement meurtrière. Les combattants sont fanatisés. Une contre-offensive iranienne permet de retourner la situation à la fin de l'année 1982. Une guerre des tranchées se met alors en place. Les Iraniens recrutent des enfants-soldats, les Irakiens ont recours aux armes chimiques... En 1987, les Nations unies proclament la résolution 598 pour un cessez-le-feu, mais il faut attendre encore une année avant que les deux camps, à bout de forces, ne l'acceptent. Un cessez-le-feu définitif est signé le 20 août 1988, sans qu'il y ait de véritable vainqueur.

Conséquences : cette guerre aura coûté la vie à 1 million de personnes et ruiné les économies des deux pays.

LIBAN

La guerre civile

Dates : 1982-1990.

Forces en présence : chrétiens maronites contre musulmans du Liban et Palestiniens. Intervention des forces israéliennes, syriennes, et de la FINUL (Forces intermédiaires des Nations unies au Liban).

Lieu d'impact : Liban.

Cause : affrontement entre les communautés confessionnelles du Liban.

Déroulement : en 1982, Israël lance l'opération « Paix en Galilée » d'invasion du Liban afin de lutter contre les opposants palestiniens qui attaquent son territoire depuis le Sud-Liban. Le 17 mai 1983, Israël impose un traité de paix au président libanais Amine Gemayel qui a succédé à son frère Béchir assassiné en septembre 1982. Mais la Syrie et les musulmans du Liban s'opposent à l'accord. Le conflit, qui s'était apaisé à la fin de l'année 1976, reprend massivement entre chrétiens maronites, musulmans et Palestiniens, notamment par le biais de dizaines de milices. Les soldats français et américains intervenus avec la FINUL sont victimes d'attentats en octobre 1983 et décident de partir. En 1988, les représentants palestiniens, hormis les chefs de l'OLP expulsés en 1983 sous la protection de la FINUL, acceptent de conclure une trêve. Alors que la Syrie semble maîtriser la situation au Liban, une nouvelle guerre éclate à l'initiative des chrétiens menés par le général Michel Aoun, qui souhaite faire partir les Syriens du pays.

La guerre semble prendre fin avec les accords de Taïf du 22 octobre 1989, qui prévoient une réconciliation et un nouveau partage du pouvoir entre les communautés confessionnelles, mais aussi le maintien de la tutelle syrienne sur le Liban. Mais le général Aoun s'y oppose et de nouveaux combats sévissent cette fois entre les chrétiens eux-mêmes.

Les accords de Taïf sont ratifiés à l'été 1990 et, après une dernière offensive du général Aoun, les combats cessent définitivement à l'automne.

Conséquences : on dénombre 150 000 morts à l'issue du conflit.

Particularités : les 16 et 17 septembre 1982, les troupes phalangistes ont massacré un millier de civils réfugiés dans les camps palestiniens de Sabra et Chatila. Un épisode qui restera le symbole de la sauvagerie pratiquée abondamment pendant cette guerre.

ISRAËL / PALESTINE

L'Intifada

Dates : 9 décembre 1987-1988.

Forces en présence : les Palestiniens des territoires occupés contre les forces armées israéliennes.

Lieu d'impact : territoires palestiniens.

Cause : demande d'application de la résolution 242 des Nations unies sur le retrait d'Israël des territoires occupés.

Déroulement : le soulèvement éclate dans le camp de Jabalya à la suite d'un accident de circulation survenu à Gaza : un chauffeur israélien ayant involontairement provoqué la mort de quatre personnes, les émeutes se multiplient et les troupes israéliennes ripostent. Un enfant est tué, ce qui provoque une vague de colère qui se répand dans toute la bande de Gaza et la Cisjordanie.

Conséquences : on dénombre environ 400 morts et 25 000 blessés après une année de soulèvement dans les territoires occupés.

Particularités : Intifada signifie « révolte des pierres ».

IRAK

La guerre du Golfe

Dates : 17 janvier-2 mars 1991.
Forces en présence : une coalition de 26 pays[1] menée par les États-Unis affronte les forces armées irakiennes.
Lieu d'impact : Irak et Koweït.
Cause : l'Irak a envahi le Koweït le 2 août 1990.
Déroulement : Saddam Hussein refusant de se plier à la résolution 660 des Nations unies du 3 août 1990 sur le retrait des troupes irakiennes du Koweït, une coalition menée par les États-Unis attaque le territoire irakien le 17 janvier 1991. Après un mois de bombardements, les alliés pénètrent en Irak et au Koweït. Saddam Hussein, vaincu, consent à négocier un cessez-le-feu le 2 mars suivant. Un cessez-le-feu définitif sera adopté un mois plus tard, selon la résolution 687 des Nations unies.
Conséquences : on dénombre environ 320 morts du côté de la coalition contre près de 100 000 du côté irakien. Le Koweït est libéré mais Saddam Hussein reste au pouvoir.
Particularités : la résolution 687 du 3 avril 1991 prévoit également l'élimination par l'Irak de toutes ses armes de destruction massive.

L'opération « Renard du désert »

Dates : 16-19 décembre 1998.
Forces en présence : l'armée de l'air américaine contre la défense aérienne irakienne.
Lieu d'impact : Irak.
Cause : la non-application par Saddam Hussein de la résolution 687 l'obligeant à renoncer aux armes de destruction massive.
Déroulement : le 16 décembre 1998, les États-Unis entament une série de bombardements aériens sur des instal-

1. Les États-Unis et leurs alliés occidentaux traditionnels, et tous les pays arabes, à l'exception de l'OLP (Organisation de Libération de la Palestine), de la Jordanie et du Yémen.

lations irakiennes accusées d'abriter des laboratoires et des stocks d'armes de destruction massive. Pendant trois jours, des centaines de missiles et de bombes sont envoyés sur les sites sensibles.

Conséquences : une dizaine de laboratoires, une vingtaine d'installations de commandement et une centaine de cibles militaires et économiques ont été particulièrement touchés.

Particularités : au cours de cette opération, les États-Unis envoient plus de missiles que pendant la guerre du Golfe de 1991.

ISRAËL / PALESTINE

La seconde Intifada

Dates : depuis le 28 septembre 2000.

Forces en présence : les combattants palestiniens contre les forces armées israéliennes.

Lieu d'impact : Israël et les territoires palestiniens (Cisjordanie surtout).

Cause : l'apparition du chef du **Likoud*** Ariel Sharon sur l'esplanade des Mosquées, à Jérusalem, a mis le feu aux poudres, dans un contexte de blocage des accords de Charm el-Cheikh qui prévoyaient la création d'un État palestinien le 13 septembre 2000.

Déroulement : un soulèvement éclate dans les territoires palestiniens. En juin 2001 apparaissent en Israël les attentats kamikazes palestiniens orchestrés par le Djihad islamique et le Hamas. Les Israéliens ripostent par des incursions armées dans les territoires palestiniens.

Conséquences : Yasser Arafat a été contraint de nommer Premier ministre Mahmoud Abbas, en mars 2003. Abbas a démissionné et a été remplacé par Ahmed Qorei en octobre 2003.

Irak

La seconde guerre du Golfe

Dates : 20 mars-1er mai 2003.
Forces en présence : les forces américano-britanniques contre les troupes irakiennes.
Lieu d'impact : Irak.
Cause : les États-Unis veulent renverser le dictateur Saddam Hussein, soupçonné de détenir des armes de destruction massive.
Déroulement : la guerre lancée par la coalition américano-britannique est plus rapide que prévu : commencée le 20 mars 2003, elle s'achève le 1er mai avec la capitulation des forces irakiennes qui ont peu combattu, contrairement à ce qu'on pouvait attendre. Même la ville de Tikrit, dont est originaire Saddam Hussein, est tombée facilement.

C'est la reconstruction du pays qui s'avère depuis particulièrement difficile, des poches de rébellion se maintenant et même s'intensifiant, surtout au centre et au sud du pays.
Conséquences : la dictature est renversée, et Saddam Hussein capturé en octobre 2003. Des révoltes chiites et sunnites empêchent une sécurisation du pays et retardent la mise en place de la démocratie en Irak.
Particularités : contrairement à ce qu'avaient annoncé les Américains pour justifier leur intervention armée, il semble que Saddam Hussein ne disposait pas (plus ?) d'armes de destruction massive. Aucune arme de ce type n'a été trouvée un an après la fin du conflit.

ASIE MINEURE

TURQUIE

Le génocide arménien

Dates : 1915-1916.
Forces en présence : les forces de l'**Empire ottoman*** contre la population arménienne.
Lieu d'impact : Anatolie (Empire ottoman).
Cause : à l'aube de la Première Guerre mondiale, l'Empire ottoman est dirigé par la dictature nationaliste du mouvement « Jeunes-Turcs ». Celle-ci redoute un soutien de la communauté arménienne aux troupes russes ennemies.
Déroulement : après avoir fusillé 200 000 militaires arméniens en janvier 1915 et exécuté quelque 600 notables arméniens d'Istanbul, les Turcs entreprennent en août 1915 de déporter d'Anatolie vers la Mésopotamie les 2 millions d'Arméniens vivant sous leur contrôle. Leur déportation dure plusieurs mois.

Au cours de ce transfert de population particulièrement violent et sans pitié, les Arméniens sont massacrés ou victimes de la famine et de la soif. Environ 1 million d'entre eux trouvent la mort.
Conséquences : la diaspora arménienne attend toujours, quatre-vingt-dix ans plus tard, la reconnaissance du génocide par la Turquie.

Le Kurdistan

Dates : 1984-1998.
Forces en présence : rebelles kurdes du Parti des travailleurs du Kurdistan contre les autorités turques.

Lieu d'impact : Kurdistan turc.
Cause : volonté indépendantiste des Kurdes de Turquie, victimes de discrimination.
Déroulement : c'est en 1984 que s'intensifie la rébellion des Kurdes contre le gouvernement turc. Le Parti des travailleurs du Kurdistan (PKK), un mouvement indépendantiste d'inspiration marxiste fondé par Abdullah Ocälan, lance une série d'attentats et d'assassinats. Ces actions visent des personnalités turques, mais aussi des touristes étrangers, et ont pour objectif de porter atteinte à l'économie du pays. La répression du gouvernement est terrible, faisant des dizaines de milliers de morts et rasant des milliers de villages kurdes. La situation s'apaise par l'arrestation en février 1999 du chef du PKK. La Turquie adopte également des mesures destinées à améliorer son image vis-à-vis de l'Union européenne, à laquelle elle espère adhérer. Durant l'été 2002, la peine de mort est abolie et des réformes en faveur des minorités sont adoptées.
Conséquences : l'apaisement de la situation ne doit pas faire oublier que les Kurdes, répartis dans cinq États différents, attendent toujours de disposer de leur propre pays.

Géorgie

La guerre civile

Dates : décembre 1989-juillet 1992-mai 1994.
Forces en présence : troupes géorgiennes contre séparatistes ossètes, puis abkhazes, et intervention des troupes russes.
Lieu d'impact : Géorgie.
Cause : la guerre civile en Ossétie-du-Sud, apparue en 1989, dégénère en conflit avec les autorités géorgiennes qui refusent le rattachement de cette région à l'Ossétie-du-Nord (Russie). En 1992, le refus du gouvernement géorgien d'accorder l'indépendance de la région d'Abkhazie entraîne un autre conflit interne en Géorgie.
Déroulement : des affrontements armés éclatent entre les troupes géorgiennes et les opposants ossètes en décem-

bre 1989, puis entre les troupes géorgiennes et les opposants abkhazes, en juillet 1992. L'armée russe intervient à deux reprises pour imposer un cessez-le-feu, en juillet 1992 et en mai 1994. Une mission d'observation des Nations unies en Géorgie, la MONUG, est créée en août 1993 pour surveiller le premier cessez-le-feu en Abkhazie, signé en juillet.

Conséquences : en dépit des cessez-le-feu, la situation demeure tendue dans les territoires autonomes d'Abkhazie et d'Ossétie-du-Sud. Tandis que des heurts ont éclaté en mai 2004 en Adjarie.

ASIE CENTRALE

Afghanistan

L'invasion soviétique

Dates : 27 décembre 1979-14 avril 1988.

Forces en présence : les Moudjahidin (combattants d'une armée de libération islamique) afghans s'opposent aux forces armées soviétiques.

Lieu d'impact : Afghanistan.

Cause : les Soviétiques veulent maintenir au pouvoir un régime en place depuis 1978 en Afghanistan. Ils entendent le protéger contre la révolte de la population, alors que le Djihad a été proclamé par les islamistes afghans.

Déroulement : en vertu d'un traité d'assistance signé quelques mois auparavant, les Soviétiques décident d'envahir l'Afghanistan afin de venir en aide au gouvernement communiste de Kaboul. Leurs troupes pénètrent sur le territoire afghan le 27 décembre 1979, mais elles doivent affronter une résistance féroce. Les combattants afghans reçoivent bientôt l'aide des États-Unis qui, par le biais de la CIA et du Pakistan, leur fournissent des armes et des moyens financiers. En 1988, après une décennie de guerre, le gouvernement soviétique, dirigé depuis trois ans par Mikhaïl Gorbatchev, décide de se retirer d'Afghanistan.

Les accords de Genève, conclus le 14 avril 1988, entérinent le départ des Soviétiques.

Conséquences : la guerre russo-afghane a fait plus de 20 000 morts, dont les deux tiers du côté soviétique. Le pays est exsangue, et les traditionnelles rivalités entre clans, qui avaient disparu dans la lutte contre l'ennemi commun, resurgissent.

Particularités : une guerre civile succède à la guerre contre Moscou. En 1996, ce sont les Taliban qui prennent le pouvoir et mettent en place un régime islamique fondamentaliste.

L'opération « Liberté immuable »

Dates : septembre-décembre 2001.

Forces en présence : les forces de la coalition menée par les Américains contre le régime des Talibans.

Lieu d'impact : Afghanistan.

Cause : le régime des Taliban au pouvoir en Afghanistan refuse d'extrader Oussama ben Laden accusé d'avoir organisé les attentats contre les ambassades américaines au Kenya et en Tanzanie en 1988, et ceux du 11 septembre 2001 aux États-Unis (3 000 morts).

Déroulement : dès le 19 septembre, les Américains lancent contre l'Afghanistan l'opération « Liberté immuable », à laquelle se joignent notamment les Français et les Britanniques. Le commandant Massoud, qui dirigeait les Forces du Nord, a été assassiné le 9 septembre 2001, mais la résistance afghane demeure active dans les combats au sol, jusqu'à ce que les troupes alliées interviennent depuis l'Ouzbékistan. Les Taliban sont rapidement mis en échec et capitulent en décembre.

Conséquences : un gouvernement est mis en place sous l'autorité d'Hamid Karzaï, mais la situation demeure précaire plus de deux ans après la fin du conflit.

Particularités : ni le mollah Omar, chef des Taliban, ni Oussama ben Laden n'ont pu être capturés à l'issue du conflit.

LE SOUS-CONTINENT INDIEN

LE CACHEMIRE

Dates : depuis 1947.
Forces en présence : les forces armées pakistanaises contre les forces armées indiennes.
Lieu d'impact : Cachemire (nord de l'Inde).
Cause : la revendication du Cachemire par le Pakistan et les indépendantistes musulmans.
Déroulement : au moment du partage de l'Inde, réalisé lors du départ des colons britanniques au mois d'août 1947, le Cachemire (hindou) refuse de se rattacher au nouvel État musulman du Pakistan. La population du Cachemire, majoritairement musulmane, s'insurge, et le maharadjah fait appel à l'armée indienne. Cette dernière intervient en échange du rattachement du Cachemire à l'État Indien. Mais les troupes pakistanaises ne l'entendent pas ainsi et interviennent à leur tour. Les Nations unies imposent un cessez-le-feu en janvier 1949 et un partage du territoire entre les deux États, avec une zone musulmane (l'Azad Cachemire) et une zone hindoue (le Jammu et Cachemire). En octobre 1962, la Chine envahit le Cachemire indien. En dépit d'un cessez-le-feu décrété en novembre, elle conservera une partie du Cachemire, l'Aksaï-Chin. En août 1965, l'attaque de Pakistanais et de musulmans indépendantistes sur la partie indienne du Cachemire ranime le conflit indo-pakistanais. Les gouvernements chinois et américain interviennent politiquement pour calmer la situation, et un nouveau cessez-le-feu est conclu en janvier 1966. En 1999, de nouveaux heurts ensanglantent le Cachemire indien. La guérilla d'origine pakistanaise reprend. L'Inde répond par des bombardements et parvient à dominer la situation. En

septembre 2001, une nouvelle attaque d'indépendantistes musulmans vise le Parlement du Cachemire indien, provoquant une concentration des forces indiennes et pakistanaises le long de leur frontière commune. Depuis, les affrontements réapparaissent sans qu'il y ait de nouvelle escalade dans l'opposition indo-pakistanaise.

Conséquences : le Cachemire est aujourd'hui l'objet de manœuvres terroristes qui maintiennent la région dans une insécurité permanente. On dénombrait, en 2003, 70 000 victimes depuis 1947.

Particularités : la détention de l'arme nucléaire depuis 1998 par l'Inde et le Pakistan permet d'espérer que les deux gouvernements seront plus enclins à préserver la paix.

Le Pakistan-Oriental

Dates : 25 mars-17 décembre 1971.

Forces en présence : les rebelles indépendantistes du Pakistan-Oriental (futur Bangladesh) contre les forces armées du Pakistan-Occidental. Intervention armée de l'Inde en faveur des indépendantistes.

Lieu d'impact : Pakistan-Oriental.

Cause : volonté indépendantiste de la Ligue Awami.

Déroulement : le Pakistan, né en 1947, est divisé en deux parties éloignées de près de 2 000 kilomètres, ce qui encourage les aspirations autonomistes de la partie orientale, d'origine bengali, qui s'estime victime de l'hégémonie politique du Pakistan. En décembre 1970, le parti indépendantiste (Ligue Awami) du Pakistan-Oriental de Mujibur Rahma remporte les élections à l'Assemblée nationale pakistanaise. Cette victoire encourage la proclamation de l'indépendance du Pakistan-Oriental, qui devient le Bangladesh le 25 mars 1971. Mais les autorités du Pakistan-Occidental refusent la partition et envoient leurs forces armées, provoquant un flot de réfugiés dans le pays voisin, l'Inde. C'est au tour du gouvernement indien d'intervenir, le 3 décembre suivant, remportant une rapide victoire.

Conséquences : le 17 décembre 1971, un cessez-le-feu est conclu et le Pakistan reconnaît le Bangladesh comme État indépendant.

ASIE DU SUD-EST

INDOCHINE ET VIETNAM

La guerre d'Indochine

Dates : 19 décembre 1946-21 juillet 1954.

Forces en présence : les nationalistes indochinois menés par Ho Chi Minh contre les autorités coloniales françaises.

Lieu d'impact : Indochine (futur Vietnam).

Cause : il s'agit d'une guerre de décolonisation.

Déroulement : La Seconde Guerre mondiale s'achève avec la capitulation du Japon, et le 2 septembre 1945 le leader nationaliste Ho Chi Minh proclame l'indépendance du Vietnam, alors rattaché à la colonie française d'Indochine. La France ne lui accorde cependant qu'un statut particulier au sein de l'Union française regroupant les colonies. Mais, en novembre 1946, des affrontements entre nationalistes indochinois et militaires français dégénèrent.

La guerre éclate le 19 décembre, à la suite du massacre d'Européens à Hanoi, perpétré par des indépendantistes indochinois. Pendant huit années, les Français, en dépit de réelles avancées, sont contrés par la résistance remarquable du Viêt-minh, mené par son fondateur Ho Chi Minh. Les difficultés sont accentuées par un terrain naturel hostile. Encerclés dans la cuvette de Diên Biên Phu, les soldats français se rendent le 7 mai 1954. En juillet de la même année, la France négocie son départ dans les accords de Genève. Elle reconnaît l'indépendance de l'Indochine, divisée en plusieurs États indépendants (Laos, Cambodge, et deux Vietnam).

Conséquences : la guerre d'Indochine se termine avec un bilan de plus de 100 000 morts du côté français et environ

1,5 million du côté vietnamien. Le Vietnam est divisé en deux États devant se réunir après des élections... qui n'auront jamais lieu.

Particularités : le conflit reprend en 1965 avec la guerre du Vietnam qui oppose les troupes communistes du Vietnam du Nord et les troupes sud-vietnamiennes alliées aux forces armées américaines.

La guerre du Vietnam

Dates : février 1965-avril 1975.

Forces en présence : les Nord-Vietnamiens (du Viêt-cong, Front national de libération) contre les Sud-Vietnamiens et les soldats américains.

Lieu d'impact : Vietnam du Nord et du Sud.

Cause : le gouvernement nord-vietnamien veut un Vietnam réunifié placé sous son autorité.

Déroulement : le Nord-Vietnam soutient la création d'un Front national de libération (FNL) étendant ses activités au Sud-Vietnam, ce qui conduit à l'envoi de « conseillers militaires » américains en 1961 par Kennedy. En 1964 éclatent les premiers heurts sévères entre Américains et Nord-Vietnamiens. Les bombardements américains sur les positions nord-vietnamiennes commencent en février 1965. En janvier-février 1968, l'offensive du Têt lancée par le Nord-Vietnam marque, avec la riposte américaine, l'apogée des combats. Mais la résistance des Vietnamiens dépasse largement la détermination des forces armées américaines. Face à l'hostilité grandissante de l'opinion publique américaine, le président Nixon choisit en 1972 de négocier avec les forces adverses, mais aussi avec la Chine, qui soutient le FNL. Les accords de Paris, signés en mai 1973, décrètent un cessez-le-feu. Mais le Nord-Vietnam continue de vouloir contrôler le territoire sud-vietnamien. Les soldats américains rentrent néanmoins progressivement chez eux. Le 30 avril 1975, la guerre prend définitivement fin avec la prise de Saigon, capitale du Sud-Vietnam.

Conséquences : la guerre s'achève avec la réunification du Vietnam qui est désormais totalement soumis aux autorités communistes d'Hanoi. On dénombre un total d'environ 2,5 millions de morts au cours de ce conflit particulièrement tragique.

CAMBODGE

Les Khmers rouges

Dates : 1975-1996.
Forces en présence : répression des Khmers rouges sur la population ; intervention militaire vietnamienne, puis guérilla après le renversement du régime de Pol Pot.
Lieu d'impact : Cambodge.
Cause : rivalité de pouvoir au Cambodge entre des factions communistes et pro-américaines.
Déroulement : apparus dans les années 1960, les Khmers rouges sont un groupe armé soutenu par la Chine communiste. En 1970 est fondé le Gouvernement royal d'union nationale qui regroupe sous une même bannière le souverain renversé par un régime pro-américain, le prince Sihanouk, et le Front uni national cambodgien (FUNC) des Khmers rouges. Ces derniers, menés par Pol Pot, parviennent à prendre le pouvoir le 17 avril 1975, et le Cambodge devient le « Kampuchéa démocratique ». Un régime de terreur se met alors en place. Il consiste à supprimer tous les intellectuels (opposants potentiels) mais aussi à soumettre l'ensemble du peuple cambodgien à un programme politique aberrant. L'économie s'effondre, et la communauté internationale commence à s'inquiéter. L'Union soviétique fait pression sur le Vietnam pour que celui-ci, voisin du Cambodge, intervienne. En décembre 1978, les troupes vietnamiennes pénètrent sur le territoire cambodgien, installent un gouvernement communiste modéré, puis quittent le pays fin 1989. En dépit de la proclamation d'un Conseil national suprême représentatif des différentes tendances politiques cambodgiennes, suivie de la signature d'un cessez-le-feu le 1er mai 1991, puis des accords de Paris le 23 octobre, les Khmers rouges réfugiés au nord-ouest du pays poursuivent la guérilla.

Une force des Nations unies, l'APRONUC, est envoyée pour permettre la reconstruction pacifique du pays. La guérilla des Khmers rouges ne prend définitivement fin qu'en 1996 par un traité de paix signé avec le gouvernement de Hun Sen, Premier ministre du prince Sihanouk.
Conséquences : les exactions des Khmers rouges se sont soldées par la mort de près de 2 millions de personnes.

EXTRÊME-ORIENT

CHINE

La révolte des Boxers

Dates : 1899-1901.
Forces en présence : les Boxers contre la coalition occidentale.
Lieu d'impact : nord de la Chine.
Cause : révolte des Boxers contre l'Occident.
Déroulement : la secte des Boxers est liée à la société secrète Yihetuan, fondée au XVIIIe siècle. Nationaliste et xénophobe, elle refuse l'influence coloniale occidentale. En 1899, les Boxers lancent une série de massacres visant les Européens et en particulier des missionnaires, ainsi que des Chinois convertis au christianisme. Encouragés par l'impératrice Tseu-Hi qui demande le départ des Occidentaux, ils progressent rapidement et atteignent Pékin. Les Occidentaux s'organisent sous le commandement du général allemand von Waldersee et reprennent Pékin au mois d'août 1901.
Conséquences : le 7 septembre 1901, une fois les Boxers définitivement vaincus, la Chine signe un traité d'allégeance aux pays occidentaux et s'engage à leur verser d'importantes dettes de guerre.
Particularités : le corps expéditionnaire occidental réunissait sous la même bannière Anglais, Allemands, Américains, Français, Italiens, Japonais et Russes... Une alliance exceptionnelle dans l'histoire !

La guerre russo-japonaise

Dates : 7 février 1904-5 septembre 1905.
Forces en présence : les troupes russes du tsar Nicolas II contre les troupes japonaises de l'empereur Mutsu-Hito.
Lieu d'impact : Mandchourie.
Cause : la rivalité de la Russie et du Japon qui ont tous deux des visées coloniales sur la Chine.
Déroulement : le 7 février 1904, les Japonais attaquent par surprise les Russes à Port-Arthur ; ils envahissent la Corée et défont les Russes à Moudken, en Mandchourie. Après la destruction de 7 de leurs navires, les Russes de Port-Arthur sont contraints de capituler le 2 janvier 1905. La flotte russe de la Baltique arrivée en renfort sera coulée par les navires japonais en l'espace de quarante-huit heures au cours de la bataille de Tsushima, en mai 1905.
Conséquences : la Russie vaincue accepte de signer l'armistice le 5 septembre 1905 à Portsmouth, les États-Unis ayant proposé d'être le médiateur. Les Japonais récupèrent les possessions russes en Mandchourie, Port-Arthur, une partie de l'île de Sakhaline et la presqu'île de Liaotung. Les Russes ont perdu 5 000 hommes, les Japonais 700.
Particularités : la défaite des Russes à Port-Arthur provoque un véritable choc auprès de la population russe, qui se soulève le 22 janvier 1905. C'est le « dimanche rouge », nommé ainsi en raison de la répression sanguinaire des forces de l'ordre.

L'invasion japonaise

Date : 1937.
Forces en présence : les forces japonaises contre les Chinois.
Lieu d'impact : Chine.
Cause : les Japonais aspirent à dominer toute la Chine.
Déroulement : le Japon annexe la Mandchourie en 1931, la transforme en État fantoche appelé « Mandchoukou », puis décide de se lancer à la conquête du reste du territoire chinois en juillet 1937. Ils envahissent un million de kilomètres carrés en quelques mois et pratiquent une politique de terreur sur les populations.

La ville de Nankin est prise au bout de trois jours de combats, le 13 décembre 1937, et le massacre de la quasi-totalité de sa population (200 à 300 000 victimes) devient le symbole de la barbarie japonaise dans les années 1930.

Conséquence : l'invasion japonaise est l'occasion de faire cesser la guerre civile entre les Chinois et de voir s'unir les forces communistes de Mao Zedong et de Tchang Kaï-chek contre l'ennemi commun nippon. La Chine n'est totalement libérée de l'occupant japonais qu'en 1945, à la fin du second conflit mondial.

TAIWAN

Date : depuis 1949.

Forces en présence : Chinois nationalistes de Taiwan contre Chinois communistes de Chine continentale.

Lieu d'impact : Chine et Taiwan.

Cause : Pékin ne reconnaît pas la légitimité du gouvernement de Taiwan et demande son rattachement à la Chine continentale.

Déroulement : à l'issue de la Seconde Guerre mondiale, les communistes chinois menés par Mao Zedong réussissent à vaincre leurs rivaux nationalistes du Kuomintang dirigé par Tchang Kaï-chek. Cette victoire leur permet d'instaurer un régime communiste en Chine et de proclamer en 1949 la naissance de la République populaire de Chine. Les nationalistes doivent quitter le pays et se réfugient sur l'île de Formose, à 160 kilomètres des côtes chinoises. Sous l'autorité du général Jiang Jieshi, ils instaurent leur propre gouvernement dans la capitale, Taipei, et sont soutenus dans leur initiative par les États-Unis, inquiets de la mise en place d'un régime communiste à Pékin. En 1955, un traité de défense est signé avec Washington. Cet appui américain est toutefois contrebalancé par la reconnaissance en 1951 de la Chine continentale (communiste) comme unique représentant légal chinois, puis en 1971, par l'octroi à la Chine communiste du siège permanent au Conseil de sécurité des Nations unies, qui était jusque-là attribué à Taiwan.

Depuis 1949, Pékin ne reconnaît pas la légitimité taïwanaise et entend rattacher l'île à la Chine. Des pourparlers ont été entrepris en 1993 entre les deux gouvernements, mais de vives tensions persistent : en 1995 et en 1996 (à la veille de l'élection présidentielle taïwanaise), Pékin a effectué des manœuvres militaires et envoyé deux missiles survoler la zone taïwanaise pour rappeler à Taipei qu'elle n'hésiterait pas à recourir à la force en cas de proclamation d'indépendance de l'île.

Conséquences : Taiwan évoque l'incompatibilité de son système d'économie libéral avec le système communiste de la Chine, ce à quoi Pékin répond vouloir y appliquer le principe « Un pays, deux systèmes » déjà en place à Hong Kong ou Macao depuis leur rétrocession à la fin des années 1990.

Corée

La guerre de Corée

Dates : 25 juin 1950-27 juillet 1953.

Forces en présence : Corée du Nord contre Corée du Sud, intervention d'une coalition menée par les Américains et intervention des forces armées chinoises.

Lieu d'impact : la péninsule coréenne.

Cause : invasion de la Corée du Sud par les Nord-Coréens.

Déroulement : à l'issue de la Seconde Guerre mondiale, la Corée s'est trouvée occupée au nord par les troupes soviétiques et au sud par les troupes américaines, venues libérer la Corée de l'occupation japonaise. Les deux « Grands » souhaitent instaurer un régime qui corresponde à leur propre idéologie, aussi les deux zones d'occupation se transforment-elles rapidement, l'une en zone communiste, l'autre en zone pro-américaine. La Corée est divisée en 1948 en deux pays distincts, séparés le long du 38e parallèle.

Chaque partie souhaite une réunification sous son autorité, et après une série de heurts aux frontières, la Corée du Nord, dirigée par le dictateur Kim Il Sung, choisit d'envahir la Corée du Sud le 25 juin 1950. Le Conseil de sécurité des Nations unies réagit immédiatement et décide de l'envoi d'une force internationale, malgré l'absence du délégué soviétique (qui par sa « politique de la chaise vide » proteste contre le siège au Conseil de sécurité attribué à la Chine nationaliste et non à la Chine populaire). Majoritairement

La guerre de Corée

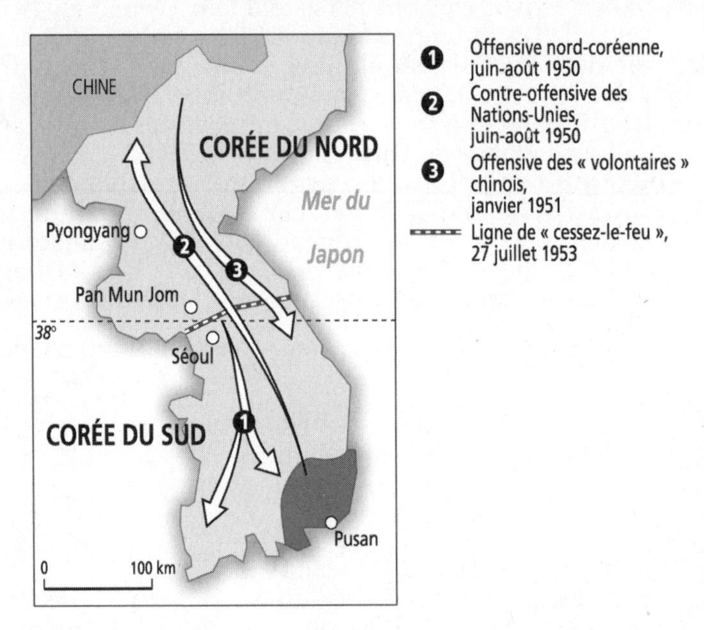

composée de soldats américains et sud-coréens, et dirigée par le général américain MacArthur, la coalition onusienne parvient à repousser les troupes nord-coréennes jusqu'à la frontière chinoise, au nord. Mais la Chine communiste décide de se porter au secours de la Corée du Nord et envoie en octobre 1950 plusieurs centaines de milliers de « volontaires ». Ce soutien renverse la tendance sur le terrain. Le général MacArthur propose alors d'avoir recours à l'arme nucléaire contre la Chine, ce qui amène le président américain Truman à le relever de ses fonctions et à le remplacer par le général Ridgway. En juin 1951, le front se stabilise autour du 38e parallèle dans une guerre des tranchées particulièrement meurtrière.

Le 27 juillet 1953 est signé l'armistice entre les deux Corées, à Pan Mun Jom, sur la ligne de démarcation au niveau du 38e parallèle.

Conséquences : les deux pays retrouvent leurs frontières d'avant le conflit et leurs régimes respectifs. En 2004, les deux pays n'étaient toujours pas réunifiés.

Lexique

Afrikakorps : corps expéditionnaire allemand commandé par le maréchal Rohmel, qui combat en Afrique du Nord de 1941 à 1943.

Apartheid : régime ségrégationniste instauré en Afrique du Sud jusqu'en 1992. Il visait à opérer un « développement séparé des races », privilégiant nettement les Blancs en particulier face à la population noire, majoritaire.

Axe : il s'agit d'une alliance, pendant la Seconde Guerre mondiale, entre l'Allemagne, l'Italie, la Hongrie, la Bulgarie, la Roumanie, la Slovaquie, la Croatie, la Finlande, en Europe, ainsi que des pays asiatiques qui sont le Japon, le Siam et le Mandchoukouo.

Ayatollah : personnalité musulmane importante au sein du clergé chiite.

Blitzkrieg : ce mot allemand signifie « guerre éclair » et correspond à une attaque combinant l'aviation et les blindés pouvant par son intensité percer le front ennemi. Cette tactique a été utilisée par l'armée allemande au cours de la Seconde Guerre mondiale.

Bolchevik : en russe « majoritaire », un bolchevik appartient à l'aile gauche radicale du parti social-démocrate de Lénine, qui prône la révolution.

Déstalinisation : politique lancée par le numéro un soviétique, Nikita Khrouchtchev, visant à dénoncer le culte de la personnalité et les crimes commis par Staline entre 1924 et 1953.

Dominion : colonie britannique qui dispose d'une autonomie interne ; depuis la décolonisation, ce terme désigne un État indépendant membre du Commonwealth (groupe d'États issus de l'Empire colonial britannique et qui font allégeance à la Couronne britannique).

Droit de veto : droit individuel de s'opposer à une prise de décision. Les cinq membres permanents du Conseil de sécurité des Nations unies disposent chacun d'un droit de veto leur permettant de bloquer une initiative contraire à leurs intérêts.

Empires centraux : cet ensemble désigne pendant la Première Guerre mondiale l'Allemagne, l'Autriche-Hongrie, qu'ont rejoint l'Empire ottoman et la Bulgarie.

Empire ottoman : empire turc dirigé par un sultan, apparu au XIVe siècle, parvenu à son apogée au XVIe siècle, et qui déclina sensiblement à partir du XIXe siècle. Entré en guerre aux côtés de l'Allemagne en 1914, il devait être démembré à l'issue de la Première Guerre mondiale, ne formant plus qu'un simple pays, la Turquie.

Entente : alliance comprenant, pendant la Première Guerre mondiale, la France, la Grande-Bretagne, la Russie (jusqu'en 1917) auxquels s'ajoutent la Serbie, la Belgique, le Japon, la Chine, la Roumanie, l'Italie, la Grèce et les États-Unis.

FORPRONU : force de protection des Nations unies déployée dans les Balkans de février 1992 à mars 1995 pour assurer le respect des cessez-le-feu et l'acheminement de l'aide humanitaire.

Grande Alliance : cette alliance compte tous les adversaires de l'**Axe*** pendant la Seconde Guerre mondiale, soit avant tout le Royaume-Uni, les États-Unis, l'URSS, la Chine et la France libre (les « Alliés »).

Guerre de position : au contraire de la « guerre de mouvement », au cours de laquelle se succèdent les offensives visant à percer les lignes de l'adversaire, la « guerre de position » voit les troupes retranchées en position de défense.

Islamisme : interprétation très stricte de la religion musulmane s'appliquant notamment au niveau politique et se traduisant par un rejet des modèles extérieurs, en particulier le modèle occidental.

Kamikaze : pilote japonais accomplissant une mission suicide pendant la Seconde Guerre mondiale. Désigne aujourd'hui tout volontaire, quelle que soit sa nationalité, qui sacrifie sa vie en commettant un attentat terroriste pour une cause politique.

Likoud : parti politique israélien (droite nationaliste).

OPEP : Organisation des pays exportateurs de pétrole. Fondée à Bagdad en 1960, elle est surtout influencée par l'Arabie Saoudite, qui détient les principaux gisements de pétrole du monde.

OTAN : Organisation du traité de l'Atlantique Nord, appelée aussi Alliance atlantique. Pacte défensif de nature militaire créé le 4 avril 1949 et visant à dissuader toute attaque soviétique en Europe occidentale. Il comprend à l'origine douze pays (Belgique, Canada, Danemark, États-Unis, France, Islande, Italie, Luxembourg, Norvège, Pays-Bas, Portugal et Royaume-Uni). Quatorze autres pays ont rejoint l'Alliance : la Grèce et la Turquie en 1952, la RFA en 1955, l'Espagne en 1982, la Pologne, la République tchèque et la Hongrie en 1999, puis la Bulgarie, l'Estonie, la Lituanie, la Lettonie, la Roumanie, la Slovaquie et la Slovénie en mai 2004.

Pacte de Varsovie : alliance militaire conclue le 14 mai 1955 entre l'URSS et les pays communistes d'Europe de l'Est (Albanie, Bulgarie, Pologne, République démocratique allemande, Roumanie et Tchécoslovaquie). Il est dissous le 1er juin 1991.

Partisans : désigne les résistants communistes pendant la Seconde Guerre mondiale.

RFA / RDA : République fédérale allemande (Allemagne de l'Ouest) et République démocratique allemande (Allemagne de l'Est). Deux États fondés en 1949 après la division de l'Allemagne vaincue. La RFA et la RDA ont été réunifiées en un seul pays en octobre 1990.

Sandiniste : désigne un membre du Front sandiniste de libération du Nicaragua, au pouvoir de 1979 à 1990. Vient du nom du général César Sandino, patriote nicaraguayen opposé aux États-Unis et mort assassiné (1895-1934).

Triplice : Triple alliance formée en 1882 réunissant l'Allemagne, l'Autriche-Hongrie, ainsi que l'Italie jusqu'en 1915. Elle fit face à l'Entente lorsque éclata la Première Guerre mondiale.

Wehrmacht : signifie « puissance de défense » et correspond avant la Seconde Guerre mondiale aux forces armées régulières allemandes, puis désigne uniquement l'armée de terre.

DEUXIÈME PARTIE

Les grandes dates du XXe siècle

par André Larané

Préambule

Voici le film du siècle passé, le XXe. Il commence en… 1898, une année cruciale (émergence des États-Unis comme acteur mondial, première tension entre deux pays européens, réveil de l'antisémitisme). Il se clôt en 2001, sur les attentats de New York et Washington et la fin de la domination sans partage de l'Occident sur la planète.

Je me suis efforcé de présenter ce siècle, y compris les dernières années encore si proches de nous, en faisant fi de l'écume médiatique et en m'attachant aux événements porteurs de sens et de changement, en bref avec un regard d'historien.

La lecture chronologique des événements (un peu plus de trois cents au total) permet de mieux comprendre les rythmes de l'histoire, avec des périodes de plus ou moins forte intensité. Elle permet aussi de mesurer le prodigieux chemin qui nous a menés du monde « *européen* » de 1900 au monde « *multipolaire* » actuel. Songeons qu'à peine une vie d'homme sépare la reine Victoria des jeux Olympiques de Pékin et de la percée de la Chine sur les marchés mondiaux.

André Larané, éditeur du site Herodote.net
http://www.herodote.net

Chapitre 1

La « *Belle Époque* » (1898-1913)

Quand finit le XIX*e siècle, tout semble sourire à l'Europe. Le continent et son alter ego américain dominent la planète par la force de leurs armes et plus encore par le dynamisme de leurs industriels, de leurs savants, de leurs philanthropes et de leurs marchands.*

L'électricité et la production de masse engendrent une deuxième révolution industrielle, après celle de la vapeur au XVIII*e siècle. Un savant allemand de 25 ans publie une théorie dite de la relativité. Il a nom Albert Einstein et ouvre l'ère de l'atome (1905).*

Après le drame de la Grande Guerre (1914-1918), les nostalgiques de cette époque la qualifieront de belle… Belle ? Pas pour tout le monde. L'affaire Dreyfus réveille l'antisémitisme (1898). Les laissés-pour-compte et les intellectuels déclassés se laissent séduire par des idéologies antidémocratiques, nationalistes ou franchement racistes.

En Extrême-Orient, la flotte russe est défaite par la flotte japonaise (1905). Cette première victoire d'un pays non européen a un retentissement énorme dans tous les pays colonisés qui y voient l'espoir de se défaire du joug européen. Elle ébranle aussi le pouvoir tsariste et annonce les bouleversements de la décennie suivante.

13 janvier 1898

À Paris, trois ans après la dégradation du capitaine Dreyfus sous l'inculpation de trahison, Émile Zola publie une lettre ouverte au président de la République dans *L'Aurore* sous le titre « *J'accuse* ». L'écrivain dénonce un jugement inique. L'opinion publique se divise. Le capitaine étant de confession juive, l'*Affaire* s'accompagne de la première campagne antisémite importante en Occident ; d'autres suivront...

15 février 1898

Le cuirassé américain *Maine* est victime d'une violente explosion dans la rade de La Havane, à Cuba. À l'instigation du magnat Randolph Hearst, qui a inspiré au cinéaste Orson Welles son chef-d'œuvre *Citizen Kane*, la presse américaine accuse les Espagnols, qui gouvernent Cuba, d'avoir placé une mine sous la coque du navire... Dans les faits, une commission d'enquête conclura – mais en 1911 seulement – à une explosion accidentelle dans la salle des machines.

25 avril 1898

Suite à l'explosion du *Maine*, le président des États-Unis déclare la guerre à l'Espagne. La promenade militaire débouche sur rien de moins que l'occupation par Washington de Cuba, Guam, Porto Rico et les Philippines !

2 septembre 1898

À Omdourman, près de Khartoum (Soudan), une armée anglo-égyptienne commandée par le prestigieux lord Kitchener défait les « *mahdistes* ». Ces rebelles soudanais avaient en 1885, sous la conduite d'un chef religieux, le « *Mahdi* », chassé les Anglais de Khartoum et tué leur chef, le général Gordon.

10 septembre 1898

Une dame de 61 ans est assassinée à Genève par un anarchiste italien. Il s'agit d'Élisabeth de Wittelsbach, épouse de François-Joseph Ier de Habsbourg, impératrice d'Autriche et reine de Hongrie, affectueusement surnommée « *Sissi* ». Son assassinat témoigne de la violence anarchiste qui saisit l'Europe au tournant du siècle.

18 septembre 1898

À Fachoda, au cœur de l'Afrique, se croisent une petite troupe française conduite par un chef de bataillon et l'armée anglo-égyptienne du général Kitchener, qui vient de vaincre l'armée du « *Mahdi* ». La confrontation provoque à Paris et à Londres une hystérie nationaliste. On est même à deux doigts d'une nouvelle guerre de Cent Ans entre les deux frères ennemis ! C'est la première des crises internationales qui vont conduire à la Grande Guerre.

29 septembre 1898

Le chef soudanais Samory Touré est capturé par le capitaine Gouraud. C'est la fin d'une épopée qui a permis au vieux guerrier de conquérir un vaste territoire dans la boucle du Niger. La République française achève de la sorte de soumettre l'Afrique occidentale.

10 décembre 1898

Les États-Unis mettent fin à leur guerre contre l'Espagne par le traité de Paris. Les Espagnols perdent avec ce traité leurs dernières colonies d'Amérique ainsi que les Philippines. Les Américains prennent leur place à Porto Rico, aux Philippines et sur l'île de Guam. Ils annexent au passage les îles Hawaï. Cuba obtient une indépendance factice sous la surveillance de son puissant voisin.

19 janvier 1899

Les Britanniques établissent un « *condominium anglo-égyptien* » sur le Soudan. C'est le moment où l'Empire de la reine Victoria arrive à son apogée. La conquête du bassin supérieur du Nil ouvre la voie à une Afrique anglaise du Cap au Caire. Le rêve se concrétisera après la Première Guerre mondiale, grâce à l'annexion de la colonie allemande du Tanganyika (aujourd'hui la Tanzanie). Mais il ne durera guère car, dès 1922, la Grande-Bretagne devra rendre à l'Égypte son indépendance.

11 octobre 1899

Les Britanniques entrent en guerre contre les Boers du Transvaal, en Afrique du Sud, après un ultimatum adressé au président Paul Kruger.

15 avril – 12 novembre 1900

Paris quitte le XIXe siècle avec la plus grande exposition universelle jamais organisée en France. Cinquante millions de visiteurs. Pour cette exposition sont construits le pont Alexandre III, le Grand Palais et le Petit Palais ainsi que les gares d'Orsay, des Invalides et de Lyon. Les frères Lumière présentent leurs films sur écran géant. Le 19 juillet est inaugurée la première ligne du métro parisien (Porte Maillot – Porte de Vincennes). Au terminus de la ligne, dans le bois de Vincennes, se déroulent qui plus est, du 14 mai au 28 octobre, les IIe jeux Olympiques de l'ère moderne !... Nous nous consolerons en songeant que pour l'entrée dans le IIIe millénaire, nous avons eu droit au scintillement de la tour Eiffel.

22 janvier 1901

La reine d'Angleterre Victoria meurt à 84 ans après une brève agonie en son château d'Osborne, sur l'île de Wight. Elle a régné pendant soixante-quatre ans, soit plus longtemps qu'aucun autre souverain anglais. Elle laisse à son fils Édouard VII une couronne plus populaire et plus illustre que jamais.

7 septembre 1901

En Chine, l'insurrection des *Boxeurs* (en anglais *Boxers*) se clôt sur la signature d'un traité d'allégeance de la Chine impériale aux puissances occidentales. C'est une nouvelle humiliation pour les Chinois.

10 décembre 1901

Le roi de Suède et le Parlement de Norvège décernent les cinq premiers prix de la fondation Nobel (physique, chimie, médecine, littérature et paix).

15 mai 1902

Georges Méliès présente à Paris *Le voyage dans la Lune*. Il s'agit du premier film de fiction avec trucages. Le septième art naît véritablement ce jour-là, sept ans après l'invention du cinéma.

31 mai 1902

À Vereeniging, à la pointe de l'Afrique, un traité met fin à une guerre de trente mois entre les *Boers*, des paysans d'origine franco-hollandaise, et les Anglais. Il s'agit de la plus dure guerre coloniale qu'aient eu à soutenir les Anglais. Elle se solde par une victoire en demi-teinte pour Londres ; c'est le premier recul de la principale puissance du monde en ce début du XXe siècle.

3 novembre 1903

Le territoire de Panamá fait sécession d'avec la Colombie. La création du nouvel État est téléguidée par le gouvernement américain qui souhaite avoir les mains libres pour y creuser un canal.

17 décembre 1903

Les frères Wilbur et Orville Wright (36 et 32 ans) effectuent à tour de rôle quatre vols de quelques dizaines de mètres sur la plage de Kill Devil, à Kitty Hawk, en Caroline du Nord (États-Unis). Quelques villageois témoins de ces modestes exploits ne se doutent pas qu'ils vont déboucher sur la naissance de l'aviation...

12 janvier 1904

Les Herero se révoltent contre les colons allemands qui occupent leur territoire, le Sud-Ouest africain (aujourd'hui la Namibie). Les Allemands réagissent avec brutalité et exterminent la presque totalité du peuple herero.

7 février 1904

Dans la nuit, la flotte de guerre de l'empereur japonais attaque la base russe de Port-Arthur, à la pointe de la Chine, sans déclaration de guerre préalable. Sept navires russes sont coulés dans la rade. Dans le même temps, huit mille soldats japonais débarquent en Corée et marchent vers Séoul. C'est le début de la guerre russo-japonaise.

8 avril 1904

L'*Entente cordiale* est officialisée entre le Royaume-Uni et la République française. Il ne s'agit pas d'une alliance mais d'un simple accord destiné à aplanir les différends coloniaux entre les deux ennemis héréditaires. C'est déjà beaucoup si l'on songe que les deux pays avaient été sur le point de se combattre six ans plus tôt à propos de Fachoda, une misérable bourgade du Soudan.

22 janvier 1905

En ce jour qualifié de « *Dimanche rouge* » par les Russes, cent mille grévistes manifestent en silence et sans armes à Saint-Pétersbourg, devant le palais d'Hiver. Tout à coup, les Cosaques chargent la foule. Dans les heures qui suivent, étudiants et ouvriers décrètent la grève. Le régime est d'autant plus secoué qu'il est discrédité par les échecs militaires face au Japon. Le tsar Nicolas II fait mine d'accepter un régime constitutionnel. Mais l'expérience ne durera pas et la révolution démocratique avortée de 1905 ouvrira la voie à des révolutions autrement plus radicales en 1917.

31 mars 1905

L'empereur d'Allemagne Guillaume II débarque spectaculairement à Tanger, au Maroc. Par ce « *coup de Tanger* », il tente de s'opposer aux visées de la France sur le pays. Son initiative n'a d'autre résultat que de réveiller la germanophobie des Français.

27 mai 1905

La flotte de guerre japonaise coule une flotte de guerre russe venue de la Baltique au large des îles Tsushima, dans le bras de mer qui sépare la Corée du Japon.

7 juin 1905

La Norvège devient indépendante. Le pays avait été rattaché à la Suède en 1814, sur une décision du congrès de Vienne.

27 juin 1905

Dans la mer Noire, une mutinerie éclate à bord du *Potemkine*, principal cuirassé de la flotte russe de la mer Noire. Cet épisode secondaire de la première révolution russe va plus tard accéder au rang de mythe historique par la vertu d'un film que lui a consacré le réalisateur Eisenstein.

5 septembre 1905

Russes et Japonais signent le traité de Portsmouth (New Hampshire, États-Unis), qui consacre la défaite militaire de l'empire tsariste. Pour la première fois, une puissance européenne est vaincue par une puissance asiatique ! Sidérés par la victoire du Japon, les peuples d'Asie se disent que les Européens ne sont pas si invincibles qu'ils le paraissent. Certains Européens se rendent compte aussi que leur suprématie est fragile et touche à sa fin. Le président des États-Unis Theodore Roosevelt reçoit le prix Nobel de la paix pour sa médiation.

28 septembre 1905

La revue allemande *Annalen der Physik* publie un article sur une mystérieuse théorie de la relativité, ultérieurement qualifiée de « *restreinte* ». L'auteur est un scientifique de 25 ans qui signe Albert Einstein et n'a même pas encore son doctorat ! Il va en quelques années chambouler la physique classique héritée d'Isaac Newton et ouvrir un champ immense à la science.

9 décembre 1905

Le Parlement français vote la loi de séparation des Églises et de l'État. C'est l'aboutissement d'un long processus de laïcisation des institutions politiques amorcé avec le roi Philippe le Bel, six siècles plus tôt... Ce processus n'aura pas empêché cinq cardinaux (Tournon, Richelieu, Mazarin, Dubois, Fleury) d'exercer dans l'intervalle la fonction de Premier ministre.

16 janvier 1906

La conférence d'Algésiras règle pour quelques années le contentieux entre la France et l'Allemagne, toutes deux désireuses d'imposer leur protectorat au sultan du Maroc. La France emportera finalement la mise en 1912.

29 juillet 1907

En Angleterre, le mouvement *scout*, d'un mot anglais qui signifie « éclaireur », est officiellement fondé par le général Robert Baden-Powell. Aujourd'hui, le scoutisme réunit seize millions de jeunes garçons et jeunes filles dans cent trente-six pays, au sein de groupements confessionnels ou laïcs. Notons que l'esprit du scoutisme a été dévoyé après la Première Guerre mondiale par les partis totalitaires qui ont créé sur le même modèle des mouvements de jeunesse à leur dévotion.

5 octobre 1908

L'Autriche-Hongrie annexe son protectorat de Bosnie-Herzégovine en violation du traité de Berlin (1878).

27 avril 1909

À Istanbul, les « *Jeunes-Turcs* » déposent le sultan Abdülhamid II et le remplacent par son frère Mehmet V.

5 octobre 1910

À Lisbonne, le roi Manuel II est chassé par un coup d'État militaire et le Portugal devient une république.

25 mai 1911

Le dictateur mexicain Porfirio Díaz est renversé par Francisco Madero. C'est le début d'une longue et douloureuse révolution jalonnée par les exploits d'Emiliano Zapata et de Pancho Villa.

10 octobre 1911

En Chine, à Canton, une rébellion militaire met fin à la dynastie mandchoue, vieille de deux cent cinquante ans, et débouche sur la proclamation de la République. Le premier président en est le démocrate et socialiste Sun Yat-sen, qui a fondé le parti du Guomindang. Après sa mort, en 1925, ses héritiers n'en finiront pas de se disputer la Chine : d'un côté les communistes, de l'autre les nationalistes conduits par Tchang Kaï-chek, successeur de Sun Yat-sen à la tête du Guomindang.

30 mars 1912

La République française officialise son protectorat sur le Maroc par une convention signée à Fès avec le sultan. La France complète ainsi sa domination sur l'Afrique du Nord... pour moins d'un demi-siècle. Le général Louis Hubert Lyautey est nommé « *résident général* » auprès du sultan. Il tentera avec un certain succès de moderniser les institutions du pays dans le respect de ses traditions.

14 avril 1912

Le *Titanic* sombre au cours de son voyage inaugural. C'est la catastrophe maritime la plus médiatique de tous les temps, à défaut d'être la plus meurtrière.

18 octobre 1912

La Turquie est attaquée par une ligue des États balkaniques (Serbie, Bulgarie, Monténégro, Grèce) sous l'égide de la Russie. Cette première guerre balkanique lui enlève les territoires qui lui restent en Europe à l'exception de la région de Constantinople. Elle débouche aussi sur l'indépendance de l'Albanie. L'année suivante, les vainqueurs vont se déchirer dans une deuxième guerre balkanique en vue de se partager les dépouilles européennes de la Turquie.

10 août 1913

Le traité de Bucarest (Bulgarie) met fin à la deuxième guerre balkanique. Les Bulgares, responsables des hostilités, restituent Andrinople aux Turcs et cèdent une partie de la Dobroudja à la Roumanie. La Macédoine est partagée entre la Serbie et la Grèce.

Chapitre 2

La Grande Guerre (1914-1918)

Pour faire face à la montée des menaces, l'Allemagne, l'Autriche-Hongrie et l'Italie se lient par une alliance défensive : la Triplice. La France constitue avec le Royaume-Uni et la Russie une autre alliance défensive : la Triple-Entente. Il suffit d'une étincelle pour provoquer l'explosion. Ce sera l'attentat de Sarajevo (28 juin 1914).

Les Allemands envahissent la Belgique et pénètrent en France mais ils sont stoppés par une contre-offensive sur la Marne. Derechef, ils creusent des tranchées et s'y incrustent. Les troupes françaises font de même. Le front franco-allemand se stabilise dans la boue, de la mer du Nord aux Vosges. Même chose sur le front russe. Très vite, le conflit se transforme en une guerre totale d'un genre encore inconnu, avec des armes et des techniques nouvelles : gaz de combat, chars d'assaut, mitrailleuses, barbelés, aviation. La France mobilise quatre millions d'hommes (10 % de sa population totale !), l'Angleterre deux millions...

Le conflit prend fin en novembre 1918. Huit millions de morts (dont un million quatre cent mille pour la France) et six millions de mutilés témoignent de l'horreur de cette guerre sans précédent sur un continent qui avait réuni au XIXe siècle tous les atouts de la prospérité, de la grandeur et de l'harmonie.

Les États-Unis, épargnés, sortent grands vainqueurs. En Russie apparaît avec Lénine et les bolcheviques le premier régime de nature « totalitaire ». Il sacrifie les libertés, les droits des individus et les prescriptions morales à une idéologie messianique qui promet le bonheur pour tous... sous réserve d'une obéissance inconditionnelle au Parti et à son chef. Chacun en Europe sent que plus rien ne sera comme avant et que c'en est fini de la grande Europe qui imposait ses volontés au monde. Chacun espère aussi que la Grande Guerre sera la « der des der », la dernière guerre !

28 juin 1914

L'archiduc François-Ferdinand, héritier de l'Empire austro-hongrois, et son épouse sont assassinés à Sarajevo (Bosnie-Herzégovine) par un terroriste serbe. Imputé à la Serbie par le gouvernement autrichien, l'assassinat va servir de prétexte au déclenchement de ce qui deviendra la Grande Guerre ou Première Guerre mondiale.

1er août 1914

À quatre heures de l'après-midi, ce samedi, tous les clochers de France font entendre un sinistre tocsin. C'est la mobilisation générale. Le même jour, l'Allemagne, avec une longueur d'avance, déclare la guerre à la Russie. La guerre européenne devient inéluctable. Peu de gens soupçonnent encore qu'elle va ruiner et meurtrir le « Vieux Continent ».

3 août 1914

L'Allemagne déclare la guerre à la France. Elle met en œuvre sans attendre le plan ébauché vingt ans plus tôt par un officier d'état-major (le plan Schlieffen), qui prévoit l'invasion de la Belgique neutre. Cette invasion conduit le Royaume-Uni à déclarer à son tour la guerre à l'Allemagne.

15 août 1914

Le canal de Panamá, long de soixante-quinze kilomètres, est inauguré dans la discrétion, guerre oblige !

30 août 1914

Un mois après l'ouverture des hostilités, la victoire surprise des Allemands sur les Russes à Tannenberg et la faillite du « *rouleau compresseur* » russe révèlent aux Européens les plus avertis que cette guerre sera longue et sans pitié.

24 avril 1915

À Constantinople (ou Istanbul), capitale de l'Empire ottoman, six cents notables arméniens sont assassinés sur ordre du gouvernement. C'est le début d'un génocide, le premier du XXe siècle. Il va faire environ un million de victimes dans la population arménienne de l'Empire turc.

26 avril 1915

L'Italie signe à Londres un traité secret avec l'Angleterre et la France. Contre la promesse de gains territoriaux, elle accepte d'entrer en guerre à leurs côtés contre l'Allemagne et l'Autriche-Hongrie.

7 mai 1915

Le paquebot britannique *Lusitania*, en provenance de New York, est coulé par un sous-marin allemand pour la raison qu'il transportait des armes à destination des belligérants. Parmi les victimes, de nombreux citoyens américains. Ce fait divers dramatique va être rappelé deux ans plus tard par le gouvernement américain pour justifier son entrée en guerre contre l'Allemagne et ses alliés.

28 juillet 1915

Les troupes américaines débarquent à Port-au-Prince, capitale d'Haïti, officiellement pour restaurer la stabilité et la sécurité dans la première République noire des Temps modernes. Elles vont y rester durant près de vingt ans, jusqu'en 1934.

8 février 1916

Dans un cabaret de Zurich, en réaction contre l'absurdité de la Grande Guerre, le poète Tristan Tzara et ses amis proclament l'avènement du mouvement *dada*. Ce mouvement artistique et littéraire est une ébauche du surréalisme de l'après-guerre.

21 février 1916

Début de la bataille de Verdun, en Champagne. Aucune bataille, aucune tragédie n'a autant marqué la mémoire des Français que la bataille de Verdun. Elle dure dix mois et pratiquement tous les soldats français de la Grande Guerre y participent chacun à leur tour. Le sort de la France se joue dans cet affrontement.

23 avril 1916

Un groupe d'Irlandais se soulève à Dublin contre le colonisateur britannique, sans souci de la guerre en cours contre l'Allemagne. Ces « *Pâques sanglantes* » annoncent l'indépendance de l'Irlande du Sud, cinq ans plus tard.

16 mai 1916

Le Britannique sir Mark Sykes et le Français Georges Picot signent un accord secret qui prévoit le démantèlement de l'Empire ottoman après la guerre et le partage du monde arabe entre les deux Alliés, en violation de la promesse d'indépendance faite aux alliés arabes.

1er juillet 1916

À 7 h 30 débute une gigantesque offensive anglo-française sur la Somme. C'est la plus sanglante de toutes les batailles de la Grande Guerre. Son souvenir demeure très vif chez les Britanniques, dont toute une génération de jeunes soldats a été fauchée sur la Somme.

21 novembre 1916

En pleine guerre s'éteint François-Joseph Ier, empereur d'Autriche et roi de Hongrie. Il a 86 ans. Monté sur le trône après les révolutions libérales de 1848, il a rénové le vieil empire et l'a transformé en une double monarchie austro-hongroise. Mais il n'a pu empêcher le déclenchement de la Grande Guerre et son successeur, le jeune Charles Ier, ne va pas mieux que lui réussir à restaurer la paix.

16 janvier 1917

Arthur Zimmerman, secrétaire d'État allemand aux Affaires étrangères, adresse un télégramme secret à son homologue mexicain où il lui fait part de l'intention de Berlin de reprendre la guerre sous-marine à outrance contre les Alliés. La publication du télégramme Zimmerman fait basculer l'opinion américaine, jusque-là neutraliste, du côté des Alliés.

8 mars 1917

À l'occasion de la *Journée des femmes*, des travailleurs défilent paisiblement à Petrograd (ex-Saint-Pétersbourg), capitale de l'Empire russe. La manifestation dégénère très vite et entraîne l'effondrement du régime tsariste. Une semaine plus tard, au terme de la révolution de Février (ainsi nommée d'après le calendrier russe), le tsar Nicolas II abdique et laisse la place à une République russe démocratique. Celle-ci s'effondrera à son tour neuf mois plus tard, laissant le pouvoir aux *bolcheviques*...

6 avril 1917

Le président américain Thomas Woodrow Wilson déclare la guerre à l'Allemagne. Avec l'entrée des États-Unis dans la Grande Guerre, celle-ci prend un caractère non plus européen mais mondial.

16 avril 1917

Les Français lancent une grande offensive sur le Chemin des Dames, près de Soissons, au nord de Paris. Mal préparée, mal engagée, elle va entraîner un profond ressentiment chez les soldats et déboucher sur la reprise en main des questions militaires par le gouvernement.

24 octobre 1917

Les troupes italiennes sont défaites par les Austro-Hongrois à Caporetto, en Vénétie.

2 novembre 1917

À Londres, le ministre britannique des Affaires étrangères, lord Balfour, publie une lettre où il indique que son gouvernement est disposé à créer en Palestine un « *foyer national juif* ». Il cherche de cette façon à obtenir le soutien des Juifs américains, *a priori* plus favorables aux Puissances centrales qu'à une alliance où figure la Russie au lourd passé antisémite. Sa déclaration va légitimer trente ans plus tard la création de l'État d'Israël.

6 novembre 1917

À Petrograd (anciennement Saint-Pétersbourg), les bolcheviques s'emparent dans la nuit des principaux centres de décision. Ce coup de force qui met fin à la première République russe sera baptisé par ses auteurs « *révolution d'Octobre* » car il s'est déroulé dans la nuit du 25 au 26 octobre selon le calendrier julien en vigueur dans l'ancienne Russie jusqu'au 14 février 1918. Le parti bolchevique (plus tard rebaptisé communiste) s'attribue tous les pouvoirs. Son chef Lénine, se référant au philosophe Karl Marx, impose une société socialiste d'un type inédit, où tout remonte à l'État.

17 novembre 1917

Georges Clemenceau (76 ans) est appelé à la tête du gouvernement français en vue d'écarter toute paix de compromis et de poursuivre et intensifier la guerre avec l'Allemagne. Il sera surnommé « *le Tigre* » par la presse et plus affectueusement « *le Vieux* » par les Poilus des tranchées.

6 décembre 1917

La Finlande s'émancipe de la Russie et proclame son indépendance en profitant des désordres occasionnés par la guerre de 1914-1918 et les révolutions russes de 1917.

8 janvier 1918

Le président américain Thomas Woodrow Wilson énonce un programme en quatorze points pour mettre fin à la Grande Guerre. Il préconise la création d'une Pologne indépendante avec accès à la mer (ce qui revient à couper en deux l'Allemagne) et une instance internationale, la Société des Nations. Ses préconisations inspireront le traité de paix de Versailles.

3 mars 1918

Pour se rallier les masses populaires et se maintenir au pouvoir, Lénine, chef de la Russie bolchevique, conclut à Brest-Litovsk (Biélorussie) une paix séparée avec les Puissances centrales, l'Allemagne et l'Autriche-Hongrie. N'ayant plus à combattre sur le front oriental, celles-ci en profitent pour tenter de briser le front occidental.

16 juillet 1918

L'ancien tsar Nicolas II et sa famille sont assassinés sans jugement à Ekaterinbourg, à l'est de l'Oural. Quatre-vingts ans plus tard, jour pour jour, leurs restes ont été transportés à Saint-Pétersbourg et ensevelis dans la nécropole impériale de la cathédrale Pierre-et-Paul. Par ce geste spectaculaire, les Russes ont voulu effacer les cicatrices du communisme !

3 novembre 1918

Mutinerie dans le port de Kiel. Les dirigeants allemands craignent une contagion révolutionnaire dans tout le pays.

9 novembre 1918

À Berlin, sous la pression des parlementaires soucieux d'éviter la contagion révolutionnaire, l'empereur Guillaume II abdique et le socialiste Scheidemann proclame la République.

11 novembre 1918

À onze heures, dans toute la France, les cloches sonnent à la volée. Au front, les clairons bondissent sur les parapets et sonnent le « *Cessez-le-feu* », « *Levez-vous* », « *Au Drapeau* ». *La Marseillaise* jaillit à pleins poumons des tranchées. Même soulagement en face, dans le camp allemand. Pour la première fois depuis quatre ans, Français et Allemands peuvent se regarder sans s'entretuer. Un armistice a été conclu le matin dans un wagon de la forêt de Rethondes (non loin de Compiègne) entre les Alliés et l'Allemagne, dernière des Puissances centrales à rendre les armes.

Chapitre 3

Les « *Années folles* » (1919-1929)

En Italie, un ancien leader socialiste, Benito Mussolini, exploite les déceptions nées de la paix. Il impose la dictature du parti fasciste avec des méthodes inspirées de Lénine mais en moins brutales. Il prône le culte de la Nation et la coopération de toutes les classes sociales sous l'égide de l'État. Une propagande habile lui vaut l'estime de nombreux démocrates européens.

En Allemagne, où la situation économique se dégrade, l'armée française occupe la Ruhr pour s'assurer du paiement des réparations de guerre (janvier 1923). Le mécontentement général favorise les organisations paramilitaires. Il s'agit de partis violents qui prônent une dictature communiste comme en Russie ou nationale comme en Italie. Un agitateur, Adolf Hitler, tente à l'image de Mussolini de s'emparer du pouvoir à Munich (1923) mais échoue piteusement. La république de Weimar reprend des couleurs. La vie culturelle s'épanouit et la production économique retrouve le chemin de la croissance.

Quand arrive 1929, l'horizon se dégage partout. La question des réparations est en voie de règlement. Le Français Aristide Briand et l'Allemand Gustav Stresemann prônent la réconciliation franco-allemande et l'union politique de l'Europe ! En URSS (nouveau nom de la Russie), la libéralisation de l'économie laisse espérer que la dictature communiste va desserrer son étreinte. Partout dans le monde, l'économie tourne à plein régime. Les États-Unis baignent dans l'euphorie et les classes moyennes découvrent l'automobile, la télévision, le cinéma parlant, etc.

1er décembre 1918

Naissance officielle du « *royaume des Serbes, Croates et Slovènes* », plus tard rebaptisé *Yougoslavie*. Le nouveau pays est une fédération qui rassemble autour de la Serbie et de sa capitale Belgrade des provinces et d'anciens royaumes balkaniques sortis des décombres de l'Autriche-Hongrie.

6 février 1919

En Allemagne, trois mois après l'armistice qui a mis fin à la Grande Guerre (1914-1918), une Assemblée constituante se réunit dans le théâtre de Weimar. Elle régularise les institutions républicaines nées de la défaite et de l'abdication de l'empereur Guillaume II.

8 février 1919

Première liaison commerciale aérienne. L'avion relie en trois heures et demie Toussus-le-Noble, près de Paris, à Kenley, près de Londres.

21 mars 1919

Le communiste Béla Kun installe à Budapest, capitale de la Hongrie, une république des Soviets. Inspiré par l'exemple de Lénine et sa formation auprès des bolcheviques russes, le jeune leader va instaurer une dictature sanglante qui, heureusement, ne durera que trois mois. Elle aura pour effet de favoriser la prise de pouvoir par Miklós Horthy de Nagybánya, amiral d'un pays désormais sans accès à la mer et qui se proclamera régent d'un royaume sans roi. C'est à lui qu'il reviendra de signer le traité de Trianon avec les vainqueurs de la Grande Guerre.

23 mars 1919

À Milan, Benito Mussolini crée les premiers Faisceaux italiens de combat (*Fasci italiani di combattimento*). Ces groupes paramilitaires vont former l'embryon du futur Parti national fasciste. L'adjectif « *fasciste* », promis à une diffusion planétaire, va désigner à partir de 1936 et de la guerre d'Espagne tous les mouvements totalitaires d'extrême droite, antiparlementaristes et nationalistes.

13 avril 1919

Les Indiens manifestent en masse contre les colonisateurs britanniques pour dénoncer les difficultés économiques du moment et le durcissement de la politique anglaise. À Amritsar, au Pendjab, une manifestation pacifique se termine sur un massacre. Il marque la rupture entre les élites du sous-continent et les colonisateurs.

4 mai 1919

Peu après la naissance de la République chinoise, trois mille étudiants manifestent à Pékin, sur la place Tien Anmen. Ils dénoncent les « *21 conditions* » présentées par le Japon à leur gouvernement, car elles tendent à une colonisation de la Chine. Ils protestent aussi contre le traité de Versailles qui livre au Japon les concessions allemandes du Shandong, une province du nord du pays.

28 juin 1919

Dans la galerie des Glaces du château de Versailles, là même où fut proclamé le IIe Reich allemand en 1871, un traité entre l'Allemagne et les Alliés règle le conflit qui débuta à Sarajevo cinq ans plus tôt, jour pour jour. L'Allemagne est amputée du huitième de son territoire et du dixième de sa population. Elle est par ailleurs soumise à des limitations de souveraineté humiliantes et tenue pour responsable de la guerre ! Dans les mois qui suivent, d'autres traités sont aussi conclus avec les autres vaincus de la Grande Guerre. La carte du continent européen en sort complètement transformée avec la disparition de quatre empires, l'allemand, l'austro-hongrois, le russe et l'ottoman, au profit de petits États nationalistes, souvent hétérogènes, revendicatifs et impotents.

10 septembre 1919

Le traité de Saint-Germain-en-Laye, près de Paris, met fin officiellement à la monarchie austro-hongroise. Les Alliés réunissent la plupart des Autrichiens de langue allemande dans une Autriche indépendante, trop petite pour être viable, mais leur refusent le droit de s'unir à l'Allemagne. Dix-sept ans à peine s'écouleront avant que Hitler n'enfreigne cette interdiction.

27 novembre 1919

Les Alliés vainqueurs de la Grande Guerre signent à Neuilly, près de Paris, un traité de paix avec la Bulgarie.

11 mars 1920

À Damas, l'émir Fayçal, ami de l'aventurier anglais « *Lawrence d'Arabie* », se fait élire roi de « *Grande Syrie* » après que les Anglais ont expulsé les Turcs de la région. Mais les Français, au nom d'une longue tradition de protection des chrétiens d'Orient, entrent à leur tour à Damas et le chassent du trône. Les Anglais lui offrent le trône d'Irak en lot de consolation.

28 avril 1920

La France est officiellement investie par la Société des Nations d'un « *mandat pour la Syrie et le Liban* » (en fait un protectorat). Elle va transformer ces anciennes provinces ottomanes en deux républiques laïques… non sans officialiser le communautarisme religieux.

4 juin 1920

Les vainqueurs de la Grande Guerre signent au Trianon (Versailles) un traité de paix avec la Hongrie. Le traité consacre la fin de l'Autriche-Hongrie, au sein de laquelle la Hongrie jouissait d'une quasi-indépendance. Le nouvel État est amputé des deux tiers de son territoire. Trois millions de Hongrois se retrouvent à l'extérieur, dont la plus grande partie en Roumanie.

10 août 1920

Signature à Sèvres, près de Paris, du premier traité entre les Alliés et la Turquie. Pour punir l'Empire ottoman de sa participation à la guerre mondiale aux côtés de l'Allemagne, les Alliés lui imposent un démembrement qui le réduit à une fraction de l'Anatolie, exclusivement peuplée de Turcs. La Grèce s'approprie la côte égéenne, peuplée de Grecs depuis l'Antiquité. À l'est, l'Arménie et le Kurdistan obtiennent le droit à l'indépendance. C'est plus que n'en peuvent supporter les nationalistes turcs. Contre l'avis du sultan, ils exigent, les armes à la main, une révision du traité...

12 novembre 1920

À Rapallo, près de Gênes, l'Italie et la Yougoslavie conviennent de rectifier leurs frontières. L'Italie annexe l'enclave de Zara, tandis que Fiume, autre ville de la côte dalmate, devient un État indépendant. Cet arrangement bilatéral est le premier coup de canif dans les traités de paix des mois précédents qui ont mis fin à la Grande Guerre.

16 novembre 1920

En Russie, la défaite de l'« *Armée blanche* » de Wrangel, à Sébastopol, met fin à la guerre civile et consacre la victoire des bolcheviques et de Lénine.

25 décembre 1920

À Tours, où se tient le congrès des socialistes français, une forte minorité de militants quitte la SFIO (Section française de l'Internationale ouvrière) et fonde le Parti communiste français, affilié à la IIIe Internationale. Elle accepte les vingt et une conditions posées par Lénine, parmi lesquelles figure un alignement inconditionnel sur la politique décidée à Moscou.

8 février 1921

Les marins de la base navale russe de Kronstadt, en face de Petrograd (Saint-Pétersbourg) s'insurgent contre la dictature du parti communiste. Leur rébellion est écrasée par l'Armée rouge. Trois ans après la révolution d'Octobre, c'est un sévère avertissement pour Lénine.

12 mars 1921

En Russie, Lénine annonce une *Nouvelle politique économique* (en russe : NEP). Il se résigne à libéraliser l'économie pour sauver le pouvoir du parti communiste, menacé par la montée des oppositions.

18 mars 1921

La Pologne et la Russie bolchévique signent le traité de Riga.

21 juillet 1921

Dans les défilés d'Anoual, au nord du Maroc, des tribus du Rif encerclent et détruisent le corps d'armée espagnol du général Sylvestre. Ce désastre se solde par quatorze mille tués, prisonniers ou disparus. Il va entraîner les Espagnols dans une terrible guerre de reconquête qui fournira l'occasion d'une carrière rapide à un jeune officier, Francisco Franco.

29 octobre 1922

En Italie, sous la menace d'un coup de force, le roi Victor-Emmanuel III nomme à la tête du gouvernement Benito Mussolini, chef charismatique du Parti national fasciste, premier parti d'Europe occidentale ouvertement non démocratique.

30 décembre 1922

La Russie change son nom pour celui d'*Union des républiques socialistes soviétiques (URSS)*, un nom sans référence géographique qui veut témoigner de la vocation du marxisme-léninisme à s'étendre à toute l'humanité et abolir les vieilles nations.

11 janvier 1923

Allemagne : soixante mille soldats français et belges occupent le bassin de la Ruhr. Par ce coup de force, le président de la République française Raymond Poincaré veut imposer aux Allemands de payer les réparations de guerre prévues par le traité de Versailles.

24 juillet 1923

Le traité signé à Lausanne (Suisse) entre les Alliés et la Turquie corrige le traité signé à Sèvres trois ans plus tôt et consacre le triomphe du général Mustafa Kemal, vainqueur de la guerre de reconquête et fondateur de la Turquie moderne.

13 septembre 1923

En Espagne, à Barcelone, le général Miguel Primo de Rivera commet un *pronunciamiento* et instaure un régime autoritaire pour en finir avec les désordres de la monarchie espagnole.

29 octobre 1923

L'Assemblée nationale turque réunie à Ankara proclame la République turque à l'initiative du général Mustafa Kemal. Née dans la douleur, la nouvelle république consacre la disparition de l'Empire ottoman qui dominait l'Orient méditerranéen et les Balkans depuis plus d'un demi-millénaire.

9 novembre 1923

Adolf Hitler, un agitateur d'origine autrichienne, brave la police de Munich à la tête de trois mille militants. Son « *putsch de la brasserie* » échoue piteusement et lui vaut quelques mois de forteresse. Il en profite pour rédiger son programme politique : *Mein Kampf*.

21 janvier 1924

URSS : Vladimir Ilitch Oulianov, dit *Lénine*, meurt à 53 ans. Le maître d'œuvre de la révolution bolchevique était paralysé depuis un an et demi et avait dû abandonner la réalité du pouvoir à Staline, secrétaire général du Parti communiste.

10 juin 1924

En Italie, des miliciens fascistes enlèvent et assassinent le député socialiste Giacomo Matteotti, principal opposant de

Mussolini. Celui-ci, qui n'avait pas souhaité sa mort, n'en couvre pas moins les auteurs et installe sa dictature.

5 décembre 1924

En Arabie, Ibn Séoud s'empare de Médine. Au terme d'une longue guerre meurtrière, le chef bédouin fait l'unité de la péninsule au profit de sa famille, contre les Hachémites qui régnaient sur les villes saintes de Médine et de La Mecque. Le temps n'a toujours pas effacé la méfiance entre les Séoud et les Hachémites, dont les descendants se sont vu offrir en compensation par les Anglais un royaume en Transjordanie, l'actuelle Jordanie (capitale : Amman).

16 octobre 1925

Fin de la conférence internationale de Locarno, en Suisse, sur le lac Majeur. L'Allemagne reconnaît l'inviolabilité des frontières héritées du traité de Versailles. Elle s'engage à ne pas les modifier par la force et à recourir si besoin est à un arbitrage international. Elle accepte la démilitarisation de la Rhénanie. En contrepartie, elle est accueillie à la Société des Nations (ancêtre de l'ONU).

12 mai 1926

À Varsovie, le maréchal Józef Pilsudski (59 ans) renverse le gouvernement démocratique de la jeune Pologne, trop instable à son goût. Cumulant les fonctions de Premier ministre et de ministre de la Guerre, il établit son pouvoir personnel jusqu'à sa mort, neuf ans plus tard, le 12 mai 1935.

12 avril 1927

Shanghai est le théâtre d'une violente répression politique. Tchang Kaï-chek, chef du Parti nationaliste du Guomindang, élimine les communistes de la grande cité ouvrière, épisode narré par l'écrivain André Malraux dans *La Condition humaine*. Le Parti communiste chinois délaisse dès lors le monde ouvrier et se retourne vers les paysans sous l'impulsion de son nouveau leader Mao Zedong.

20-21 mai 1927

L'Américain Charles Lindbergh (25 ans) réussit la première traversée de l'Atlantique Nord en avion, quelques jours après la tentative malheureuse de Nungesser et Coli dans l'autre sens. Lindbergh traverse l'océan de New York au Bourget, en volant seul et sans radio, uniquement aux instruments, à bord d'un monoplan Ryan, le *Spirit of Saint Louis*. Il parcourt six mille trois cents kilomètres à la vitesse de croisière de... 180 km/h.

15 novembre 1927

Lev Davidovitch Bronstein, alias Léon Trotski, est exclu du Parti communiste d'URSS. Son rival Staline devient le maître absolu du pays.

27 août 1928

À Paris, les représentants de soixante-trois nations signent le pacte Briand-Kellogg par lequel ils renoncent solennellement à la guerre ! Trois personnages président à ce traité : Aristide Briand, Frank Kellogg et Gustav Stresemann, en charge des Affaires étrangères respectivement en France, aux États-Unis et en Allemagne.

28 août 1928

Un congrès réuni à Lucknow réclame pour les Indes, alors colonie britannique, un statut de *dominion* comparable à celui du Canada ou de l'Australie, avec l'autonomie à la clé.

11 février 1929

Le Saint-Siège et le gouvernement fasciste de Mussolini concluent les accords du Latran, du nom du palais où a lieu la signature. Ils consacrent l'existence d'un nouvel État souverain, le Vatican.

Chapitre 4

La crise mondiale (1929-1939)

Tout change en quelques mois... Une crise boursière à Wall Street (New York) dégénère en crise économique majeure (1929). Dans le même temps, en URSS, Staline met fin à la libéralisation de l'économie et renforce sa dictature avec une brutalité inouïe.

L'Allemagne est durement frappée par la crise économique et ses cohortes de chômeurs font le bonheur des groupes paramilitaires et de deux partis antidémocratiques : le Parti communiste et le Parti nazi. Des politiciens conservateurs croient habile de s'appuyer sur le Parti nazi pour contrer le Parti communiste. C'est ainsi que le président Hindenburg nomme Hitler chancelier, autrement dit chef du gouvernement (1933). Hitler a tôt fait d'installer sa dictature. Au bout de quelques mois, il ne reste plus rien des institutions démocratiques de l'Allemagne.

En Espagne, un gouvernement de front populaire doit faire face à une insurrection de l'armée. Les insurgés obtiennent l'aide militaire de l'Allemagne nazie et de l'Italie fasciste.

Fort de ses premiers succès, Hitler ne se gêne plus pour réaliser pas à pas son programme de conquêtes. Il se rapproche de Mussolini, mis au ban des démocraties pour avoir attaqué l'Éthiopie, un État africain encore indépendant. Il proclame aussi le rattachement de l'Autriche au Reich (Anschluss). Puis il annonce son intention de réunir à l'Allemagne dès le 1er octobre 1938 les minorités germanophones qui vivent dans les monts des Sudètes, sur le pourtour de la Tchécoslovaquie. Les généraux allemands sont convaincus que les Occidentaux ne se laisseront pas bluffer une fois de plus. Eux-mêmes ne se sentent pas prêts à soutenir une guerre.

Contre toute attente, Hitler gagne une nouvelle fois grâce à Mussolini qui propose une conférence de la dernière chance à Munich. Français et Anglais se résignent au dépeçage de la Tchécoslovaquie et en mars 1939, ce qui reste de ce petit pays devient un protectorat du Reich. C'est la première colonie en territoire européen ! Les Européens, résignés, se préparent à une nouvelle guerre et beaucoup se demandent si la démocratie parlementaire a encore un avenir en Europe continentale où la plupart des États se sont donné des régimes autoritaires.

24 octobre 1929

La Bourse de Wall Street, à New York, connaît son « *jeudi noir* ». La baisse des cours survenue ce jour annonce la plus grave crise économique et sociale du XXe siècle. Dans son sillage vont survenir le nazisme et la Seconde Guerre mondiale.

6 janvier 1930

En URSS, un décret supprime les exploitations agricoles individuelles et met fin à la NEP (Nouvelle politique économique) inaugurée par Lénine neuf ans plus tôt. Staline rétablit l'orthodoxie communiste en nationalisant par la force l'agriculture et l'ensemble des activités économiques. Il engage une répression brutale contre des dizaines de millions d'opposants ou présumés tels. La terreur s'abat sur le pays.

12 mars 1930

Aux Indes, Mohandas Karamchand Gandhi entame une « *marche du sel* » en vue d'obliger le colonisateur britannique à abolir une taxe inique sur le sel.

14 avril 1931

L'Espagne se donne une deuxième république après la victoire d'une coalition antimonarchiste à des élections municipales. La première république avait duré sans éclat de 1873 à 1876. Celle-là sombrera quelques années plus tard dans une épouvantable guerre civile.

6 mai 1931

Ouverture à l'est de Paris, dans le bois de Vincennes, de la première Exposition coloniale. Les dirigeants de la IIIe République veulent avec cette manifestation festive convaincre l'opinion publique du bien-fondé des conquêtes coloniales. Ils séduiront le public. Quant à le convaincre…

9 juillet 1932

Par les accords de Lausanne, les réparations qui avaient été imposées à l'Allemagne vaincue lors du traité de Versailles sont définitivement abolies.

7 août 1932

Le gouvernement de l'URSS promulgue une loi qui punit de dix ans de déportation, voire de la peine de mort, « *tout vol ou dilapidation de la propriété socialiste* », y compris le simple vol de quelques épis dans un champ. Cette loi dite « *des épis* » survient alors que les campagnes soviétiques connaissent un début de famine du fait des réquisitions forcées par le pouvoir. On estime qu'en Ukraine six millions de paysans vont mourir de faim dans les mois suivants. Cette « *grande famine* », intentionnellement entretenue et amplifiée par Staline, est assimilée à un génocide par la plupart des historiens ainsi que par les Ukrainiens.

30 janvier 1933

Le maréchal Hindenburg (86 ans), président de la république de Weimar, nomme Hitler (43 ans), chef, ou *Führer,* du Parti national-socialiste (en abrégé *nazi*), à la chancellerie avec mission de former un nouveau gouvernement.

27 février 1933

À Berlin, le Reichstag, siège du Parlement allemand, prend feu. Hitler accuse ses rivaux communistes d'être à l'origine de l'incendie et les nazis font sans attendre la chasse à leurs opposants. En quelques mois, le nouveau chancelier va ainsi installer sa dictature... tout en respectant à la lettre la Constitution et malgré le soutien d'une minorité d'électeurs.

4 mars 1933

Le président américain Franklin Delano Roosevelt entre en fonction et annonce dans son discours d'investiture un « *New Deal* ». Il s'agit d'un ambitieux programme destiné à remettre les États-Unis sur pied et à les sortir de la crise économique.

6 février 1934

Édouard Daladier présente à la Chambre des députés son nouveau gouvernement. Le même jour, les ligues anti-parlementaires appellent à manifester. Il s'ensuit des violences et la crainte d'une arrivée au pouvoir de l'extrême droite. Par ricochet, les partis de gauche forment un Front populaire.

30 juin 1934

Durant la « *Nuit des longs couteaux* », Hitler élimine les extrémistes de son parti de façon à se concilier l'armée et les conservateurs. On évalue à quatre-vingt-cinq le nombre d'assassinats. Parmi les victimes figurent surtout des nazis de la première heure comme Röhm, le chef des Sections d'assaut (SA), le service d'ordre nazi, mais aussi des opposants catholiques.

9 octobre 1934

Le roi Alexandre Ier de Yougoslavie est assassiné à Marseille par des terroristes croates. Le ministre français des Affaires étrangères, Louis Barthou, qui était venu accueillir le roi à la descente du bateau, est mortellement blessé.

1er décembre 1934

Kirov, secrétaire du Parti communiste pour la région de Leningrad, est assassiné dans des conditions mystérieuses à Leningrad (Saint-Pétersbourg). Sa mort va fournir à Staline le prétexte à une vague d'épuration au sein du parti connue sous le nom de « *procès de Moscou* ». Les accusés de ces trois procès, des bolcheviques de la vieille garde léniniste, plaideront tous coupables et feront amende honorable. La plupart seront exécutés.

13 janvier 1935

Plébiscite en Sarre, région frontalière entre la France et l'Allemagne. Les habitants demandent leur réintégration au sein de l'Allemagne sans prêter attention au fait que celle-ci est depuis deux ans passée sous la botte nazie ! Hitler exulte. Le choix librement exprimé par les Sarrois cautionne son gouvernement, sa propagande et également ses succès économiques. Le *Führer* annonce peu après que son pays n'a plus de revendication territoriale à l'Ouest. Il renonce officiellement à toute prétention sur l'Alsace-Lorraine ! Ce discours rassure les pacifistes français et européens qui n'en demandaient pas tant.

16 mars 1935

Hitler annonce le rétablissement du service militaire obligatoire et décide de porter les effectifs de la *Wehrmacht* de cent mille hommes à cinq cent mille, avec trente-six divisions. C'est la première violation flagrante du traité de Versailles. Elle prend tout le monde au dépourvu, y compris les généraux allemands. La Société des Nations, à Genève, n'ose prendre des mesures de rétorsion. Le lendemain, la décision du *Führer* est célébrée par de grandes festivités dans toute l'étendue du Reich.

11 avril 1935

À Stresa, sur le lac Majeur, le président du Conseil français Pierre Laval rencontre ses homologues, le *Duce* italien Benito Mussolini et le Premier ministre britannique James Ramsay MacDonald. En riposte au rétablissement du service militaire par Hitler, les trois dirigeants prennent l'engagement de ne plus tolérer aucune nouvelle violation du traité de Versailles mais le « *front de Stresa* » se rompra après l'invasion de l'Éthiopie par les Italiens.

15 septembre 1935

Hitler promulgue un ensemble de lois antisémites qui visent à séparer les citoyens juifs des autres Allemands. Le *Führer* présente ces lois à Nuremberg, pendant le congrès du Parti nazi, afin de signifier sa volonté d'aller de l'avant dans la mise en œuvre d'une politique raciale.

19 octobre 1935

En Chine, après une *Longue Marche* de douze mille kilomètres, les communistes et leur chef Mao Zedong se réfugient au Shanxi, à l'abri des attaques du parti rival du Guomindang et de son chef, Tchang Kaï-chek.

7 mars 1936

Profitant de l'effervescence qui précède en France les élections législatives, Hitler ordonne à la Wehrmacht de traverser le Rhin et d'occuper la zone démilitarisée, en Rhénanie. C'est une nouvelle violation du traité de Versailles. Le gouvernement français, tétanisé, laisse faire.

3 mai 1936

Les élections législatives françaises donnent la majorité au Front populaire, conduit par un chef charismatique, le socialiste Léon Blum. Les vainqueurs affichent haut et fort leur volonté de rattraper le retard pris par la IIIe République dans le domaine social.

5 mai 1936

Mussolini annexe l'Éthiopie après une campagne militaire brutale de sept mois. Le roi d'Italie est proclamé empereur d'Éthiopie. Ce pays africain, aussi appelé Abyssinie, avait échappé jusque-là à toute forme de colonisation européenne et faisait partie de la Société des Nations. Placée devant le fait accompli, la SDN vote des sanctions contre l'Italie. Le *Duce* ne voit d'autre solution que de se rapprocher de Hitler malgré la répulsion que lui inspire le *Führer*.

30 juin 1936

Devant la Société des Nations, à Genève, le négus Hailé Sélassié plaide avec émotion la cause de son pays, l'Éthiopie. L'empereur en exil devient le symbole de la résistance au fascisme… et de l'impuissance des démocraties.

13 juillet 1936

L'assassinat de José Calvo Sotelo, chef de la droite monarchiste espagnole, incite les militaires à se rebeller contre le gouvernement républicain.

17 juillet 1936

La garnison espagnole de Melilla se soulève à l'initiative du général Franco. C'est le début d'une guerre civile de trois ans et un prélude aux horreurs de la Seconde Guerre mondiale.

1er août 1936

Devant cent vingt mille spectateurs rassemblés dans le nouveau stade de Berlin, Adolf Hitler ouvre les XIe jeux Olympiques modernes. Spectaculaire démonstration de prestige du régime nazi né seulement trois ans plus tôt, qui sera immortalisée par la cinéaste Leni Riefenstahl.

25 novembre 1936

L'Allemagne nazie et les généraux qui règnent en maître au Japon depuis cinq ans signent un pacte antisoviétique. L'Italie y adhère le 6 novembre 1937. C'est l'amorce de l'Axe, une alliance entre les trois dictatures.

10 décembre 1936

À Londres, le roi Édouard VIII annonce son abdication pour épouser la femme qu'il aime. Il devient duc de Windsor. Son frère cadet, le duc d'York, lui succède sous le nom de George VI.

26 avril 1937

En pleine guerre civile espagnole, la petite ville basque de Guernica est bombardée par des avions allemands et italiens pendant un jour de marché. C'est la première fois dans l'histoire moderne qu'une population urbaine est sciemment massacrée.

7 juillet 1937

Les Japonais prennent prétexte d'un incident militaire sur le pont Marco-Polo, à quinze kilomètres de Pékin, pour envahir la Chine.

11 décembre 1937

L'Italie se retire de la SDN (Société des Nations). Le mois précédent, Mussolini a adhéré au pacte Antikomintern conclu par l'Allemagne et le Japon. Il a aussi avisé Hitler qu'il ne ferait plus obstacle au rattachement de l'Autriche à l'Allemagne !

13 décembre 1937

L'armée japonaise entre à Nankin, alors capitale de la Chine, après un pilonnage de trois jours. Aussitôt commencent des massacres à grande échelle. Exécutions à la baïonnette ou au sabre. Viols et mutilations. Au total, plusieurs dizaines de milliers de victimes. Peut-être deux à trois cent mille.

12 mars 1938

L'armée allemande franchit à l'aube les postes frontières autrichiens. Hitler réalise de la sorte l'*Anschluss* (le « *rattachement* » de l'Autriche) dont rêvaient depuis un siècle les nationalistes allemands et autrichiens.

30 septembre 1938

À Munich, au terme de plusieurs semaines de tension internationale, le Français Daladier, le Britannique Chamberlain et l'Italien Mussolini signent avec Hitler des accords par lesquels ils laissent le *Führer* allemand dépecer la Tchécoslovaquie. En cédant une nouvelle fois à la menace, les Occidentaux confirment le dictateur dans la conviction que tout lui est permis.

9 novembre 1938

En Allemagne, assurés de l'inaction des démocraties, Hitler et les nazis franchissent un nouveau pas dans la voie de l'antisémitisme en déclenchant un gigantesque pogrom contre les Juifs allemands. C'est la « *Nuit de cristal* ».

12 mars 1939

Les cardinaux réunis en conclave au Vatican portent Eugenio Pacelli (63 ans) sur le trône de Saint-Pierre sous le nom de Pie XII. Le nouveau pape est un très fin diplomate mais sans doute pas le pasteur approprié aux graves crises en gestation en Europe...

28 mars 1939

À Madrid, les nationalistes espagnols font le défilé de la victoire devant leur chef ou « *Caudillo* », Francisco Franco, un général de 46 ans, nouveau maître de l'Espagne.

7 avril 1939

En ce vendredi saint de l'an 1939, faisant fi de la trêve pascale, les troupes italiennes envahissent l'Albanie. Une semaine leur suffit pour occuper le pays qui était déjà depuis plusieurs années un protectorat virtuel de l'Italie...

23 août 1939

Le monde apprend avec stupéfaction la signature au Kremlin, à Moscou, d'un pacte germano-soviétique de « *non-agression* ». Hitler et Staline se préparent à un nouveau partage de la Pologne.

Chapitre 5

La Seconde Guerre mondiale (1939-1945)

La Seconde Guerre mondiale débute avec l'invasion de la Pologne par la Wehrmacht. Les armées envahissent la Pologne puis, le 10 mai 1940, se retournent contre les Pays-Bas, la Belgique et la France ! Le maréchal Philippe Pétain (84 ans), héros de la Grande Guerre, est porté à la tête du gouvernement français et il lui revient de signer l'armistice en attendant un traité de paix qui ne viendra jamais. Il installe son gouvernement à Vichy, Paris étant placé sous administration allemande, et se fait assister par un ancien leader socialiste et pacifiste, Pierre Laval, partisan d'une collaboration avec le vainqueur.

L'Angleterre demeure seule face à Hitler mais elle a à sa tête depuis le soir du 10 mai 1940 un homme d'exception, un guerrier-né, Winston Churchill (66 ans), décidé à combattre jusqu'au bout. Électrisés par la voix et l'énergie de leur Premier ministre, les Anglais repoussent les attaques aériennes contre leur île en attendant que les États-Unis se décident à leur venir en aide. Beaucoup de dirigeants européens se réfugient à Londres d'où ils lancent des appels à la résistance. Parmi eux, le général Charles de Gaulle.

Mussolini croit opportun de se rallier à Hitler et déclare la guerre à la France, l'Italie changeant ainsi de camp par rapport à la Première Guerre mondiale. Le Führer, *sur sa lancée, envahit l'URSS. Les Soviétiques sont entraînés dans la guerre aux côtés des Anglais. De la même façon, le Japon, allié de Hitler, attaque sans crier gare la base américaine de Pearl Harbor dans l'océan Pacifique. Les Américains sont entraînés à leur tour dans la guerre aux côtés des Anglais et des Soviétiques.*

Jusqu'au déclenchement du conflit, Hitler songeait à une déportation outre-mer des Juifs allemands. Les opérations mili-

taires rendent ce projet impossible. D'autre part, avec l'intervention des États-Unis et de l'URSS, le Führer *entrevoit une nouvelle défaite de son pays. Il décide alors d'exterminer les Juifs d'Europe. En quatre ans, six millions de malheureux périssent de famine, mauvais traitements, fusillades ou gazage. C'est le plus effroyable génocide du* XXe *siècle. Des informations circulent dans les pays occupés et en Angleterre sur ce drame. Elles sont diffusées sur les ondes anglaises mais paraissent tellement incroyables que l'opinion préfère ne pas les entendre.*

Soviétiques et Anglo-Saxons engagent en 1942 la contre-offensive. Les Allemands connaissent leur première défaite à El-Alamein, dans le désert de Libye (23 octobre 1942), face aux Anglo-Saxons soutenus de façon héroïque par un bataillon de Français. Selon le mot de Churchill, les Alliés ne vont plus dès lors connaître de défaite.

En 1943, une armée allemande capitule à Stalingrad, au cœur de l'URSS. Pour la Wehrmacht, c'est le début d'un reflux inexorable. Les Anglo-Saxons mettent sur pied un gigantesque débarquement en Normandie en 1944 afin de soulager les Soviétiques qui progressent à l'est du continent, mais il faudra encore une année avant que les Allemands capitulent. Quant aux Japonais, ils ne se résignent à la capitulation qu'après les bombardements atomiques d'Hiroshima et de Nagasaki.

Quand les canons se taisent enfin, l'Allemagne et une grande partie de l'Europe sont en ruines. Près de cinquante millions de victimes manquent à l'appel, dont, pour la première fois dans l'histoire, une forte majorité de civils : résistants, déportés ou victimes des bombardements de cités.

1er septembre 1939

L'armée allemande franchit la frontière polonaise sur ordre de Hitler. C'est le début de la Seconde Guerre mondiale.

3 septembre 1939

Par suite de l'agression de la Pologne, la France et le Royaume-Uni déclarent la guerre à l'Allemagne. « *Faut-il mourir pour Dantzig ?* » se demandent alors certains pacifistes.

17 septembre 1939

Deux semaines après les armées allemandes, les armées soviétiques entrent à leur tour en Pologne. Staline et Hitler se partagent le malheureux pays en vertu d'une clause secrète du pacte germano-soviétique du 24 août. La France et l'Angleterre, qui s'étaient engagées à secourir la Pologne, restent l'arme au pied... en attendant leur tour.

30 novembre 1939

Staline lance ses troupes à l'assaut de la petite Finlande.

10 mai 1940

Le *Führer* met fin à la « *drôle de guerre* » et lance ses armées sur les Pays-Bas, la Belgique et la France. À Londres, Winston Churchill devient à 18 h 30 Premier ministre de Grande-Bretagne. Il remplace à ce poste Neville Chamberlain, qui s'est déconsidéré par ses hésitations et ses reculades face à Hitler...

13 mai 1940

Trois jours après avoir été nommé Premier ministre par le roi George VI, Winston Churchill présente son cabinet de guerre à la Chambre des communes et lance à l'adresse des députés et de ses concitoyens : « *Je n'ai à offrir que du sang, de la peine, des larmes et de la sueur !* » Le *vieux Lion* va changer le destin du monde.

18 juin 1940

Vers dix-huit heures, dans les studios de la BBC, à Londres, le général Charles de Gaulle, en uniforme, enregistre un bref message à l'adresse de ses compatriotes présents sur le territoire britannique et les invite à se mettre en rapport avec lui. Il évoque la « *flamme de la Résistance française* ».

22 juin 1940

Dans le wagon de la forêt de Rethondes (près de Compiègne) où fut conclu l'armistice de 1918, les représentants du gouvernement français signent un armistice avec ceux du IIIe Reich allemand. Se méprenant sur Hitler, le maréchal Pétain croit pouvoir traiter avec celui-ci comme, soixante-dix ans plus tôt, Adolphe Thiers négocia avec Bismarck. Dans l'honneur et le respect mutuel. La réalité sera on ne peut plus différente.

3 juillet 1940

La *Royal Navy* attaque la flotte française amarrée à Mers el-Kébir, en Algérie, pour empêcher qu'elle ne tombe aux mains des Allemands. La brutalité de l'attaque (mille trois cents morts) réveille en France une anglophobie latente. Une semaine plus tard, l'Assemblée nationale issue des élections de 1936 vote les pleins pouvoirs au maréchal Pétain.

30 juillet 1940

La *Luftwaffe*, l'aviation de combat allemande, se lance dans la « *bataille d'Angleterre* » en vue de préparer l'invasion des îles Britanniques. Mais le 12 octobre suivant, confronté à la résistance héroïque des pilotes adverses, Hitler doit renoncer à son projet.

24 octobre 1940

Philippe Pétain, chef de l'État français, rencontre Hitler dans la petite gare de Montoire-sur-le-Loir. Leur poignée de main inaugure une « *collaboration* » compromettante entre la France vaincue et l'Allemagne triomphante.

2 mars 1941

Le colonel Philippe de Hauteclocque dit Leclerc (38 ans) enlève aux Italiens l'oasis de Koufra, au Tchad. Avec ses hommes, qui ont rejoint comme lui le général de Gaulle après l'invasion de la France par la Wehrmacht, il fait le serment de ne plus déposer les armes avant que le drapeau français ne flotte sur Strasbourg. Ce « *serment de Koufra* » marque le début d'une longue marche glorieuse qui passera par la libération de Paris.

22 juin 1941

Les troupes allemandes pénètrent sans avertissement en Union soviétique. Cette opération dénommée « *Barbarossa* » survient un an jour pour jour après l'armistice franco-allemand. L'Empire britannique n'est plus seul à combattre le IIIe Reich hitlérien. Churchill accueille avec une immense satisfaction le ralliement contraint de Staline et de l'URSS. Mais quelques semaines après l'invasion de l'URSS, les SS, troupes d'élite nazies, commencent à fusiller en masse les Juifs soviétiques. C'est le début du plus grand génocide du XXe siècle.

14 août 1941

Au large de Terre-Neuve, le président des États-Unis Franklin Delano Roosevelt et le Premier ministre britannique Winston Churchill inscrivent dans un document commun les principes qui doivent guider les puissances démocratiques et garantir le rétablissement durable de la paix. Cette *charte de l'Atlantique* est à l'origine de l'Organisation des Nations unies (ONU).

7 décembre 1941

En ce dimanche, au petit matin, des nuées d'avions japonais attaquent par surprise la flotte de guerre américaine à Pearl Harbor, dans l'archipel des Hawaï. Trois heures plus tard, le gouvernement japonais transmet à son homologue américain une déclaration de guerre en bonne et due forme. Le président Roosevelt engage aussitôt toutes les forces de son pays, militaires et industrielles, dans la guerre contre le Japon et ses alliés européens, l'Allemagne de Hitler et l'Italie de Mussolini.

20 janvier 1942

Dans une villa de Wannsee, un faubourg huppé de la capitale allemande, une quinzaine de dignitaires nazis et d'officiers SS mettent au point la déportation des Juifs européens vers les camps d'extermination situés en Pologne, qualifiée par eux-mêmes de « *solution finale* ».

15 février 1942

Le port britannique de Singapour capitule devant les armées japonaises. En faisant sauter ce verrou, le Japon ouvre à sa marine et à son armée l'océan Indien, l'Insulinde et même l'Australie. Pour la Grande-Bretagne, depuis peu soutenue par les États-Unis et l'URSS, c'est le moment le plus critique de sa lutte contre les puissances de l'Axe : Allemagne, Italie et Japon.

8 mars 1942

La colonie hollandaise des Indes orientales, l'actuelle Indonésie, capitule devant l'offensive de l'armée japonaise. Le même mois, les Japonais chassent les Américains des Philippines. « Je reviendrai ! » lance le général Douglas MacArthur en quittant l'archipel. Il reviendra effectivement aux Philippines dix-huit mois plus tard.

3 au 6 juin 1942

Les flottes japonaise et américaine s'affrontent près de l'île de Midway, au cœur du Pacifique. Pour la première fois dans une bataille navale, l'aviation est en vedette. Avec la destruction de leurs quatre porte-avions, les Japonais subissent leur première défaite et perdent définitivement l'initiative...

16 juillet 1942

Sous le nom de code « *Vent printanier* », les Allemands projettent de déporter un grand nombre de Juifs de toute l'Europe occupée. En France, l'administration, jalouse de ses droits (!), veut s'en charger elle-même. À Paris, neuf mille policiers et gendarmes sous les ordres de René Bousquet, jeune et efficace fonctionnaire du gouvernement de Vichy, arrêtent treize mille Juifs, y compris quatre mille enfants que les nazis n'avaient pas formellement réclamés. La moitié est parquée dans le camp de Drancy, au nord de Paris, les autres dans le vélodrome d'hiver de la rue Nélaton (15e arrondissement). Quelques jours après cette rafle du *Vél' d'Hiv*, tous sont convoyés vers les camps d'extermination. Quelques dizaines seulement en reviendront.

23 octobre 1942

À El-Alamein (Égypte), l'*Afrikakorps* du maréchal Rommel recule devant la 8e armée britannique du général Montgomery. C'est le premier coup d'arrêt infligé à l'armée allemande qui, après cela, ne remportera plus aucune victoire. À Londres, devant la foule en joie, Winston Churchill exulte : « *Ce n'est pas la fin, ni même le commencement de la fin ; mais c'est la fin du commencement.* »

8 novembre 1942

Les troupes anglaises et américaines débarquent en Afrique du Nord sous le commandement du général américain Dwight Eisenhower. C'est l'opération « *Torch* ».

11 novembre 1942

En France, en riposte au débarquement anglo-américain en Afrique du Nord, l'armée allemande franchit la ligne de démarcation qui sépare depuis l'armistice de 1940 la zone occupée de la zone dite « *libre* ». À Vichy, le gouvernement du maréchal Pétain et de Pierre Laval est placé sous le contrôle direct de l'occupant. Il perd la fiction de son indépendance. La flotte française en rade à Toulon se saborde pour échapper aux Allemands sans avoir à se livrer aux ennemis traditionnels de la marine française, les Anglais !

31 janvier 1943

À Stalingrad, en URSS, le maréchal allemand Friedrich Paulus signe la capitulation de son armée du secteur sud de la ville. Le 2 février, c'est au tour du secteur nord de cesser toute résistance. Les Soviétiques peuvent enfin proclamer leur victoire sur les Allemands au terme d'une bataille homérique, la plus grande qui ait jamais eu lieu. Environ deux millions de tués et blessés.

19 avril 1943

Soixante mille Juifs survivants du ghetto de Varsovie se soulèvent contre les SS nazis qui avaient reçu de Hitler l'ordre de les exterminer. Leur combat désespéré et sans espoir durera jusqu'au 16 mai 1943. Tous seront dirigés vers les camps d'extermination sauf sept mille d'entre eux, morts les armes à la main.

5 juillet 1943

Face aux Soviétiques, le général allemand von Manstein tente de reprendre l'initiative près de Koursk, à l'ouest du Don. La bataille met aux prises trois mille cinq cents engins blindés allemands et autant de soviétiques. Au bout d'une semaine, les Allemands, qui ont perdu plus de cent mille hommes, entament leur retraite. Celle-ci s'achèvera près de deux ans plus tard dans les ruines de Berlin.

10 juillet 1943

Les Anglo-Saxons débarquent en Sicile sous le commandement des généraux Montgomery et Patton. Au total cent soixante mille hommes. Les troupes italiennes et allemandes sont prises au dépourvu et en cinq semaines, l'île est conquise par les Alliés.

25 juillet 1943

À Rome, Mussolini est destitué par le Grand Conseil fasciste et arrêté sur ordre du roi. Le maréchal Badoglio le remplace à la tête du gouvernement italien et s'empresse de négocier un armistice avec les Anglo-Saxons. C'est chose faite le 8 septembre 1943.

1ᵉʳ décembre 1943

En conférence à Téhéran, Churchill, Staline et Roosevelt projettent un débarquement militaire en Europe de l'Ouest et un démembrement de l'Allemagne à l'issue de la guerre.

17 mai 1944

Lors de la bataille du mont Cassin, entre Naples et Rome, les Marocains du général Juin brisent la résistance des armées allemandes et permettent aux Alliés de poursuivre leur progression en Italie. C'est le principal fait de gloire de la France libre pendant la Seconde Guerre mondiale.

6 juin 1944

À l'aube, quatre mille deux cent soixante-six navires de transport et sept cent vingt-deux navires de guerre s'approchent des côtes normandes avec pas moins de cent trente mille hommes, sous la protection de plus de dix mille avions. Cette opération aéronavale du nom d'« *Overlord* » (*suzerain* en français), la plus gigantesque de l'histoire, était attendue par tous les Européens qui, en Europe occidentale, luttaient contre l'occupation nazie. Deux mois plus tard, deux millions d'hommes, quatre cent trente-huit mille véhicules et trois millions de tonnes de matériels ont déjà débarqué sur le sol français et entament leur progression vers Berlin.

10 juin 1944

Une compagnie de cent vingt hommes de la division SS *Das Reich* pénètre à Oradour-sur-Glane, une bourgade proche de Limoges. En guise de représailles à la suite d'attaques de résistants, elle détruit le village et assassine six cent quarante-deux villageois. Parmi eux deux cent quarante-six femmes et deux cent sept enfants, dont six de moins de six mois, brûlés dans l'église. Oradour-sur-Glane est devenu en Europe occidentale le symbole de la barbarie nazie.

1er-22 juillet 1944

À Bretton Woods (New Hampshire, États-Unis), une conférence réunissant quarante-quatre nations alliées met en place un nouveau système financier destiné à corriger l'instabilité monétaire d'entre les deux guerres mondiales.

À l'instigation de l'économiste britannique John Maynard Keynes, l'étalon-or est abandonné au profit d'un étalon-change or (le « *Gold Exchange Standard* ») qui accorde une place prépondérante au dollar. Ce système perdurera jusqu'à l'abandon par le président Nixon de la convertibilité du dollar en or, le 15 août 1971. À Bretton Woods sont par ailleurs créés la Banque mondiale et le Fonds monétaire international.

20 juillet 1944

Hitler échappe à la bombe qui devait le tuer tandis qu'il examinait des cartes avec ses généraux dans son repaire dit la Tanière du loup (« *Wolfsschanze* »), en Prusse-Orientale.

1er août 1944

À Varsovie, la résistance intérieure polonaise déclenche un soulèvement contre l'occupant allemand. L'armée soviétique s'arrête sur les bords de la Vistule et laisse aux Allemands le temps de liquider l'insurrection, réputée antirusse et anticommuniste.

15 août 1944

Les Alliés débarquent en Provence. Aux côtés des troupes anglo-saxonnes figure un puissant corps d'armée constitué de cent vingt mille Français libres (y compris de nombreux soldats des colonies) sous le commandement du général Jean-Marie de Lattre de Tassigny. C'est le troisième débarquement après ceux de Sicile et de Normandie.

25 août 1944

Le général Leclerc reçoit à Paris la capitulation des troupes allemandes. Le général Charles de Gaulle célèbre peu après la libération de la capitale en des termes flamboyants : *« Paris outragé ! Paris brisé ! Paris martyrisé ! mais Paris libéré !... »*

10 octobre 1944

À Moscou, Churchill et Staline scellent en tête à tête le sort des pays balkaniques après la chute du IIIe Reich allemand. Ils s'accordent sur des pourcentages d'influence mais l'évolution des rapports de force sur le terrain va permettre à Staline de s'emparer de toute la région à l'exception de la Grèce.

3 décembre 1944

Le Parti communiste grec (ELAS) tente de s'emparer d'Athènes. Un corps expéditionnaire britannique intervient. C'est le début d'une atroce guerre civile (tortures et meurtres de civils, femmes et enfants en grand nombre). Cessez-le-feu le 14 janvier 1945. La victoire reste aux partis parlementaires pro-occidentaux.

27 janvier 1945

Les troupes soviétiques découvrent le camp d'extermination d'Auschwitz-Birkenau. Elles sont accueillies par sept mille détenus survivants et ont la révélation de la Shoah. Les journaux du lendemain restent néanmoins muets sur cet événement et l'opinion publique mondiale ne prendra la mesure de la tragédie que bien plus tard, après la fin de la Seconde Guerre mondiale.

4 au 11 février 1945

En conférence à Yalta, au bord de la mer Noire, Churchill, Staline et Roosevelt se concertent sur le sort futur de l'Allemagne et du Japon dont la défaite ne fait plus de doute.

14 février 1945

Après bien d'autres villes allemandes, Dresde est victime d'un très brutal bombardement aérien « *étendu* ». Trente-cinq mille à quarante mille victimes selon les plus récentes estimations. Au total, de 1942 à 1945, un million trois cent cinquante mille tonnes de bombes ont été déversées sur l'Allemagne par les Anglo-Saxons, faisant trois cent cinq mille morts et sept cent quatre-vingt mille blessés selon un rapport américain.

9 mars 1945

Les Japonais désarment les garnisons françaises d'Indochine. Le 23 septembre suivant, après la capitulation du Japon, des troupes françaises reprennent pied à Saigon à l'initiative du général de Gaulle qui dirige le Gouvernement provisoire de la République française et veut restaurer en tous lieux la grandeur de la France.

10 avril 1945

Les Soviétiques entrent dans Vienne. La fin de la Seconde Guerre mondiale permet à l'Autriche de retrouver son indépendance et bientôt sa neutralité.

12 avril 1945

Le président américain Franklin Delano Roosevelt (63 ans) meurt brutalement d'une hémorragie cérébrale. Il venait d'entamer sa treizième année à la Maison-Blanche (un record !).

29 avril 1945

Tandis que la guerre contre l'Allemagne touche à sa fin, les élections municipales donnent l'occasion aux Françaises de voter pour la première fois de leur histoire. Les premières femmes à obtenir le droit de vote furent les habitantes du territoire américain du Wyoming en 1869, suivies par les Néo-Zélandaises en 1893, les Australiennes en 1902, les Finlandaises en 1906, les Norvégiennes en 1913…

30 avril 1945

Adolf Hitler se suicide dans son bunker de Berlin, en s'administrant du poison. Sa maîtresse Eva Braun l'accompagne dans la mort après avoir conclu avec lui un engagement de mariage. Les derniers fidèles du *Führer* ont soin de brûler les corps afin qu'ils ne tombent pas entre les mains des Soviétiques. C'est la fin dramatique et sans gloire du IIIe Reich.

7 mai 1945

La capitulation sans condition de l'Allemagne est signée à Reims, au quartier général des forces alliées du général Dwight Eisenhower. La signature est renouvelée le lendemain à Berlin, en zone d'occupation soviétique. La Seconde Guerre mondiale se termine officiellement en Europe le 8 mai 1945 à 23 h 01.

8 mai 1945

Le jour même de la victoire alliée sur le nazisme, de violentes émeutes éclatent à Sétif, en Algérie. Les manifestants sont des Algériens de confession musulmane dont beaucoup se sont battus dans les troupes françaises qui ont libéré l'Italie du fascisme. Ils souhaitent avec le retour de la paix gagner un peu d'autonomie. La répression, d'une grande brutalité, fait huit mille à vingt mille morts parmi les musulmans. C'est un lointain prélude à la guerre d'indépendance.

26 juin 1945

À San Francisco, les représentants de cinquante et un pays fondent l'Organisation des Nations unies (ONU) conformément aux principes de la *charte de l'Atlantique* (1941). La nouvelle institution remplace la Société des Nations (SDN), née en 1920 des suites de la Première Guerre mondiale et établie à Genève. Son siège est fixé à New York, au bord de l'East River, dans la métropole de la principale puissance mondiale.

17 juillet 1945

Une conférence s'ouvre à Potsdam en vue de régler le sort de l'Allemagne vaincue, en présence de Harry Truman, successeur de Franklin Roosevelt à la Maison-Blanche, Clement Attlee, successeur de Winston Churchill au 10, Downing Street, et l'inamovible Staline. L'Allemagne est partagée en quatre zones d'occupation et sa frontière orientale ramenée sur la ligne Oder-Neisse. Cette frontière sera officiellement reconnue par les Allemands par un traité de paix signé à Moscou le... 12 septembre 1990.

6 août 1945

Un bombardier américain largue une bombe atomique sur la ville d'Hiroshima pour briser la résistance du Japon. Soixante-dix mille personnes sont tuées sur le coup. Trois jours plus tard, une deuxième bombe est larguée sur Nagasaki (quarante mille personnes tuées sur le coup). Dans les démocraties occidentales à peine libérées du nazisme, peu de monde prend la mesure de ces événements qui inaugurent l'âge atomique.

14 août 1945

Les Japonais, sidérés, entendent pour la première fois la voix de leur empereur ou mikado dans les haut-parleurs installés partout dans les rues. D'une voix grave et embarrassée, Hirohito leur annonce sa décision de mettre fin à la guerre.

2 septembre 1945

Les représentants de l'empereur du Japon se rendent sur le pont du croiseur *Missouri*, dans la rade de Tokyo, et signent en présence du général Douglas MacArthur la capitulation de leur pays. La Seconde Guerre mondiale est terminée. Elle aura fait près de cinquante millions de victimes, donné lieu à un génocide sans précédent et à deux bombardements atomiques.

Chapitre 6

L'embellie européenne (1945-1962)

En 1945, au sortir de la Seconde Guerre mondiale, les experts et les économistes ne donnent pas cher de l'avenir de l'Europe. Le Vieux Continent a été meurtri dans sa chair par deux conflits fratricides. Il souffre aussi de dénatalité depuis le début du XXe siècle. Cette langueur démographique a freiné son redressement après la guerre de 1914-1918. On peut s'attendre à ce qu'il en aille de même après 1939-1945.

Mais ô surprise, dès avant la fin du conflit, les Européen(ne)s semblent saisis d'une frénésie de vie. La fécondité se redresse jusqu'à atteindre au début des années 1960 une moyenne de près de trois enfants par famille, soit deux fois plus qu'au cours de la génération précédente (et davantage que dans l'Algérie ou l'Iran des années 2000). Stables et motivées par le désir d'assurer de bonnes conditions de vie à leurs enfants, les nouvelles familles européennes se montrent dures à la tâche. À l'unisson de la croissance démographique, la croissance économique atteint des records jamais égalés : +4 %, +6 %, voire +8 % par an dans certains États !

Rajeunie et libérée du fardeau des colonies, l'Europe occidentale reprend sa place comme moteur de la planète, aux côtés des États-Unis. Les deux champions de la démocratie forment une alliance, l'OTAN, qui garantit une paix relative dans le monde. Face aux démocraties occidentales, l'URSS communiste fait figure d'épouvantail mais la crainte d'un conflit nucléaire fatal à l'humanité dissuade chacun de commettre l'irréparable. On s'en tient à une « guerre froide » même si l'on frôle l'apocalypse en 1962 (crise des fusées soviétiques à Cuba) comme en 1983 (crise des euromissiles).

17 octobre 1945

En Argentine, le colonel Juan Domingo Perón est sorti de prison sous la pression des syndicats et de sa maîtresse Evita. C'est le début d'une aventure politique foudroyante qui va porter Perón et Evita à la tête du pays (et ruiner durablement celui-ci).

29 novembre 1945

Proclamation de la République populaire fédérative de Yougoslavie. Très vite, le chef des communistes yougoslaves, Josip Broz, dit Tito, va s'émanciper de la tutelle soviétique. Il va ériger la Yougoslavie en chef de file des pays non alignés et devenir le mouton noir du monde communiste.

20 janvier 1946

À Paris, le général Charles de Gaulle, chef de la France libre, se présente en uniforme devant son gouvernement et annonce sa démission. Il quitte pour douze ans le devant de la scène politique et entame sa « *traversée du désert* ». La France s'installe dans la IVe République. Ce régime parlementaire, en dépit d'une grande instabilité gouvernementale, va moderniser la France, engager la décolonisation et participer à la construction d'une communauté européenne.

5 mars 1946

Par un discours retentissant à Fulton, dans le Missouri (États-Unis), Winston Churchill met en garde l'Occident contre le risque d'une guerre majeure, autrement dit nucléaire, avec l'URSS. C'est le début de la « *guerre froide* ». Jusqu'à la fin des années 1980, Soviétiques et Occidentaux s'affronteront par adversaires interposés en se gardant d'un conflit direct.

22 juillet 1946

À Jérusalem, l'*Irgoun* (nom hébraïque de l'organisation militaire clandestine juive) fait sauter l'hôtel du Roi David. Cet hôtel sert de quartier général à l'armée britannique. De cet endroit, la Grande-Bretagne administre la Palestine. L'attentat fait quatre-vingt-onze morts, dont vingt-cinq Britanniques. Le gouvernement de Londres est poussé par son opinion publique à se dégager au plus vite du bourbier palestinien.

19 décembre 1946

En Indochine, le Parti communiste vietnamien de Hô Chi Minh lance une insurrection générale contre le colonisateur français à Hanoi et dans tout le Tonkin. C'est le début de la première guerre d'Indochine et de trois décennies de conflits quasi ininterrompus qui vont mettre le Vietnam et les autres pays de la région à feu et à sang.

29 mars 1947

Une insurrection dans la colonie française de Madagascar éclate. Elle sera réprimée au prix de dizaines de milliers de victimes.

5 juin 1947

Aux États-Unis, dans un discours à l'université de Harvard, le général George C. Marshall annonce un gigantesque programme pour aider l'Europe (y compris l'URSS) à se remettre sur pied au sortir de la Seconde Guerre mondiale. Ce « *programme de reconstruction européenne* » (*European Recovery Program* ou *ERP*) gardera le nom de son auteur. Les Soviétiques et leurs satellites d'Europe centrale le rejetteront par souci d'indépendance.

15 août 1947

Après deux siècles de colonisation, les Britanniques quittent le sous-continent indien, non sans avoir entériné le principe d'un partage en deux grands États, l'un à majorité hindoue (l'Union indienne), l'autre à majorité musulmane (le Pakistan, lui-même coupé en deux parties, l'une orientale, aujourd'hui le Bangladesh, l'autre occidentale). Les nouvelles frontières n'ayant pu être formellement définies, une furieuse guerre éclate entre les frères ennemis ; guerre aggravée par les transferts massifs de populations. Près de vingt millions de personnes se croisent par-dessus les lignes de démarcation.

30 janvier 1948

À New Delhi, en Inde, un fanatique hindou tire trois coups de revolver sur Gandhi alors que celui-ci se rend comme chaque jour à la prière. Après toute une vie consacrée à l'émancipation de l'Inde, Gandhi a eu la douleur de voir son pays se déchirer dans des guerres religieuses sanglantes entre hindous et musulmans. Lui-même hindou, il n'a cessé de plaider pour la réconciliation des deux communautés, ce qui lui a valu d'être accusé de trahison par les fanatiques de sa communauté.

25 février 1948

En Tchécoslovaquie, le président de la République Edvard Beneš doit céder tout le pouvoir aux communistes et à leur chef, Gottwald, après deux semaines de pression intense des Soviétiques. C'est le « *coup de Prague* ».

9 avril 1948

En Palestine, l'armée secrète juive, l'Irgoun, attaque le village palestinien Der Yassine. Cette attaque survient en pleine guerre israélo-arabe. Elle fait trois cents victimes parmi les villageois et sème la panique parmi les populations civiles de Palestine qui fuient leurs maisons dans l'attente hypothétique d'une victoire des armées arabes.

14 mai 1948

À Tel-Aviv, David Ben Gourion, président du Conseil national juif, proclame la naissance de l'État d'Israël. L'événement s'inscrit dans la légalité internationale. À l'ONU (Organisation des Nations unies), il a été prévu en effet de partager l'ancienne province ottomane de Palestine entre cet État et un État palestinien regroupant les populations de langue arabe. Mais les pays arabes voisins refusent ce partage et lancent leurs troupes à l'assaut du nouvel État. Les Israéliens repoussent l'agression.

10 décembre 1948

À New York, l'Organisation des Nations unies (ONU) adopte la Déclaration universelle des droits de l'homme. Elle reprend dans les grandes lignes la déclaration française de 1789. Elle y ajoute quelques considérations dans l'esprit du temps.

4 avril 1949

Alarmés par le « *coup de Prague* », les États-Unis, le Canada et dix pays d'Europe de l'Ouest signent à Washington le traité de l'Atlantique Nord par lequel ils s'engagent à se porter secours en cas d'attaque contre l'un ou l'autre d'entre eux. Pour la mise en œuvre de leurs résolutions, ils fondent l'*Organisation du traité de l'Atlantique Nord* (OTAN, en anglais NATO).

23 septembre 1949

En Sibérie, explosion de la première bombe atomique soviétique. La guerre froide entre Américains et Soviétiques arrive à son paroxysme.

1er octobre 1949

À Pékin, du balcon de la Cité interdite des anciens empereurs, Mao Zedong proclame l'avènement de la République populaire de Chine. Le 1er octobre est depuis lors devenu fête nationale en Chine populaire. La prise de pouvoir des communistes et de leur chef marque la fin des troubles qui ont suivi la fondation de la République chinoise en 1911, ponctués par la terrible invasion japonaise.

7 octobre 1949

En Allemagne, la zone d'occupation soviétique devient un État à part entière sous le nom de République démocratique allemande (RDA, en allemand *DDR*).

8 décembre 1949

Le généralissime chinois Tchang Kaï-chek se réfugie sur l'île de Taïwan (ex-Formose) et y installe un gouvernement rival de celui de Mao Zedong.

9 février 1950

Aux États-Unis, le sénateur républicain du Wisconsin Joseph McCarthy accuse publiquement cinquante-sept fonctionnaires du département d'État (le ministère des Affaires étrangères) d'être coupables de collusion avec l'Union soviétique. C'est le début de la « *chasse aux sorcières* », une page sombre de l'histoire américaine.

9 mai 1950

À Paris, Robert Schuman, ministre français des Affaires étrangères, lance le projet d'une Communauté européenne du charbon et de l'acier (CECA) sur une idée de Jean Monnet, commissaire général au Plan. Cinq ans après la Seconde Guerre mondiale, alors que les ressentiments sont encore vifs, le plan Schuman amorce le rapprochement franco-allemand et la construction européenne. Pour cette raison, le 9 mai a été choisi comme fête européenne.

25 juin 1950

Six cent mille soldats nord-coréens franchissent la ligne de démarcation du 38e parallèle qui sépare leur État, sous gouvernement communiste, de la Corée du Sud, sous régime pro-occidental. C'est le début de la guerre de Corée. Un corps expéditionnaire américain sous les ordres du général Douglas MacArthur débarque aussitôt dans la péninsule.

23 juillet 1952

En Égypte, un groupe d'« *officiers libres* », laïc, républicain et nationaliste, prend le pouvoir et renverse le roi Farouk Ier. Il porte bientôt à la tête du pays son chef, le charismatique Gamal Abdel Nasser (34 ans), héros de la première guerre arabe contre Israël. L'anniversaire de ce jour est devenu fête nationale en Égypte.

3 décembre 1952

À Prague, l'un des plus spectaculaires procès de l'ère stalinienne s'achève par la pendaison de quatorze prévenus et la dispersion de leurs cendres. Arthur London, survivant du procès, racontera celui-ci dans *L'aveu*. Le roman deviendra un film à succès de Costa-Gavras (1970), avec Yves Montand dans le rôle principal.

5 mars 1953

Staline, surnommé par la propagande soviétique le « *petit père des peuples* », s'éteint à 73 ou 74 ans dans sa datcha des environs de Moscou. Sa mort et ses obsèques, quatre jours plus tard, donnent lieu à des manifestations de deuil spectaculaires dans le monde entier. Beria, l'ancien maître de la police, assure la succession et, d'emblée, fait libérer un million de personnes ! L'écrivain Ilia Ehrenbourg qualifie cette période de « *dégel* ». Mais effrayés par le semblant de démocratisation, les hiérarques chasseront Beria du pouvoir et confieront à Nikita Khrouchtchev la direction de l'URSS.

25 avril 1953

Un article de la célèbre revue scientifique *Nature* signé du biologiste américain James Dewey Watson (24 ans) et de son confrère britannique Francis Crick (36 ans) décrit pour la première fois la structure de la molécule d'ADN (acide désoxyribonucléique), support du patrimoine génétique des êtres humains.

16 juin 1953

Enhardis par la mort de Staline, les ouvriers du bâtiment qui travaillent sur la *Stalinallee*, à Berlin-Est, manifestent pour de meilleures conditions de travail. Il s'ensuit le lendemain une insurrection dans toutes les villes de la République démocratique allemande (RDA). Elle est sévèrement réprimée, altérant au passage l'image sociale des régimes communistes.

27 juillet 1953

Un armistice signé à Panmunjom, sur le 38e parallèle, met fin à la guerre de Corée. Il est toujours en vigueur dans l'attente d'un hypothétique traité de paix. Vite oubliée, la guerre de Corée reste le conflit le plus meurtrier de la deuxième moitié du XXe siècle. On évalue le nombre de victimes à trente-huit mille cinq cents dans les forces onusiennes, soixante-dix mille dans les forces sud-coréennes et... deux millions chez les combattants nord-coréens et chinois. À cela s'ajoutent les civils victimes des bombardements, des disettes et des épidémies (peut-être trois millions).

19 août 1953

En Iran, le Premier ministre du chah, Mohammad Mossadegh, est démis de ses fonctions sous la pression des Britanniques qui lui reprochent d'avoir nationalisé les compagnies pétrolières.

20 août 1953

Au Maroc, le sultan Sidi Mohammed est contraint d'abdiquer par les Français. Ce coup de force n'a d'autre effet que d'attiser les sentiments antifrançais et de précipiter le retour à l'indépendance du pays.

7 mai 1954

Dans le haut Tonkin, le camp retranché de Diên Biên Phu tombe aux mains du Viêt-minh après cinquante-sept jours de résistance acharnée. Un siècle de présence française en Indochine se termine dans cette cuvette où le général Henri Navarre a concentré quinze mille hommes, avec l'objectif de desserrer l'étau des communistes vietnamiens sur le riche delta du Tonkin. Le 26 avril précédent s'étaient ouvertes des négociations à Genève sur le sort de l'Indochine...

17 mai 1954

Aux États-Unis, la ségrégation à l'école est déclarée inconstitutionnelle. La Cour suprême donne tort à ceux qui justifient la ségrégation scolaire au nom du principe « *séparés mais égaux* ». C'est l'amorce d'une complète intégration des Noirs dans la société américaine.

21 juillet 1954

La conférence de Genève sur l'Indochine se clôt sur le principe d'un partage temporaire du Vietnam en deux États séparés par le 17e parallèle, l'un, au sud, pro-occidental, l'autre, au nord, prosoviétique. Cette situation précaire va déboucher sur la guerre du Vietnam ou deuxième guerre d'Indochine, qui se terminera avec la réunification du pays en 1975.

1er novembre 1954

En Algérie, des indépendantistes inspirés par la décolonisation de l'Indochine commettent plusieurs dizaines d'attentats, dont certains meurtriers. C'est la « *Toussaint rouge* » et le début de la guerre d'indépendance.

18-24 avril 1955

À Bandoeng, sur l'île de Java, une conférence réunit vingt-neuf États pauvres d'Asie et d'Afrique. Le Yougoslave Tito, l'Égyptien Nasser et l'Indien Nehru revendiquent leur « *non-alignement* », à égale distance des deux superpuissances, les États-Unis et l'URSS.

20 août 1955

En Algérie, les indépendantistes du FLN (Front de libération nationale) organisent des manifestations violentes à Philippeville et El-Alia. Au total cent vingt-trois morts dont soixante et onze Européens (hommes, femmes et enfants). C'est un durcissement brutal du conflit algérien.

1er décembre 1955

Aux États-Unis, Rosa Parks, une couturière noire de quarante-deux ans, est arrêtée pour avoir refusé de céder sa place à un Blanc dans un bus de la ville de Montgomery, en Virginie-Occidentale. Le pasteur Martin Luther King prend la tête d'un boycott de la compagnie d'autobus et entame une longue lutte non violente pour l'intégration des Noirs dans la société américaine.

26 juillet 1956

En Égypte, le président Nasser annonce à la radio, dans un mémorable éclat de rire, la nationalisation du canal de Suez, propriété d'une compagnie franco-britannique. Il veut de la sorte suppléer au refus des Américains de lui prêter de l'argent pour construire le barrage d'Assouan.

23 octobre 1956

À Budapest, en Hongrie, les habitants manifestent en masse contre le gouvernement. La manifestation tourne à l'émeute et les symboles de l'État communiste sont détruits. Le nouveau chef du gouvernement, Imre Nagy, annonce le retrait de la Hongrie du pacte de Varsovie... C'est plus que les Soviétiques n'en peuvent supporter. Dès le dimanche 4 novembre, l'Armée rouge investit Budapest. La répression fait environ deux cent mille morts tandis que cent soixante mille personnes se réfugient en Europe de l'Ouest. Imre Nagy sera pendu quelques mois plus tard.

5 novembre 1956

En Égypte, Français et Britanniques mobilisent soixante mille hommes et six porte-avions pour répliquer au coup de force de Nasser. Ils lancent une opération aéroportée sur le canal de Suez et s'allient avec Israël dont l'armée fonce à travers le Sinaï jusqu'au canal. Malgré leur victoire sur le terrain, les coalisés doivent presque aussitôt plier bagage face aux injonctions des Soviétiques et des Américains. Cet échec signe la fin de la « *politique de la canonnière* » de l'époque coloniale.

13 novembre 1956

La Cour suprême des États-Unis donne satisfaction à Martin Luther King et Rosa Parks et établit l'inconstitutionnalité de la discrimination raciale dans les autobus.

7 janvier 1957

En Algérie, le gouvernement français confie au général Jacques Massu les pleins pouvoirs de police sur le Grand Alger (huit cent mille habitants dont une moitié de musulmans). Il a mission de mettre fin au terrorisme dans l'agglomération. Ses parachutistes vont s'acquitter de leur tâche avec un zèle redoutable, combinant torture et exécutions sommaires.

6 mars 1957

La *Gold Coast*, ou Côte-de-l'Or britannique, devient la première colonie d'Afrique noire à accéder à l'indépendance. Elle prend le nom d'un ancien empire bantou, le *Ghana*.

25 mars 1957

À Rome, les représentants de six pays européens (République fédérale d'Allemagne, Belgique, France, Italie, Luxembourg, Pays-Bas) signent le traité Euratom et le traité sur la création d'une Communauté économique européenne (CEE). Le premier accapare tout l'intérêt du public mais va s'étioler sans laisser de regret. Le second fait une entrée discrète. Mais il va conduire pas à pas à l'intégration économique et politique de l'Europe.

4 octobre 1957

L'URSS met en orbite le premier satellite artificiel de l'histoire, *Spoutnik 1* (d'un mot russe qui signifie « *compagnon de voyage* »). L'engin, qui pèse quatre-vingt-trois kilos et six cents grammes, est mis en orbite à une altitude de neuf cents kilomètres. Il accomplit une révolution de la Terre en quatre-vingt-seize minutes. Son « *bip-bip* » deviendra vite familier à tous les hommes.

13 mai 1958

Les Algérois d'origine européenne en appellent au général de Gaulle pour maintenir la souveraineté de la France sur l'Algérie. De retour au pouvoir après une longue « *traversée du désert* », de Gaulle met en chantier une nouvelle Constitution à tonalité présidentielle. Tournant le dos à ceux qui l'ont ramené au pouvoir, il prépare par ailleurs l'émancipation de l'Algérie.

28 septembre 1958

Les Français votent par référendum pour la Constitution proposée par le général de Gaulle. C'est la naissance de la Ve République.

2 octobre 1958

La Guinée devient indépendante. Ayant refusé l'adhésion à la Communauté française lors du référendum proposé aux Africains par le général de Gaulle, elle est immédiatement et sans façon abandonnée par les Français. Sous la férule de Sékou Touré, le pays sombre très vite dans la dictature.

1er janvier 1959

À Cuba, Fidel Castro (31 ans) chasse le dictateur Batista et s'empare des rênes du pouvoir. Fidel Castro a débarqué sur l'île deux ans plus tôt, le 2 décembre 1956, avec une troupe de fidèles. Parmi eux, le populaire Ernesto Guevara, un jeune médecin argentin surnommé le *Che*. Solidement installé dans la sierra Maestra, il a combattu la dictature de Batista et lancé une grève générale. Sitôt au pouvoir, le guérillero nationalise les grandes plantations sucrières. Ses options socialistes lui aliènent la sympathie des États-Unis et l'amènent à s'aligner sur l'Union soviétique. Cuba devient ainsi le premier pays communiste de l'hémisphère occidental.

10 mars 1959

Les Tibétains se révoltent contre les Chinois communistes qui occupent leur pays depuis dix ans. Le chef religieux des

Tibétains, le dalaï-lama, doit s'enfuir en Inde. Il y est encore et poursuit sans trêve son combat pour la reconnaissance des droits nationaux de son peuple.

21 avril 1960

Brasília devient officiellement la capitale du Brésil. Ce n'est sans doute pas un hasard si l'événement survient le jour anniversaire de la fondation légendaire de Rome ! Quatre ans plus tôt, le président brésilien Juscelino Kubitschek de Oliveira a décidé de construire une nouvelle capitale en plein cœur du pays, dans les steppes du Mato Grasso, afin de réorienter le développement du Brésil vers l'intérieur. L'œuvre de l'urbaniste Lucio Costa et de l'architecte Oscar Niemeyer est fidèle au « *style international* » inventé par Le Corbusier. Elle ravit les esthètes... mais ne convainc pas ses habitants ni les nostalgiques de l'ancienne capitale, Rio de Janeiro.

3 mai 1960

La pilule contraceptive du Dr Pincus est mise en vente libre dans les drugstores américains.

16 août 1960

Chypre, colonie britannique depuis 1925, devient une République indépendante. Le partage institutionnalisé du pouvoir entre la majorité grecque et la minorité turcophone se soldera en 1974 par un échec et la sécession de la partie turque.

17 janvier 1961

Dans l'ex-Congo belge, le Premier ministre Patrice Lumumba est assassiné par ses rivaux au cours de la guerre civile dans laquelle a basculé le pays après une indépendance précipitée.

12 avril 1961

Le cosmonaute soviétique Iouri Gagarine (27 ans) accomplit le tour de la Terre en cent huit minutes à bord d'une fusée *Vostok I*, à trois cent vingt-sept kilomètres d'altitude. Quatre ans après le lancement d'un premier satellite, les Soviétiques présentent son exploit comme la preuve de la supériorité de leur système politique. Le président américain John Kennedy relève le défi et promet qu'un Américain marchera sur la Lune avant la fin de la décennie.

17 avril 1961

À Cuba, une tentative de débarquement a lieu dans la baie des Cochons. La CIA américaine a armé quelques opposants à Fidel Castro et les a largués sur la côte dans le but de renverser le régime castriste. Mais la tentative de renversement du dictateur échoue piteusement et les assaillants se font tuer sur la plage. C'est un immense succès pour Fidel Castro, qui se présente devant le tiers-monde comme le meilleur opposant à l'impérialisme américain. Le président Kennedy, mal conseillé, fait amende honorable.

21 avril 1961

En Algérie, quatre généraux français tentent de soulever les militaires et les *pieds-noirs* dans un effort désespéré pour maintenir le pays à l'intérieur de la République française. Ce *putsch* d'Alger va pitoyablement échouer en quatre jours.

12 août 1961

À Berlin, les autorités de la République démocratique allemande (RDA) érigent une enceinte fortifiée sur la ligne qui sépare leur zone, sous occupation soviétique, des zones sous occupation américaine, anglaise et française. Ce *Mur* symbolise le « *rideau de fer* » qui coupe l'Europe en deux.

18 septembre 1961

Un avion s'abat au-dessus du Katanga (ex-Congo belge), très vraisemblablement à la suite d'un attentat. Parmi les victimes figure le secrétaire général de l'Organisation des Nations unies (ONU), le Suédois Dag Hammarskjöld (56 ans). Il tentait de résoudre le conflit qui déchirait le Congo depuis l'assassinat du leader Patrice Lumumba. Il recevra à titre posthume le prix Nobel de la paix (1961).

17 décembre 1961

En Inde, le *pandit* Nehru, Premier ministre de l'Union indienne, s'empare par la force de Goa, dernière possession portugaise dans le sous-continent. Il clôt ainsi la période coloniale.

20 février 1962

John Glenn est le premier cosmonaute américain à faire le tour de la Terre. Il accomplit son vol en quatre heures et cinquante-six minutes à bord de la capsule Mercury. C'est un pas significatif des Américains dans la course à l'espace inaugurée par les Soviétiques.

19 mars 1962

En Algérie, un cessez-le-feu met fin à huit ans de guerre. Le 8 avril de l'année précédente, un référendum a ratifié à plus de 90 % la décision du général de Gaulle de donner l'indépendance à l'Algérie. La veille, à Évian, le gouvernement français a cédé au gouvernement provisoire de la république algérienne (GPRA) ses pouvoirs sur l'Algérie et le Sahara... Les violences se poursuivent néanmoins après le cessez-le-feu et l'indépendance, effective le 3 juillet. Les Européens quittent le pays dans la confusion.

22 août 1962

En France, attentat du Petit-Clamart contre le général de Gaulle. Le président met à profit l'émotion qui secoue le pays pour proposer l'élection du président de la République au suffrage universel direct et non plus indirect, apportant la dernière touche au régime présidentiel qu'il a toujours souhaité pour le pays. On s'apercevra plus tard de l'ambivalence institutionnelle de ce régime, dont le caractère parlementaire se révèle en période de cohabitation...

Chapitre 7

La montée du tiers-monde (1962-1978)

En Europe, la fécondité commence à baisser en 1964 puis s'effondre en 1973. C'est le début d'une nouvelle période de langueur démographique qui s'accompagne d'un ralentissement de la croissance économique.

Dans les mois qui suivent la chute de Saigon (avril 1975), aucun conflit international n'agite la planète. Pour la première fois depuis de nombreuses décennies, celle-ci savoure une paix générale... Cette très brève accalmie traduit un tournant dans l'histoire du siècle.

Aux conflits nourris de l'opposition idéologique entre l'Est et l'Ouest succèdent des conflits plus traditionnels. Musulmans et chrétiens se déchirent au Liban, puis des factions se disputent le pouvoir en Angola. Le Vietnam établit son protectorat sur le Cambodge et le Laos. L'Érythrée rejette la domination éthiopienne...

11 octobre 1962

Le pape Jean XXIII ouvre le concile *Vatican II*, dans la basilique Saint-Pierre de Rome en vue d'un « *aggiornamento* » (mise à jour et adaptation au monde moderne) de l'Église catholique. Le vieux pape dénonce l'enseignement du mépris et témoigne de son ouverture aux autres religions et en particulier aux juifs.

22 octobre 1962

À Washington, dans un discours mémorable prononcé d'une voix grave, le président américain John Fitzgerald Kennedy lance un ultimatum à peine voilé aux Soviétiques.

Il les met en demeure de retirer les fusées à tête nucléaire installées à Cuba, aux portes des États-Unis. Le monde tremble dans la crainte d'une guerre nucléaire entre les deux superpuissances. Mais Nikita Khrouchtchev, secrétaire général du PCUS, s'incline. Chacun respire...

22 janvier 1963

À Paris, le traité d'amitié franco-allemand de l'Élysée consacre le rapprochement des deux anciens ennemis. Il est signé par le général de Gaulle, président de la République française, et le chancelier allemand Konrad Adenauer.

26 janvier 1963

En Iran, le chah appelle ses sujets à voter par référendum sur un ambitieux projet de modernisation. Comme Mustafa Kemal en Turquie quarante ans plus tôt, le chah veut rapprocher son pays de l'Occident. Le référendum, massivement approuvé, instaure la réforme agraire, la lutte contre l'illettrisme... Mais il suscite très vite l'opposition du clergé chiite, conduit par un imam du nom de Khomeyni...

28 août 1963

À Washington, le pasteur Martin Luther King, champion de la lutte non violente contre la ségrégation raciale, prononce devant deux cent cinquante mille personnes un immortel discours : « *I have a dream* » (« Je fais un rêve... »).

22 novembre 1963

Aux États-Unis, le président John Fitzgerald Kennedy (46 ans) est assassiné à Dallas (Texas), au zénith de sa popularité.

7 février 1965

Au Nord-Vietnam, un incident naval dans le golfe du Tonkin fournit au président américain Lyndon Baines Johnson un prétexte pour lancer les premiers bombardements sur le pays. La deuxième guerre d'Indochine entre dans sa phase active.

30 septembre 1965

En Indonésie, sous le prétexte d'empêcher une prise de pouvoir par les communistes, l'armée chasse le dictateur Soekarno et le remplace par le général Suharto. Le coup d'État se solde par environ cinq cent mille victimes innocentes, dont beaucoup appartiennent à la minorité chinoise, particulièrement haïe en Indonésie. Suharto a été renversé en 1998.

29 juin 1966

Au Nord-Vietnam, le président américain Lyndon Baines Johnson déclenche les premiers raids aériens sur les villes de Haiphong et Hanoi. Il s'agit d'une nouvelle « *escalade* » dans la guerre non déclarée qui oppose les États-Unis et leur allié sud-vietnamien au Nord-Vietnam.

18 août 1966

En Chine populaire commence la Révolution culturelle. À Pékin, les partisans de Mao Zedong, fondateur du régime communiste, mobilisent la jeunesse contre les menées révisionnistes du président Liu Shaoqi. Celui-ci, accusé d'avoir voulu sacrifier l'idéologie aux impératifs du redressement économique, mourra en prison.

29 août 1966

Dernier concert des *Beatles* à San Francisco. La séparation du groupe de chanteurs signifie la fin de la décennie du rock'n'roll, inaugurée par le « *dieu de Memphis* », Elvis Presley. Elle marque aussi l'apogée des années 1960, période d'intense créativité culturelle servie par une jeunesse nombreuse.

18 mars 1967

Le pétrolier *Torrey Canyon* s'échoue dans la Manche et déverse son pétrole sur les côtes bretonnes. Cette première « *marée noire* » donne le coup d'envoi des mouvements écologiques mais les critiques portent uniquement sur les méfaits de la pollution industrielle et les dangers d'une croissance effrénée. Il n'est pas encore question de réchauffement climatique.

21 avril 1967

En Grèce, un groupe de colonels provoque un coup d'État militaire et renverse la monarchie constitutionnelle. Mais la dictature s'effondrera lamentablement sept ans plus tard, en 1974, après l'échec d'une intervention dans les affaires chypriotes.

5 juin 1967

Israël, moins de vingt ans après sa fondation, lance une attaque foudroyante contre la coalition menaçante de ses voisins. Le 11 juin suivant, après une guerre éclair de six jours, il peut se flatter d'une glorieuse victoire, avec le soutien de l'immense majorité de l'opinion occidentale. Qui se douterait alors que cette euphorie débouchera sur une impasse dans les territoires occupés ?

3 décembre 1967

La première greffe du cœur est effectuée à l'hôpital Groote Schur du Cap (Afrique du Sud) par le Pr Christiaan Barnard (45 ans).

30 janvier 1968

Au Sud-Vietnam, les communistes et leurs alliés du Nord mettent à profit les fêtes du nouvel An vietnamien pour lancer une violente offensive dans tout le pays, contre les forces gouvernementales et leurs alliés américains. Cette « *offensive du Têt* » marque un tournant dans la guerre du Vietnam. Elle relance dans tous les campus d'Occident les manifestations contre l'intervention des États-Unis et conduit le gouvernement américain à se désengager et à ouvrir des négociations à Paris.

4 avril 1968

Les États-Unis pleurent la disparition tragique du pasteur Martin Luther King (39 ans). Le leader de la lutte non violente contre la ségrégation raciale est assassiné à Memphis.

3 mai 1968

À Paris, la police évacue par la force cinq cents étudiants qui occupent la vénérable faculté de la Sorbonne. Aussitôt, des barricades font leur apparition sur le *Boul'mich* voisin (le boulevard Saint-Michel) et dans tout le Quartier latin. C'est le début des « *événements de Mai 68* ».

13 mai 1968

La France manifeste dans la rue contre de Gaulle, à l'occasion du dixième anniversaire de son retour au pouvoir. Les salariés se joignent aux étudiants. Les uns et les autres dénoncent la société de consommation, le culte de la croissance économique et le chômage inhérent aux régimes capitalistes (deux cent mille chômeurs enregistrés...). En France comme dans le reste du monde occidental, l'année 1968 révèle un tournant dans les mentalités avec la minijupe, quelques premiers seins nus sur la plage et la pilule ; les Beatles, les *yé-yé* et *Salut les copains*. On manifeste contre l'intervention américaine au Vietnam. La Révolution culturelle chinoise et son chef Mao Zedong suscitent une vague d'idolâtrie dans les rangs de l'extrême gauche.

31 juillet 1968

En Irak, un coup d'État du général Ahmad Hasan al-Bakr met fin à une décennie d'agitation politique. Le nouveau dictateur confie la vice-présidence à un jeune cousin plein d'avenir, Saddam Hussein.

21 août 1968

La Tchécoslovaquie est envahie par les troupes de cinq pays du pacte de Varsovie (URSS, Pologne, Bulgarie, Allemagne de l'Est, Hongrie). Elles mettent brutalement un terme à la démocratisation du régime communiste local par Alexander Dubček. C'est la fin du « *printemps de Prague* » et de l'illusion d'un « *socialisme à visage humain* ».

17 octobre 1968

À Mexico, les jeux Olympiques, qui ont été précédés par de sanglantes répressions policières, donnent l'occasion à deux athlètes noirs des États-Unis de signifier leur révolte en levant le poing sur le podium. Les ghettos noirs des grandes villes américaines flambent.

5 février 1969

Yasser Arafat (39 ans) est élu à la tête de l'Organisation de libération de la Palestine (OLP). Après l'humiliante défaite des Arabes dans la guerre des Six-Jours de juin 1967, il va relancer la lutte des Palestiniens contre Israël, sans hésiter à recourir au terrorisme. Son réalisme politique l'amènera pour finir à négocier avec l'ennemi juré et lui vaudra le prix Nobel de la paix en 1994, de concert avec Yitzhak Rabin et Shimon Peres.

27 avril 1969

En France, au lendemain d'un référendum raté sur la régionalisation et la réforme du Sénat, Charles de Gaulle démissionne de la présidence de la République.

20 juillet 1969

À 21 h 17 (heure française), le module lunaire *Eagle* de la mission Apollo XI se pose sur la Lune. L'astronaute Neil Armstrong annonce : « *Houston, ici la base de la Tranquillité. L'Aigle a atterri* »... La prédiction du président Kennedy s'est réalisée !

4 septembre 1970

Au Chili, le socialiste Salvador Allende est élu président de la République. Le candidat socialiste n'obtient cependant que 37 % des voix avec une coalition fragile qui va du centre à l'extrême gauche maoïste. Le reste des voix se partage entre ses deux adversaires de droite. L'opposition au président ne cessera de se renforcer jusqu'à sa mort tragique.

15 août 1971

À Washington, à la faveur de la pause estivale, le président Richard Nixon met fin à la convertibilité du dollar. Il renonce à soutenir le cours de la monnaie, fixé précédemment à trente-cinq dollars l'once d'or fin. Cette dévaluation de fait consacre la fin de la stabilité monétaire de l'après-guerre et la remise en cause du système monétaire international créé à Bretton Woods. Les monnaies se mettent à flotter de façon désordonnée.

15 novembre 1971

Aux États-Unis, la société Intel fait part de la naissance du microprocesseur. La « *puce* » est à l'origine de la révolution de la micro-électronique.

5 septembre 1972

En Allemagne, les jeux Olympiques de Munich sont endeuillés par un attentat palestinien contre la délégation israélienne. Le monde abasourdi découvre sur les écrans de télévision deux réalités avec lesquelles il va devoir apprendre à vivre : le terrorisme et la Palestine.

11 septembre 1973

Au Chili, le gouvernement d'Unité populaire est renversé dans des conditions dramatiques. Son président Salvador Allende meurt dans l'assaut donné par l'armée au palais présidentiel.

6 octobre 1973

L'armée égyptienne franchit le canal de Suez à la faveur de la fête juive du *Yom Kippour* (ou *Grand Pardon*). Elle prend à revers les troupes israéliennes qui stationnent dans le Sinaï depuis juin 1967. La Syrie lance au même moment trois divisions blindées et mille chars sur le plateau du Golan, également occupé par les Israéliens depuis 1967. En quatre jours, elle s'empare du mont Hermon et de la ville de Qunaytra... Les Israéliens ripostent, non sans mal. Peu après, les pays arabes exportateurs de pétrole décrètent un embargo sur les livraisons aux pays amis d'Israël comme les Pays-Bas. Ils relèvent très fortement le prix du baril, provoquant le premier « *choc pétrolier* ». Il s'ensuit dans le monde développé un ralentissement brutal de la croissance économique et une accélération de l'inflation.

25 avril 1974

À Lisbonne, par la révolution dite « *des œillets* », de jeunes capitaines de l'armée portugaise entraînent la chute du régime salazariste, vieux de quarante-huit ans.

8 août 1974

Richard Nixon, trente-septième président des États-Unis, annonce sa démission à mi-parcours de son deuxième mandat, sans attendre d'y être contraint par le Sénat.

13 avril 1975

Début de la guerre civile au Liban. Les milices chrétiennes affrontent les Palestiniens. L'équilibre entre les communautés religieuses est rompu.

30 avril 1975

Le gouvernement du Vietnam du Sud capitule après l'entrée des troupes du Nord-Vietnam et du Viêt-cong dans Saigon. Une semaine plus tôt, l'aéronavale des États-Unis a évacué en catastrophe les derniers Américains du pays ainsi que soixante-dix mille Vietnamiens, mettant fin à plus de dix ans d'assistance militaire au gouvernement du Sud.

22 août 1975

En Corse, pour la première fois depuis cent cinquante ans, on tire sur les forces de l'ordre. Cela se passe dans une ferme abandonnée d'Aléria.

20 novembre 1975

En Espagne meurt le « *Caudillo* » Francisco Franco (83 ans) après une longue agonie et trente-six ans de pouvoir sans partage.

7 décembre 1975

L'armée indonésienne envahit l'ancienne colonie portugaise du Timor-Oriental. C'est le début d'une longue lutte ponctuée par de grands massacres de civils.

9 septembre 1976

En Chine meurt le « *Grand Timonier* » Mao Zedong (82 ans) après une longue agonie et vingt-sept ans de pouvoir sans partage.

31 janvier 1977

À Paris, le Centre national d'art et de culture Georges-Pompidou est inauguré par le président Valéry Giscard d'Estaing. Par sa conception architecturale novatrice et la réunion en un même lieu de différentes activités culturelles (bibliothèques, expositions temporaires, musée d'Art moderne), il bouleverse l'image traditionnelle de la culture.

16 mars 1978

Les Brigades rouges enlèvent l'Italien Aldo Moro. Le chef respecté de la droite démocrate-chrétienne sera un peu plus tard retrouvé assassiné dans le coffre d'une voiture. L'émotion est immense en Italie avec ce crime qui porte à son paroxysme la folie terroriste des « *années de plomb* » de la décennie 1970.

Chapitre 8

La fin du « *monde européen* » (1978-1989)

Tandis que les États-Unis, humiliés par leur retrait du Sud-Vietnam, cèdent brièvement à la tentation du repli, leurs rivaux soviétiques s'engagent témérairement en Afghanistan où ils vont perdre leurs derniers atours. Dans le même temps, une révolution religieuse en Iran secoue le monde musulman.

Dans cette décennie de transition, l'histoire balance entre un équilibre ancien fondé sur la prépondérance occidentale (États-Unis, Europe, URSS) et un état nouveau, multipolaire et quelque peu chaotique.

27 avril 1978

À Kaboul, capitale de l'Afghanistan, un coup d'État met brutalement fin au gouvernement du général Daoud. Les Soviétiques, qui en sont les instigateurs, ne se doutent pas qu'ils s'engagent dans une aventure qui va les perdre. Les Américains ne se doutent pas davantage que l'un de leurs pions en Afghanistan, Oussama Ben Laden, sera quelques années plus tard leur ennemi numéro un.

16 octobre 1978

Au Vatican, Karol Wojtyla est élu pape sous le nom de Jean-Paul II. Il va conduire les Polonais et les autres peuples d'Europe orientale à rejeter la domination soviétique et le communisme en usant de quelques mots forts : « *N'ayez pas peur !* »

1er février 1979

L'imam Khomeyni rentre triomphalement à Téhéran après un exil de plusieurs mois à Neauphle-le-Château. L'avènement, sous son égide, d'une République islamique fondée sur l'application stricte de la charia, la loi du Prophète, provoque un regain d'activisme religieux dans l'ensemble du monde musulman.

26 mars 1979

Traité de paix entre l'Égypte et Israël. Avec l'accord conclu entre le président Sadate et le Premier ministre Begin, sous l'égide du président américain Jimmy Carter, c'en est fini des grandes coalitions arabes contre l'État hébreu.

27 décembre 1979

Les troupes soviétiques entrent en Afghanistan.

31 août 1980

Lech Walesa, leader du syndicat ouvrier indépendant *Solidarność*, signe les accords de Gdansk. Après la séance officielle, l'ouvrier électricien se précipite au-devant de ses camarades. Il brandit le stylo avec lequel il a apposé sa signature. Il s'agit d'un gadget comme on en voit dans les boutiques de souvenirs du Vatican, avec le portrait de Jean-Paul II, premier pape polonais de l'histoire. Lech Walesa veut signifier que le pape a guidé son bras et inspiré les accords.

22 septembre 1980

L'Irak de Saddam Hussein attaque l'Iran de l'*imam* Khomeyni. Saddam Hussein veut profiter des luttes entre factions iraniennes pour abattre le régime de Khomeyni. Il craint une contagion de l'intégrisme chez les chiites de son pays. Son agression est tacitement soutenue par les États-Unis et l'Europe qui craignent l'islamisme, par l'URSS qui fait face à une rébellion islamiste en Afghanistan, ainsi que par les monarchies arabes du Golfe qui voient les Iraniens, ou

Persans, comme des ennemis traditionnels. L'Iran est soutenu en sous-main par Israël, ennemi des Arabes.

12 avril 1981

Premier vol de la navette spatiale *Columbia* qui traduit le passage de la conquête à la colonisation de l'espace. La navette doit en effet participer au montage de stations orbitales américaines à caractère permanent.

13 mai 1981

Le pape Jean-Paul II est gravement blessé par un terroriste turc, peut-être manipulé par les services secrets bulgares.

5 juin 1981

Une revue scientifique évoque une mystérieuse pneumonie. On découvrira un peu plus tard qu'il s'agit en réalité de l'apparition d'un nouveau virus, le HIV. C'est le début d'une effroyable épidémie, le sida (« *syndrome immunitaire de déficience acquise* »).

6 octobre 1981

En Égypte, tandis qu'il assiste dans un stade du Caire à un défilé militaire, le raïs Anouar el-Sadate est assassiné par des soldats islamistes. Sa mort fait craindre pour le processus de paix avec Israël.

13 décembre 1981

Le général Jaruzelski proclame l'état de guerre en Pologne. Six mille syndicalistes sont arrêtés, y compris le populaire Lech Walesa. Le syndicat libre Solidarność est dissous.

14 juin 1982

Les fusiliers-marins britanniques entrent à Port Stanley (mille cinq cents habitants), chef-lieu des îles Malouines. C'est la fin d'une guerre surréaliste de deux mois provoquée par la volonté des généraux argentins de s'emparer de cette colonie britannique du bout du monde.

23 octobre 1983

Attentats meurtriers contre le quartier général des forces américaines à Beyrouth et l'immeuble Drakkar où résident les troupes françaises.

31 octobre 1984

Indira Gandhi, Premier ministre de l'Union indienne, est assassinée par ses propres gardes du corps, des Sikhs ralliés à la cause indépendantiste.

11 mars 1985

Mikhaïl Gorbatchev devient à 55 ans secrétaire général du Parti communiste de l'Union soviétique. Il ne sait pas encore qu'il sera le dernier à porter ce titre mais il a déjà en lui la volonté de réformer un régime paralysé.

28 janvier 1986

La navette spatiale *Challenger* explose en plein vol. Avec sept morts, c'est la première tragédie de taille dans l'histoire de la conquête spatiale. C'est aussi un coup de frein brutal aux projets de la Nasa.

25 au 26 avril 1986

En Ukraine (URSS), une explosion gravissime se produit dans l'un des réacteurs de la centrale nucléaire de Tchernobyl. En quelques jours, les retombées radioactives affectent la majeure partie de l'Europe. L'opinion mondiale en est informée par les surveillants d'une centrale nucléaire... suédoise, alertés par une radioactivité plus élevée à l'extérieur de leur centrale qu'à l'intérieur ! Des milliers de kilomètres carrés de terre sont rendus impropres à la vie en Ukraine et en Biélorussie. Un millier de « *liquidateurs* », victimes de leur dévouement, sont mortellement contaminés et plusieurs milliers de citoyens soviétiques voués à une mort anticipée. La catastrophe est un coup dur pour une URSS au bord de l'effondrement.

7 novembre 1987

En Tunisie, Habib Bourguiba, président à vie, surnommé le « *Combattant suprême* » en raison de son combat pour l'indépendance du pays, est déposé par son Premier ministre, Ben Ali, qui fait valoir un empêchement dû au grand âge (84 ans) et à une santé défaillante.

Chapitre 9

À l'épreuve de la mondialisation (1989-2001)

1989 apparaît a posteriori *comme l'année clé de la fin du XXe siècle. La chute du* Mur *liquide les séquelles de la Seconde Guerre mondiale. Elle annonce en même temps la mort prochaine de l'URSS et du communisme. En janvier de la même année meurt l'empereur Hirohito, qui a régné sur le Japon depuis 1926.*

L'implosion du système communiste permet au « Vieux Continent » de s'unir enfin sous la bannière de la démocratie. Mais en éloignant le risque d'une apocalypse nucléaire, elle amène aussi le retour de la guerre en Europe. Celle-ci éclate à Sarajevo en 1992 et ses cendres rougeoient encore.

La montée des tensions nationalistes et religieuses dans le monde va de pair avec la percée économique de l'Asie des moussons et du monde chinois. C'en est fini d'un demi-millénaire de prépondérance européenne et occidentale.

Les historiens du futur situeront peut-être en 2003 le début d'une nouvelle période historique. Cette année-là, la guerre d'Irak révèle d'une part l'incapacité des Européens à se faire encore entendre, d'autre part le manque de préparation des États-Unis à un rôle impérial.

4 mai 1989

À Pékin, les étudiants chinois défient le régime communiste sur la place Tien Anmen. En ce haut lieu du pouvoir et de la vie politique, face à la Cité interdite, d'autres étudiants avaient déjà manifesté soixante-dix ans plus tôt et donné naissance au *Mouvement du 4 Mai*, fer de lance de la démocratisation de la Chine.

9 novembre 1989

Au cours d'une nuit d'enthousiasme débordant, les Berlinois mettent à bas le *Mur de la honte*. L'Europe refait son unité dans un geste de paix.

11 février 1990

En Afrique du Sud, Nelson Mandela est libéré après vingt-sept années de captivité. Cette personnalité d'exception pardonne à ses geôliers, surmonte les haines du passé et, contre toute attente, va conduire son pays vers la démocratie, l'intégration raciale et la paix.

3 octobre 1990

Onze mois après la chute du *Mur*, la République fédérale d'Allemagne et la République démocratique allemande célèbrent officiellement leur réunion en un seul État. Ce jour est depuis lors fête nationale en Allemagne.

14 décembre 1990

À New York, l'Assemblée générale des Nations unies vote à l'initiative de la France une résolution qui légitime le « *droit d'ingérence humanitaire* », autrement dit la possibilité pour des États de secourir des populations menacées par leurs propres gouvernants, avec l'accord des Nations unies et au besoin par les armes. « *Le temps de la souveraineté absolue et excessive est révolu* », lance le secrétaire général, Boutros Boutros-Ghali.

17 janvier 1991

Début de l'opération « *Tempête du désert* ». Une coalition internationale attaque l'Irak de Saddam Hussein, coupable d'avoir annexé l'émirat du Koweït.

21 décembre 1991

À Alma-Ata, au Kazakhstan, les représentants de onze républiques soviétiques constatent le décès de l'URSS. Née à peine soixante-neuf ans plus tôt, l'Union des républiques socialistes soviétiques cède la place à une virtuelle Communauté des États indépendants (CEI).

7 février 1992

Les douze ministres des Affaires étrangères de l'Union européenne signent un « *traité d'union économique, monétaire et politique* » à Maastricht, aux Pays-Bas.

6 avril 1992

Siège de Sarajevo par l'armée serbe. Le même jour, la Communauté européenne reconnaît l'indépendance de la Bosnie-Herzégovine, une république de la Fédération yougoslave dont Sarajevo est la capitale. C'est le début de la guerre de Bosnie

6 avril 1994

Le président-dictateur du Rwanda, Juvénal Habyarimana, est tué dans un attentat contre son avion personnel. Ses fidèles de la majorité *hutu* entreprennent aussitôt le massacre de la minorité *tutsi* (10 % de la population) et des *Hutu* modérés. En trois mois, huit cent mille innocents sont massacrés à coups de machette. C'est le dernier génocide du xxe siècle. Il est suivi d'un embrasement guerrier dans la région des grands lacs africains : trois à cinq millions de morts à ce jour.

6 mai 1994

L'Angleterre n'est plus tout à fait une île... La reine Élisabeth II et le président Mitterrand inaugurent ce jour-là le tunnel sous la Manche.

12 octobre 1999

Selon une estimation des démographes de l'ONU, la population de la Terre a atteint le seuil symbolique de six milliards d'êtres humains vivants (dont environ 13 % d'Européens). La barre du premier milliard a été franchie vers 1850 et, au début du XXe siècle, la population mondiale s'élevait à 1,6 milliard d'êtres humains (dont environ 26 % d'Européens).

24 décembre 1999

Coup d'État en Côte d'Ivoire. Après quatre décennies de stabilité politique et de relative prospérité, la Côte d'Ivoire, présentée comme un modèle de développement pour les autres États du continent noir, sombre dans le chaos.

11 septembre 2001

Attentats contre le *World Trade Center* (New York) et le *Pentagone* (Washington), perpétrés par l'organisation al-Qaida d'Oussama Ben Laden.

Index des noms propres

TROISIÈME PARTIE

Les grands noms du XXe siècle[1]

par André Larané

1. Les personnalités essentielles des siècles passés sont à retrouver dans l'ouvrage dont est extraite cette partie : *Les grands noms de l'histoire*, du même auteur (Librio n° 853).

Chapitre 1

Crise européenne et guerres mondiales (1898-1945)

*Deux guerres mondiales, quelques dictateurs de malheur, et l'Europe renonce à ses valeurs et à ses traditions. « C'est au XIXe siècle que l'histoire remplace Dieu dans la toute-puissance sur le destin des hommes, mais c'est au XXe siècle que se font voir les folies politiques nées de cette substitution », constate l'historien François Furet (*Le passé d'une illusion*).*

*Songeons seulement qu'en un tiers de siècle, de 1914 à 1945, on a massacré plus d'innocents que tous les souverains d'Europe en un millénaire. « L'homme est désormais sans illusion sur le fauve qui dormait en lui », conclut l'historien René Grousset (*Bilan de l'Histoire*).*

Albert Einstein (1879-1955)

Albert Einstein, avec sa figure de vieux savant inspiré, est le parfait représentant de la science du XXe siècle. Né en Allemagne, il se fait connaître à vingt-cinq ans, en 1905, par plusieurs articles qui révolutionnent la physique newtonienne.

En 1919, la vérification expérimentale de sa théorie de la relativité générale à l'occasion d'une éclipse (courbure de la lumière à proximité d'une masse) lui procure une notoriété mondiale.

Juif et pacifiste, Einstein est déchu de la nationalité allemande en 1933 par le régime nazi et s'expatrie aux États-Unis, à Princeton, où il poursuit ses recherches. Dès 1945, il participe à un comité de scientifiques pour sensibiliser l'opinion aux dangers de l'arme atomique.

Marie Curie (1867-1934)

Marie Curie est le meilleur témoignage de ce dont est capable une femme, tant dans le domaine de l'esprit que dans celui du cœur.

Avide d'étudier, Marie Sklodowska quitte sa Pologne natale et s'inscrit à la Sorbonne avant d'entamer des recherches à l'École de physique et chimie de Paris, où elle rencontre Pierre Curie, son futur mari. Première personne et unique femme à avoir reçu deux prix Nobel (physique en 1903 et chimie en 1911), elle est à l'origine des premiers travaux sur la radioactivité avec son mari et Henri Becquerel.

Après la mort accidentelle de Pierre, Marie met à profit les effets du radium sur les organismes vivants pour soigner les cancers et fonde à Paris l'institut du radium (aujourd'hui Institut Curie). Pendant la Grande Guerre, elle conçoit des installations mobiles de radiologie pour localiser les éclats d'obus dans le corps des blessés.

Georges Clemenceau (1841-1929)

Georges Clemenceau est un médecin vendéen entré en politique au début de la IIIe République. Orateur de talent, il prend la tête de la gauche que l'on dit « *intransigeante* » ou « *radicale* » mais s'en tient longtemps à un rôle d'opposant qui lui vaut le surnom de « *tombeur de ministères* ».

Il fonde en 1901 le premier parti politique français, le « *Parti républicain radical* » et entre pour la première fois au gouvernement en 1906 (à soixante-cinq ans !).

Il mène à son terme la séparation de l'Église et de l'État avant de revenir dans l'opposition où il s'affirme comme un partisan déterminé de la revanche sur l'Allemagne, vainqueur de la France en 1870-1871.

Dans son journal *L'Homme libre*, on peut lire en 1913 cette adresse aux jeunes (lui-même a soixante-douze ans) : « *Un jour, au plus beau moment où fleurit l'espérance... tu t'en iras... au-devant de la mort affreuse qui fauchera des vies humaines en un effroyable ouragan de fer. Et voilà qu'à ce moment suprême... ta cause te paraîtra si belle, tu seras si fier de tout donner pour elle que, blessé ou frappé à mort, tu tomberas content !* »

Quand éclate la Grande Guerre, en 1914, Clemenceau multiplie les attaques verbales contre le gouvernement et l'état-major. Du fait de sa détermination à poursuivre la guerre jusqu'à la victoire totale, il est appelé à la tête du gouvernement en 1917. Il y gagne les surnoms de « *Tigre* » et « *Père de la Victoire* ». Avec affection, les Poilus des tranchées l'appellent plus simplement « *le Vieux* ».

Par haine de l'Allemagne, Clemenceau introduit dans le traité de paix de Versailles des termes humiliants qui serviront plus tard les desseins d'Adolf Hitler. Pas plus que les autres chefs alliés, il ne peut empêcher l'éclatement de l'Autriche-Hongrie en une myriade de petits États vindicatifs et indéfendables qui se révéleront des proies idéales pour le IIIe Reich hitlérien.

Lénine (1870-1924)

Vladimir Ilitch Oulianov, marxiste et révolutionnaire, est relégué par la police du tsar en Sibérie, au bord de la Lena (d'où le surnom Lénine par lequel il se fera dès lors appeler).

En 1902, dans son opuscule : *Que faire ?*, il plaide pour une avant-garde de révolutionnaires professionnels qui guidera les prolétaires vers des lendemains radieux. L'année suivante, ses partisans se séparent des socialistes réformistes. Ils s'octroient l'épithète de *bolcheviques* (*majoritaires* en russe).

La Grande Guerre de 1914-1918 entraîne la chute du tsar et l'avènement d'une République démocratique. Lénine profite de la faiblesse de cette dernière pour prendre le pouvoir. C'est ainsi que le 6 novembre 1917 (25 octobre selon l'ancien calendrier julien), ses partisans dirigés par Trotski s'emparent sans coup férir du Palais d'Hiver, le siège du gouvernement.

Cette « *révolution d'Octobre* » débouche sur le pouvoir sans partage des *bolcheviques*, rebaptisés *communistes*. Lénine sort la Russie de la guerre et réprime impitoyablement les oppositions intérieures, au prix de millions de victimes.

En contraignant chacun à servir sans limites l'idéologie au pouvoir, il inaugure un type de régime appelé à faire souche au XXe siècle : le *totalitarisme*.

La Russie change son nom pour celui d'URSS (Union des Républiques socialistes soviétiques). Écarté du pouvoir par la maladie, Lénine est remplacé par Staline.

Benito Mussolini (1883-1945)

Le futur *Duce* de l'Italie fasciste connaît une enfance misérable. Socialiste dès l'âge de dix-sept ans, il dirige en 1912 le principal journal du parti.

Après la Grande Guerre, il crée un parti nationaliste appelé *fasciste*. En 1922, le roi d'Italie, intimidé par les violences de ses militants, l'appelle à former le gouvernement.

Mussolini va contrôler peu à peu tous les rouages et forger un État dit « *totalitaire* », où toute la vie des citoyens est organisée par l'État et vouée à son service ! Dès la petite enfance, les citoyens sont embrigadés dans des organisations de jeunesse et chantent les louanges du *Duce* (*Guide*).

Fort de ses apparents succès, Mussolini inspire de nombreux imitateurs : Salazar (Portugal), Primo de Rivera (Espagne), Horthy (Hongrie), Dollfuss (Autriche), Mustafa Kemal (Turquie)... et jusqu'à Hitler (Allemagne).

À la suite de son invasion de l'Éthiopie en 1935, Mussolini est rejeté par la communauté internationale et par dépit se rallie à Hitler qu'il va suivre dans ses entreprises de conquête et jusque dans ses délires antisémites. Il est renversé après le débarquement des Alliés en Sicile en 1943, se réfugie dans un réduit alpin et meurt exécuté par des résistants italiens.

Mustafa Kemal (1881-1938)

Menacée de dépeçage par suite de sa défaite dans la Grande Guerre de 1914-1918, lorsqu'elle s'appelait encore Empire ottoman, la Turquie est sauvée par Mustafa Kemal.

D'une énergie peu commune, noceur, grand buveur, indifférent à la religion et notoirement athée, ce stratège de talent veut bâtir une nation turque homogène.

Après avoir repoussé une armée d'invasion grecque, il chasse un million de Grecs dont les ancêtres étaient établis en Asie Mineure depuis l'Antiquité, proclame la République turque, déplace la capitale à Ankara, abolit le califat, symbole de l'universalisme musulman, inscrit la laïcité dans la Constitution et supprime par voie d'autorité tous les symboles du passé ottoman, multiculturel et islamique...

Adolf Hitler (1889-1945)

Il est hélas impossible de faire l'impasse sur Adolf Hitler dans cette rétrospective des personnages qui ont marqué le monde en bien ou, comme ici, en mal.

Après une enfance plutôt heureuse, le futur *Führer* vit dans la bohème à Vienne puis à Munich, en Allemagne. Août 1914 va changer son destin comme celui du monde. Hitler s'engage comme volontaire.

Après la Grande Guerre, son talent d'orateur lui vaut d'être employé par l'armée pour infiltrer les mouvements révolutionnaires... Mais lui-même s'engage dans un groupuscule dont il va faire le parti national-socialiste (en abrégé « *nazi* »).

Il promet de restaurer la grandeur de l'Allemagne, mise à mal par les vainqueurs de la Grande Guerre, prétendument sous l'influence des Juifs cosmopolites !

La crise économique mondiale de 1929 lui vaut d'être entendu par des millions de chômeurs et de pauvres qui aspirent à une revanche sur le destin.

Fort du succès de son parti aux élections législatives, Hitler est appelé à former le gouvernement de la République allemande le 30 janvier 1933. Dans les mois qui suivent, profitant des maladresses des démocrates, il s'empare de tous les pouvoirs avec le titre de *Führer* (*Guide*).

Il installe un État totalitaire à l'imitation de l'Italien Mussolini mais se montre beaucoup plus brutal que ce dernier et surtout se fixe deux objectifs maléfiques : agrandir l'Allemagne au prix d'annexions et de conquêtes ; débarrasser d'une façon ou d'une autre le pays de ses Juifs !

Les mesures se succèdent (annexion de l'Autriche puis de la Tchécoslovaquie, mise à l'écart des Juifs, multiplication des pogroms et des humiliations) jusqu'à ce que la France et l'Angleterre, poussées à bout, lui déclarent la guerre.

La guerre, très vite, devient mondiale. En 1941, à défaut d'expulser les millions de Juifs présents dans les territoires conquis par son armée, Hitler entreprend de les exterminer par des exécutions collectives puis par la déportation et les chambres à gaz.

Hitler se suicide misérablement peu avant la capitulation sans conditions de l'Allemagne. Il laisse derrière lui près de cinquante millions de morts, un pays en ruines et surtout le plus absolu de tous les génocides : l'assassinat planifié de six millions de personnes seulement coupables d'être identifiées comme Juifs.

Franklin D. Roosevelt (1882-1945)

Franklin Delano Roosevelt devient président des États-Unis en 1933, alors que sévit depuis 1929 la plus grave crise économique de l'époque moderne. Il multiplie les interventions de l'État pour sortir le pays de la crise. C'est le « *New Deal* » (*Nouvelle Donne*). Mais le redressement est à peine engagé que l'Europe entre en guerre. Les États-Unis sont eux-mêmes attaqués par le Japon, allié de l'Allemagne hitlérienne.

Le pays s'engage de toutes ses forces dans le conflit mondial. Roosevelt meurt brutalement d'une hémorragie cérébrale le 12 avril 1945, dans sa treizième année à la Maison-Blanche (un record !), quelques semaines avant le suicide de Hitler et la capitulation de l'Allemagne. Il appartiendra à son successeur, le vice-président Harry Truman, de conclure la guerre et bâtir la paix.

Winston Churchill (1874-1965)

Winston Churchill, qui descend du célèbre duc de Marlborough, est un génie de la politique doté de multiples dons (courage physique, mémoire et imagination phénoménales...).

En dépit d'études médiocres, il s'illustre comme journaliste de guerre et officier de cavalerie avant de faire ses preuves comme député et ministre. Lord de l'Amirauté en 1914, il lance la *Navy* dans la Première Guerre mondiale. Mais son tempérament imprévisible l'empêche de déployer toutes ses ressources.

Après une longue traversée du désert dans les années 1930, durant laquelle il prend conscience du danger que constituent Hitler et le nazisme, il est appelé en catastrophe à la tête du gouvernement britannique le jour même où la Wehrmacht envahit la Belgique et la France.

Il a soixante-sept ans quand, sous sa direction, la Grande-Bretagne va, seule pendant un an (« *the lonely year* »), tenir tête à Hitler... Cette année précieuse laissera aux Américains et aux Soviétiques le temps d'entrer en scène et d'écraser le nazisme.

En un an, le « *vieux lion* » aura servi l'humanité mieux qu'aucun homme politique avant lui, sans jamais trahir les idéaux de la démocratie. Écrivain prolifique, au demeurant plein d'humour, il trouvera encore le temps d'obtenir le prix Nobel de littérature avec ses *Mémoires*.

Charles de Gaulle (1890-1970)

Charles de Gaulle incarne en France et au-delà l'esprit de résistance. Il acquiert ses galons de général « *à titre provisoire* » en tentant de faire face à l'armée allemande lors de l'invasion de mai-juin 1940.

Sous-secrétaire d'État au gouvernement, il refuse l'armistice et s'enfuit à Londres, d'où il lance à la radio un appel à la résistance.

Jusqu'à la fin de la Seconde Guerre mondiale, il n'a de cesse qu'il ne rassemble autour de lui les mouvements de résistance français et ne dénonce la collaboration du maréchal Pétain et de son gouvernement avec l'occupant allemand.

Il porte sur ses épaules l'honneur de la France et, assez naturellement, à la Libération, remet sur pied des institutions républicaines. Après une éclipse à la suite de divergences politiques (la « *traversée du désert* »), il est rappelé au pouvoir pendant la guerre d'Algérie, donne une nouvelle Constitution à la France et achève la décolonisation.

Joseph Staline (1878-1953)

Successeur de Lénine à la tête de l'Union des Républiques socialistes soviétiques (URSS), Staline a été l'objet de passions extrêmes. Dans le monde entier, des millions d'hommes l'ont adoré ou vilipendé, souvent à en mourir.

Il est né dans une famille misérable de Géorgie et a fréquenté le séminaire, seul moyen d'ascension sociale qui lui fût accessible. C'est là qu'il a découvert le marxisme.

Après la révolution d'octobre 1917, qui consacre la mainmise des bolcheviques sur l'ancien Empire russe, il devient commissaire du peuple (ministre) aux Nationalités puis, en 1922, secrétaire général du Comité central du parti communiste.

Naviguant entre l'aile gauche et l'aile droite du parti, Staline s'impose après la mort de Lénine en maître absolu du pays, multipliant les exécutions d'opposants et les déportations de minorités. Il collectivise en 1928 l'agriculture. Il s'ensuit une grande famine et environ six millions de morts.

En politique étrangère, peu désireux de faire les frais de l'expansionnisme allemand, Staline conclut un pacte de non-agression avec Hitler (1939). Mais lorsque celui-ci rompt le pacte et envahit l'URSS le 22 juin 1941, Staline réveille le nationalisme grand-russe. Le sacrifice au combat de treize millions de Soviétiques et la victoire de Stalingrad vaudront au dictateur le respect des dirigeants occidentaux en dépit de ses crimes innombrables.

Après la capitulation allemande, le vieux dictateur place sous sa coupe les territoires d'Europe centrale libérés de l'oppression nazie. Jamais la Russie (ou l'URSS qui en tient lieu) ne semble aussi puissante qu'à ce moment-là... Le « *rideau de fer* » qui sépare ainsi les deux Europes survivra jusqu'en 1989, bien après la mort de Staline en 1953.

Chapitre 2

La poussée du tiers-monde (1945-2007)

En 1945, au sortir de la Seconde Guerre mondiale, les experts et les économistes ne donnent pas cher de l'avenir de l'Europe. Mais ô surprise, dès avant la fin du conflit, les Européen(ne)s semblent saisis d'une frénésie de vie... Rajeunie et libérée du fardeau des colonies, l'Europe occidentale reprend très vite sa place comme moteur de la planète, aux côtés des États-Unis.

Rassemblées sous l'appellation de « tiers-monde », les autres régions du monde s'émancipent et reprennent leur place dans l'histoire comme le tiers état sous la Révolution française. L'Inde et la Chine en viennent même à concurrencer l'Occident dans les domaines économique et scientifique. Une nouvelle page de l'histoire de l'humanité se tourne.

Mao Zedong (1893-1976)

Fils d'un riche paysan, Mao Zedong (Mao Tsé-toung dans l'ancienne graphie chinoise) participe à la fondation discrète du Parti communiste chinois (PCC), en 1921, à Shanghai.

L'alliance de raison entre les communistes et le parti nationaliste *Guomindang* de Tchang Kaï-chek se clôt sur une rupture brutale. Mao doit fuir sa province du Hunan. C'est la *Longue Marche* qui le mène au Shaanxi au terme d'un périple de douze mille kilomètres.

Désormais en sécurité et fort d'une autorité sans faille sur ses troupes, Mao introduit la révolution dans les campagnes par le partage des terres... et le massacre des mécontents. Pour faire face aux Japonais qui ont envahi le pays, Mao se rapproche de Tchang Kaï-chek. Mais sitôt la Chine libérée, la guerre fratricide reprend. Elle se termine en 1949 par la fuite de Tchang Kaï-chek à Taïwan et la proclamation par Mao de la République populaire de Chine.

Surnommé le « *Grand Timonier* », Mao Zedong entraîne les Chinois dans des entreprises hasardeuses qui se soldent par des millions ou des dizaines de millions de morts : « *campagne des Cent Fleurs* », « *Grand Bond en avant* », « *Révolution culturelle* ». Il se brouille aussi avec les Soviétiques.

À sa mort, il laisse le pays exsangue mais, contre toute attente, son successeur, le réformiste Deng Xiaoping, le « *Petit Timonier* » (à peine plus de 1,50 mètre !), va engager la Chine dans la voie d'un redressement aussi rapide que spectaculaire.

Mohandas Karamchand Gandhi (1869-1948)

Mohandas Gandhi fait des études d'avocat à Londres puis s'établit en Afrique du Sud. Affecté par des vexations racistes de la part des Blancs, il s'érige en défenseur des immigrants indiens et forge une doctrine originale fondée sur la non-violence, la maîtrise de soi et le respect de la vérité (la « *satyagraha* »).

À son retour en Inde en 1915, il bénéficie d'une solide réputation d'ascète et de héros qui lui vaut d'être surnommé par le grand poète indien Tagore *Mahatma*, d'après un mot hindi qui veut dire « *Grande Âme* ».

Gandhi mène dès lors la lutte pour l'autonomie du pays puis pour son indépendance tout en prônant l'autosuffisance économique, le retour aux techniques traditionnelles, mais aussi l'émancipation des femmes et des intouchables (les hors-castes de l'hindouisme).

Son combat aboutit à l'indépendance de l'Inde (15 août 1947) mais aussi à sa scission d'avec le Pakistan, un État artificiel en deux parties séparées par mille deux cents kilomètres destiné à rassembler les musulmans du sous-continent. Il s'ensuit une guerre atroce qui se solde par de nombreux morts et quatorze millions de personnes déplacées. Gandhi lui-même est assassiné par un fanatique hindou. Le vieillard meurt en prononçant : « *Mon Dieu !* »

Gamal Abdel Nasser (1918-1970)

Héros de la guerre de 1948 contre Israël, le colonel Gamal Abdel Nasser renverse en 1952 le roi Farouk Ier et proclame la République. En 1956, il demande aux Américains de l'aider à financer un barrage sur le Nil. Mais Washington, qui le suspecte de sympathies prosoviétiques, refuse son concours. Du coup, Nasser décide de se procurer l'argent en nationalisant le canal de Suez. Il annonce sa décision à la radio... en l'accompagnant d'un mémorable éclat de rire. Son audace soulève l'enthousiasme des foules arabes.

Jusqu'à sa mort et malgré une série d'échecs retentissants, le *« raïs »* (président) va incarner de la sorte la renaissance du nationalisme arabe.

Jean Monnet (1888-1979)

Négociateur hors pair, Jean Monnet met sur pied pendant les deux guerres mondiales des programmes pour les approvisionnements en blé ou en armes des Alliés. Entre les deux guerres, il traite des dossiers comme le partage de la Silésie entre la Pologne et l'Allemagne, l'avenir de la Sarre ou encore le redressement économique de l'Autriche.

Lors de l'invasion de la France par l'Allemagne nazie, jamais à court d'idées, il suggère à Churchill une fusion immédiate de la France et de l'Angleterre mais sa proposition arrive trop tard. À la Libération, il met sur pied un plan de modernisation et d'équipement de la France qui porte son nom et crée le Commissariat au Plan.

Enfin et surtout, il propose au ministre Robert Schuman le projet d'une Communauté européenne du charbon et de l'acier (CECA). De là sortira l'Union européenne actuelle. Jean Monnet a bien mérité son titre honorifique de « *père de l'Europe* ».

Jean-Paul II (1920-2005)

Le Polonais Karol Wojtyla, intronisé pape en 1978 sous le nom de Jean-Paul II, conduit les Polonais et les autres peuples d'Europe orientale à rejeter la domination soviétique et le communisme en usant de quelques mots forts : « *N'ayez pas peur !* »

Il survit à un attentat, sur la place Saint-Pierre, à Rome, en 1981, mais reste très affaibli. Dès lors, son pontificat prend l'allure d'un long chemin de croix. Il parcourt le monde comme aucun pape avant lui, prêchant ici l'insoumission, là la justice, ailleurs le retour à la foi (cent quatre voyages et cent vingt-neuf pays visités, Italie non comprise, au cours de ses vingt-sept ans de pontificat).

Nelson Mandela (né en 1918)

Nelson Mandela, jeune avocat noir sud-africain, rejoint le Congrès national africain (ANC) pour lutter contre l'*apartheid* et la domination blanche dans son pays. Emprisonné en 1962, il est libéré vingt-sept ans plus tard par le gouvernement sud-africain, acculé à la négociation. Élu à la présidence de la République le 10 mai 1994, il forme un gouvernement multiracial et réalise son rêve d'une Afrique du Sud « *arc-en-ciel* ».

QUATRIÈME PARTIE

Les grands discours du XXe siècle[1]

par Kevin Labiausse

1. Les grands discours des siècles passés sont à retrouver dans l'ouvrage dont est extraite cette partie : *Les grands discours de l'histoire,* du même auteur (Librio n° 854).

Gandhi

« Discours de Bénarès »

4 février 1916

Mohandas Karamchand Gandhi (1869-1948) est considéré comme un apôtre national et religieux de l'Inde. C'est en tant que jeune avocat, en Afrique du Sud, qu'il amorce son combat contre les discriminations raciales envers les Indiens. De retour en Inde, il s'engage, en tant que leader du mouvement national, dans la lutte contre l'occupation britannique. Il se consacre à l'éducation du peuple et devient un médiateur incontournable pour calmer les violences entre les habitants. Témoin de l'accès à l'indépendance de son pays en 1947, il est assassiné par un extrémiste hindou un an plus tard.

En 1916, à peine rentré de son séjour en Afrique du Sud, Gandhi veut libérer son pays de la tutelle impériale anglaise. C'est à l'occasion de l'inauguration de l'Université hindoue de Bénarès, fondée par Annie Besant, qu'il prononce un discours militant et provocateur au regard du parterre composé, entre autres, du vice-roi et de maharadjahs. Si ses propos se préciseront au fil des ans, on trouve dans ses paroles de Bénarès deux thèmes qu'il développera toute sa vie : l'indépendance et la non-violence.

Il est profondément humiliant et honteux pour nous que je sois ce soir, dans l'enceinte de cette grande université, dans cette ville sacrée, obligé de m'adresser à mes concitoyens dans une langue qui m'est étrangère. Si on me nommait examinateur, et qu'on me chargeait de noter ceux qui ont participé à ces deux jours de conférences, la plupart d'entre eux échoueraient à cet examen. Pour quelle raison ? Parce qu'ils n'ont pas été touchés.

J'étais présent lors des sessions du grand Congrès au mois de décembre. L'assistance était bien plus nombreuse, et me croirez-vous si je vous dis que les seuls discours ayant vraiment touché cette foule immense étaient en hindoustani ? À Bombay, pas à Bénarès où tout le monde parle hindi. Mais la différence entre la langue que parle la présidence et l'hindi est bien moindre, comparée à la distance qui sépare l'anglais de sa langue sœur indienne ; et l'assistance du Congrès comprenait bien mieux les discours en hindi.

J'espère que cette université fera en sorte que ses jeunes étudiants puissent suivre leurs cours dans leur propre dialecte. Nos langues reflètent ce que nous sommes, et si vous me dites qu'elles ne sont pas assez riches pour exprimer au mieux notre pensée, alors considérez que le plus vite notre civilisation disparaîtra, le mieux ce sera pour tout le monde. [...]

Plus de 75 % de la population est composée d'agriculteurs, et M. Higginbotham nous a dit hier soir, dans la beauté de sa langue, que ce sont des hommes capables de faire pousser deux plants d'herbe au lieu d'un.

Mais nous ne pourrons jamais nous gouverner seuls si nous leur ôtons, ou si nous laissons d'autres leur ôter, le fruit de leur labeur.

Notre salut ne pourra venir que de l'agriculteur. Ni les avocats, ni les docteurs, ni les riches propriétaires ne nous l'assureront.

Enfin, et surtout, il est de mon devoir impérieux de faire allusion à ce à quoi nous avons tous pensé ces deux ou trois derniers jours : nous nous sommes tous inquiétés en voyant le vice-roi marcher dans les rues de Bénarès. Des policiers étaient postés à chaque coin de rue. Nous étions horrifiés. Nous nous demandions : « Pourquoi ce manque de confiance ? » Ne serait-il pas mieux, même pour lord Hardinge lui-même, de mourir que de vivre un tel calvaire ?

Mais le représentant d'un majestueux souverain n'a pas cette chance. Peut-être pense-t-il nécessaire de nous imposer tous ces policiers ? Nous pouvons enrager, nous pouvons geindre, nous pouvons être indignés, mais n'oublions pas que l'impatience de l'Inde d'aujourd'hui a mis sur pied une armée d'anarchistes. Je suis moi-même un anarchiste, mais d'un autre genre.

Mais il y a parmi nous une certaine classe d'anarchistes, et si je parvenais à me faire entendre de cette classe, je leur dirais que leur forme d'anarchisme n'a pas sa place en Inde, si l'Inde veut être conquérante. C'est un signe de peur. Si nous croyons en Dieu, si nous le craignons, nous n'aurons à craindre personne d'autre, ni les maharadjahs, ni les vice-rois, ni la police, pas même le roi George.

Je respecte l'anarchiste pour son amour du pays. Je le respecte pour le courage dont il fait preuve en étant prêt à mourir pour sa patrie. Mais je veux lui demander : est-il respectable de tuer ? La lame d'un assassin annonce-t-elle une mort respectable ? Je ne peux l'admettre. Aucune Écriture n'encourage de telles méthodes.

Si je pensais le retrait des Anglais nécessaire au salut de l'Inde, alors je les chasserais, je n'hésiterais pas à déclarer qu'ils doivent s'en aller, et j'espère que je serais prêt à mourir pour cette cause. Cela, à mon avis, serait une mort respectable.

Le terroriste fomente des plans d'action, il a peur de se montrer ; et quand il est capturé, il paie le prix de son zèle mal dirigé. [...]

Je parlais l'autre jour à l'un des membres de cette administration tant critiquée. Je n'ai pas beaucoup de points communs avec ces gens-là, mais je n'ai pu qu'admirer la manière dont il m'a parlé. Il m'a dit : « Monsieur Gandhi, pensez-vous un seul instant que nous tous, dans la fonction publique, sommes mauvais ? Que nous souhaitons opprimer le peuple que nous sommes venus gouverner ? — Non, lui ai-je répondu. — Alors si vous en avez l'occasion, glissez un mot sur les membres tant critiqués de la fonction publique. »

Et je suis ici pour glisser ce mot. Oui, un grand nombre des membres de l'administration indienne sont ouvertement dominateurs ; ils sont parfois tyranniques, et nous manquent de respect. Beaucoup d'autres critiques pourraient être émises. Tout cela, je le reconnais, tout comme je reconnais qu'après un certain nombre d'années passées en Inde certains en sortent quelque peu avilis.

Mais qu'est-ce que cela signifie ? Ils étaient irréprochables à leur arrivée, mais s'ils ont perdu certaines valeurs morales, nous n'y sommes pas pour rien.

Pensez-y : si un homme, bon hier, devient mauvais à mon contact, qui, de lui ou de moi, est responsable de son avilissement ?

L'ambiance de flagornerie et de mensonge qui entoure leur arrivée en Inde les démoralise, comme elle le ferait pour la plupart d'entre nous. Il est bon parfois de prendre la faute sur soi.

Si nous souhaitons nous voir accorder le droit de nous diriger seuls, nous devons prendre nous-mêmes ce droit. On ne nous donnera jamais le pouvoir de le faire. Prenez l'exemple de l'histoire de l'Empire britannique : il est épris de liberté, mais ne l'accordera pas à un peuple qui refuse de s'en emparer.

Retenons la leçon de la guerre des Boers : ceux qui, il y a quelques années à peine, furent les ennemis de l'Empire sont désormais devenus ses amis.

Traduction de Benjamin KUNTZER

Adolf Hitler

« Discours aux Jeunesses hitlériennes »

Septembre 1934

Adolf Hitler (1889-1945) fonde le Parti ouvrier allemand national-socialiste (NSDAP) en 1921. Il tente en 1923 à Munich un putsch qui échoue. Emprisonné, il rédige Mein Kampf, *un ouvrage dans lequel il développe la doctrine nazie. Il accède en 1933 au poste de chancelier. À la mort de Hindenburg, il devient président et assume tous les pouvoirs. Sa politique d'expansion provoque la Seconde Guerre mondiale. Vaincu, Hitler se suicide à Berlin en 1945.*

Du 4 au 10 septembre 1934 se tient le congrès national-socialiste à Nuremberg. C'est l'occasion pour Hitler de faire une démonstration de sa puissance par de gigantesques rassemblements et de renforcer sa propagande par des discours. L'événement est immortalisé par les caméras de Leni Riefenstahl, la cinéaste officielle du IIIe Reich, et projeté l'année suivante sous le titre Le Triomphe de la volonté. *Parmi les discours filmés, il est à distinguer celui prononcé par Hitler aux Jeunesses hitlériennes. Il révèle la pratique du contrôle des esprits et la suprématie de l'Allemagne telle que l'envisage le Führer.*

Ma jeunesse allemande. Après un an, je peux à nouveau vous saluer ici. Aujourd'hui, réunis sur cette plaine, vous représentez à l'étranger ce qui existe en Allemagne. Et nous souhaitons que vous, jeunes Allemands et Allemandes, assumiez nos espoirs pour l'Allemagne. Nous voulons être un peuple. Et vous, ma jeunesse, devez devenir ce peuple. Nous ne voulons plus de castes ou de rangs. Vous devez empêcher ces idées de se développer en vous. Nous voulons un jour voir un Reich. Et vous devez vous y préparer. Nous voulons un peuple obéissant. Et vous devez apprendre l'obéissance. Nous voulons que ce peuple soit pacifique, mais aussi courageux. Et vous devez être pacifiques. Vous devez être pacifiques et courageux à la fois.

Nous ne voulons pas que ce peuple s'affaiblisse, mais qu'il soit fort, et pour cela, vous devez vous endurcir, jeunes. Vous devez apprendre à endurer des privations, sans jamais vous laisser abattre. Et quoi que nous créions aujourd'hui, quoi que nous fassions, nous mourrons tous, mais l'Allemagne vivra en vous. Et quand il ne restera rien de nous, vous devrez tenir le drapeau que nous avons créé à partir de rien, fermement dans vos poings.

Et je sais qu'il ne pourrait en être autrement. Car vous êtes la chair de notre chair et le sang de notre sang. Et dans vos jeunes consciences brûle le même esprit qui nous a guidés. Vous ne pouvez qu'être liés à nous. Et aujourd'hui, quand les grandes colonnes de notre mouvement défilent triomphantes en Allemagne, alors je sais que vous vous y joindrez.

L'Allemagne est devant nous, l'Allemagne marche avec nous et l'Allemagne est derrière nous.

Traduction d'après le film de Leni Riefenstahl,
Le Triomphe de la volonté, 1935

Charles de Gaulle

« Appel à la résistance »

18 juin 1940

Charles de Gaulle (1890-1970) commence sa carrière militaire en 1912 et combat lors de la Première Guerre mondiale. Admis à l'École supérieure de guerre en 1922, il défend des théories stratégiques nouvelles qui ne sont pas suivies. À l'arrivée de l'armée allemande en France en juin 1940, il s'oppose à la position défaitiste de son état-major et rallie Londres. Paris libéré en 1944, il défile victorieux sur les Champs-Élysées et tente d'organiser la vie politique française de l'après-guerre. Il est le fondateur de la Ve République dont il devient le premier président de 1959 à 1969.

En mai et juin 1940, de Gaulle mène avec succès des opérations militaires contre l'avancée des Allemands en France. Nommé général, il devient sous-secrétaire d'État à la guerre et à la Défense nationale. Rapidement évincé du gouvernement par l'arrivée du maréchal Pétain à la tête du pays, il rejoint Londres afin de parler au peuple français via Radio Londres *sur la BBC. Son appel à la résistance demeure l'une des plus célèbres allocutions de l'histoire de France. Il répond au discours de Pétain radiodiffusé la veille et qui annonce l'armistice. Son appel est néanmoins peu entendu ce jour-là mais il est relayé par la presse et les speakers. Un autre appel, sur le même thème, est enregistré et lancé le 22 juin. Général rebelle, de Gaulle est rétrogradé et mis à la retraite par le gouvernement du maréchal Pétain, puis condamné à mort par contumace.*

Le 18 juin 2005, l'appel a été classé par l'UNESCO sur le registre de la Mémoire du monde.

Les chefs qui, depuis de nombreuses années, sont à la tête des armées françaises, ont formé un gouvernement. Ce gouvernement, alléguant la défaite de nos armées, s'est mis en rapport avec l'ennemi pour cesser le combat.

Certes, nous avons été, nous sommes, submergés par la force mécanique, terrestre et aérienne, de l'ennemi.

Infiniment plus que leur nombre, ce sont les chars, les avions, la tactique des Allemands qui nous font reculer. Ce sont les chars, les avions, la tactique des Allemands qui ont surpris nos chefs au point de les amener là où ils en sont aujourd'hui.

Mais le dernier mot est-il dit ? L'espérance doit-elle disparaître ? La défaite est-elle définitive ? Non !

Croyez-moi, moi qui vous parle en connaissance de cause et vous dis que rien n'est perdu pour la France. Les mêmes moyens qui nous ont vaincus peuvent faire venir un jour la victoire.

Car la France n'est pas seule ! Elle n'est pas seule ! Elle n'est pas seule ! Elle a un vaste Empire derrière elle. Elle peut faire bloc avec l'Empire britannique qui tient la mer et continue la lutte. Elle peut, comme l'Angleterre, utiliser sans limites l'immense industrie des États-Unis.

Cette guerre n'est pas limitée au territoire malheureux de notre pays. Cette guerre n'est pas tranchée par la bataille de France. Cette guerre est une guerre mondiale. Toutes les fautes, tous les retards, toutes les souffrances n'empêchent pas qu'il y a, dans l'univers, tous les moyens nécessaires pour écraser un jour nos ennemis. Foudroyés aujourd'hui par la force mécanique, nous pourrons vaincre dans l'avenir par une force mécanique supérieure. Le destin du monde est là.

Moi, général de Gaulle, actuellement à Londres, j'invite les officiers et les soldats français qui se trouvent en territoire britannique ou qui viendraient à s'y trouver, avec leurs armes ou sans leurs armes, j'invite les ingénieurs et les ouvriers spécialistes des industries d'armement qui se trouvent en territoire britannique ou qui viendraient à s'y trouver, à se mettre en rapport avec moi.

Quoi qu'il arrive, la flamme de la résistance française ne doit pas s'éteindre et ne s'éteindra pas.

Demain, comme aujourd'hui, je parlerai à la radio de Londres.

Winston Churchill

« Discours de Fulton »

5 mars 1946

Winston Churchill (1874-1965) est député conservateur britannique puis plusieurs fois ministre. Il devient Premier lord de l'Amirauté (1911-1915) avant d'être nommé Premier ministre à deux reprises (1940-1945 et 1951-1955). Leader du parti conservateur, il est connu pour être à la fois le grand animateur de l'effort de guerre anglais contre l'avancée nazie et l'un des protagonistes de la victoire alliée sur l'Axe. Il reçoit le prix Nobel de littérature en 1953.

Le 5 mars 1946, Winston Churchill se rend au Westminster College de Fulton, aux États-Unis (Missouri), pour une conférence sur la situation géopolitique internationale. Présenté par le président Truman, Churchill expose un monde bipolaire qui annonce déjà la guerre froide. Il utilise dans son discours une expression inédite qui deviendra une référence pour évoquer la frontière entre les blocs américain et soviétique : le « rideau de fer ».

Les États-Unis sont actuellement au sommet de la puissance mondiale. C'est un moment solennel pour la démocratie américaine. Car la primauté en matière de puissance s'accompagne également d'une responsabilité pour l'avenir. [...] Il est nécessaire que la fermeté d'esprit, la persistance de l'intention et la grande simplicité de décision guident et régissent la conduite des anglophones dans la paix comme elles l'ont fait durant la guerre. Nous devons, et j'ai la conviction que nous le ferons, nous montrer à la hauteur de cette importante exigence. [...]

Quel est alors le concept stratégique global dans lequel nous devons nous engager aujourd'hui ? Ce n'est rien de moins que la sécurité et le bien-être, la liberté et le progrès, pour tous les foyers et toutes les familles, pour tous les hommes et toutes les femmes, dans tous les pays. [...]

Pour offrir la sécurité à ces innombrables foyers, il faut les protéger contre les deux affreux maraudeurs que sont la guerre et la tyrannie. Nous connaissons tous les effroyables bouleversements dans lesquels une famille ordinaire est plongée quand la malédiction de la guerre frappe le père de famille et ceux pour qui il travaille et peine. La terrible destruction de l'Europe, avec toutes ses gloires anéanties, et de grandes parties de l'Asie nous saute aux yeux. Quand les desseins d'hommes fous ou les envies agressives d'États puissants brisent sur de larges étendues le cadre de la société civilisée, les gens humbles doivent faire face à des difficultés contre lesquelles ils ne peuvent pas lutter. Pour eux, tout est déformé, tout est cassé, et même réduit en bouillie. [...]

Une organisation mondiale a déjà été créée dont la mission principale est de prévenir toute guerre. L'ONU, l'héritière de la Société des Nations, avec l'adhésion déterminante des États-Unis et de ce que cela implique, a déjà commencé à travailler. Nous devons nous assurer que son travail porte ses fruits, qu'elle constitue une réalité et non une farce, qu'elle constitue une force pour l'action et non un amas de paroles creuses, qu'elle constitue un vrai temple de la paix dans lequel les boucliers de beaucoup de nations pourront être suspendus et non un poste de contrôle dans une tour de Babel. [...]

À ce sujet, je tiens à faire une proposition d'action précise et concrète. [...] L'Organisation des Nations unies doit être immédiatement équipée d'une force armée internationale. [...]

Nous ne pouvons pas fermer les yeux devant le fait que les libertés dont jouit chaque citoyen à travers l'Empire britannique n'existent pas dans un nombre considérable de pays, dont certains sont très puissants. Dans ces États, un contrôle est imposé aux gens ordinaires par différentes sortes d'administrations policières toutes-puissantes. Le pouvoir de l'État est exercé sans restriction, soit par des dictateurs, soit par des oligarchies compactes qui agissent par l'intermédiaire d'un parti privilégié et d'une police politique. Il n'est pas de notre devoir, à un moment où les difficultés sont si nombreuses, d'intervenir par la force dans les affaires intérieures de pays que nous n'avons pas conquis pendant la guerre. Mais nous ne devons jamais cesser de proclamer sans peur les grands principes de la liberté et des droits de l'homme qui sont l'héritage commun du monde anglophone et qui, en passant par la Grande Charte, la Déclaration des droits, l'Habeas Corpus, les jugements d'un jury et le droit civil anglais, trouvent leur plus célèbre expression dans la Déclaration d'indépendance américaine.

Tout cela signifie que les populations de n'importe quel pays ont le droit, et devraient avoir la possibilité, par une action constitutionnelle, par des élections libres et sans entraves, au scrutin secret, de choisir ou de changer le caractère ou la forme du gouvernement sous lequel elles vivent ; que la liberté de parole et de pensée devrait régner ; que les tribunaux, indépendants du pouvoir exécutif, impartiaux, devraient appliquer les lois qui ont reçu l'assentiment massif de larges majorités ou qui ont été consacrées par le temps et par l'usage. [...]

Une ombre est tombée sur les scènes récemment illuminées par la victoire des Alliés. Personne ne sait ce que la Russie soviétique et son organisation communiste internationale ont l'intention de faire dans l'avenir immédiat, ni quelles sont les limites, s'il en existe, de leurs tendances expansionnistes et prosélytes. J'éprouve une profonde admiration et un grand respect pour le vaillant peuple russe et pour mon camarade de guerre, le maréchal Staline. [...] Nous comprenons que la Russie a besoin d'être en sécurité le long de ses frontières occidentales en éliminant toute possibilité d'une agression allemande. Nous accueillons la Russie à sa place légitime au milieu des nations dirigeantes du monde. Nous accueillons son pavillon sur les mers. Par-dessus tout, nous nous félicitons des contacts fréquents et croissants entre le peuple russe et nos propres populations de part et d'autre de l'Atlantique. Néanmoins, il est de mon devoir, car je suis sûr que vous souhaitez que je vous expose les faits tels que je les vois, d'en exposer devant vous certains sur la situation présente en Europe.

De Stettin dans la Baltique à Trieste dans l'Adriatique, un rideau de fer est descendu à travers le continent. Derrière cette ligne se trouvent toutes les capitales des anciens États de l'Europe centrale et orientale. Varsovie, Berlin, Prague, Vienne, Budapest, Belgrade, Bucarest et Sofia, toutes ces villes célèbres et les populations qui les entourent se trouvent dans ce que je dois appeler la sphère soviétique, et toutes sont soumises, sous une forme ou sous une autre, non seulement à l'influence soviétique, mais aussi à un degré très élevé et, dans beaucoup de cas, à un degré croissant, au contrôle de Moscou. [...] Les partis communistes, qui étaient très faibles dans tous ces états de l'Est européen, se sont vus élevés à une prédominance et à un pouvoir bien au-delà de leur importance numérique et cherchent partout à accéder à un contrôle totalitaire. Des gouvernements policiers dominent dans presque tous les cas et, jusqu'à présent, à l'exception de la Tchécoslovaquie, il n'y a pas de vraie démocratie. [...]

Si, maintenant, le gouvernement soviétique tente, par une action séparée, de construire une Allemagne procommuniste dans les régions qu'il contrôle, cela va provoquer de nouvelles difficultés sérieuses dans les zones britannique et américaine, et va donner aux Allemands vaincus le pouvoir de se mettre eux-mêmes aux enchères entre les Soviétiques et les démocraties occidentales. Quelles que soient les conclusions que l'on peut tirer de ces faits – car les faits sont là – ce n'est certainement pas là l'Europe libérée pour la construction de laquelle nous avons combattu. Ce n'est pas non plus une Europe qui présente les caractéristiques essentielles d'une paix durable.

La sécurité du monde exige une nouvelle unité en Europe, dont aucune nation ne doit être exclue à titre définitif. [...]

D'un autre côté, je repousse l'idée qu'une nouvelle guerre est inévitable, encore plus qu'elle est imminente. C'est parce que je suis sûr que notre destin est toujours entre nos mains et que nous détenons le pouvoir de sauver l'avenir, que j'estime qu'il est de mon devoir de parler maintenant que j'ai l'occasion et l'opportunité de le faire. Je ne crois pas que la Russie soviétique désire la guerre. Ce qu'elle désire, ce sont les fruits de la guerre et une expansion indéfinie de sa puissance et de ses doctrines. Mais ce que nous devons considérer ici aujourd'hui, pendant qu'il en est encore temps, c'est la prévention permanente de la guerre et l'établissement de conditions de paix et de démocratie aussi rapidement que possible dans tous les pays. [...]

Voilà la solution que je vous offre respectueusement dans ce discours auquel j'ai donné le titre « Le nerf de la paix ».

Traduction de Kevin LABIAUSSE

Fidel Castro

« Plaidoirie à son procès »

16 octobre 1953

Fidel Castro (1926) s'engage dans la lutte contre le président cubain Batista. Exilé, il revient à Cuba en 1956 et organise une guérilla qui aboutit à sa prise du pouvoir en 1959. Premier ministre, puis chef de l'État de l'île, Castro, longtemps soutenu militairement et économiquement par l'URSS, se pose en porte-parole du tiers-monde.

Le 16 juillet 1953, Fidel Castro, alors président de la Fédération des étudiants cubains, attaque, avec l'aide d'un groupe de cent cinquante guérilleros, la caserne de La Moncada à Santiago. Son action est mal préparée et les insurgés sont tués ou faits prisonniers. Rescapé, Castro évite la répression implacable du pouvoir et se retrouve devant le tribunal d'urgence de Santiago. Le 16 octobre, il assure sa défense dans un long discours où défilent déjà les bases de son futur programme politique.

Messieurs les magistrats,

Jamais un avocat n'a eu à exercer son métier dans des conditions aussi difficiles ; jamais n'a-t-on commis contre un accusé autant d'irrégularités accablantes. L'un et l'autre sont ici le même individu. En tant qu'avocat, il n'a même pas pu voir l'instruction, et en tant qu'accusé, cela fait aujourd'hui soixante-dix-sept jours qu'il est enfermé dans une cellule solitaire, en isolation totale, en dépit de toutes les prescriptions humaines et légales. [...]

Un principe élémentaire du droit pénal veut que le fait imputé corresponde exactement au type de crime prévu par la loi. S'il n'y a pas de loi exactement applicable au point controversé, il n'y a pas de crime.

L'article dont il est question dit textuellement : « L'auteur d'une action destinée à provoquer un soulèvement armé contre les pouvoirs constitutionnels de l'État sera condamné à une peine d'emprisonnement de trois à dix ans. La peine sera portée à cinq à vingt ans si l'insurrection prend place. »

Dans quel pays vit Monsieur le Procureur ? Qui lui a dit que nous avons encouragé la révolte contre les pouvoirs constitutionnels de l'État ? Deux choses sautent aux yeux.

En premier lieu, la dictature qui opprime notre nation n'est pas un pouvoir constitutionnel mais anticonstitutionnel ; elle fut mise en place contre la Constitution, malgré la Constitution, en violation de la Constitution légitime de la République. Une Constitution n'est légitime que lorsqu'elle émane directement du peuple souverain. [...]

En second lieu, l'article parle de pouvoirs au pluriel et non au singulier, comme dans le cas d'une république régie par un pouvoir législatif, un pouvoir exécutif et un pouvoir judiciaire qui s'équilibrent et se contrebalancent. Or, nous avons appelé à la rébellion contre un pouvoir unique, illégitime, qui a usurpé et réuni en un seul les pouvoirs exécutif et législatif de la nation, détruisant le système dont le rôle était précisément de protéger l'article du Code que nous sommes en train d'analyser. Quant à l'indépendance du pouvoir judiciaire après le 10 mars, je n'en parle même pas, car je ne suis pas d'humeur à plaisanter... [...]

Lorsque nous parlons de lutte, ceux que nous appelons le peuple sont :

– les six cent mille Cubains dépourvus de travail qui voudraient gagner leur pain de manière honorable sans devoir émigrer pour survivre ;

– les cinq cent mille ouvriers agricoles qui habitent dans des cabanes misérables, travaillent quatre mois par an et ont faim le reste du temps, n'ayant que la misère à partager avec leurs enfants, ne possédant pas un pouce de terre à cultiver et dont l'existence susciterait la compassion s'il n'y avait tant de cœurs de pierre ;

– les quatre cent mille ouvriers industriels et manœuvres dont les retraites sont toujours escroquées, dont les conquêtes sont arrachées, dont les logements sont d'infernaux taudis surpeuplés, dont la paye passe de la main du patron à celle de l'usurier, dont le futur est la baisse de salaire et le licenciement, dont la vie est le travail perpétuel et dont le repos est la tombe ;

– les cent mille petits agriculteurs qui vivent et meurent en travaillant une terre qui ne leur appartient pas, la contemplant toujours tristement comme Moïse contemplait la Terre promise, mourant sans réussir à la posséder, obligés comme des serfs du Moyen Âge de donner une partie de leur récolte en échange de leur parcelle, ne pouvant ni l'aimer, ni l'améliorer, ni même l'embellir en plantant un cèdre ou un oranger, car ils ignorent quand arrivera l'huissier accompagné de gendarmes qui leur dira de s'en aller ;

– les trente mille instituteurs et professeurs pleins d'abnégation et d'esprit de sacrifice, si nécessaires pour améliorer le destin des générations futures, et que l'on traite et que l'on paie si mal ;

– les vingt mille petits commerçants écrasés sous les dettes, ruinés par la crise et achevés par une plaie de fonctionnaires malhonnêtes et vénaux ;

– les dix mille jeunes de professions libérales, médecins, ingénieurs, avocats, vétérinaires, pédagogues, dentistes, pharmaciens, journalistes, peintres, sculpteurs, etc., sortant de l'université avec leurs diplômes, prêts à se battre et plein d'espoirs, pour se retrouver dans une impasse devant des portes fermées sourdes à leurs clameurs et à leurs supplications.

À lui, à ce peuple dont les routes pleines d'angoisses sont pavées de tromperies et de fausses promesses, nous n'allions pas dire : « Nous te donnerons un jour », mais :

« Tiens, prends, et lutte de toutes tes forces pour conquérir la liberté et le bonheur ! »

Dans l'instruction de ce procès doivent figurer les cinq lois révolutionnaires qui auraient été proclamées immédiatement après la prise de la caserne Moncada et divulguées par radio à la Nation. Il est possible que le colonel Chaviano ait intentionnellement détruit ces documents, mais même s'il les a détruits, je les garde en mémoire. [...]

Je sais que la prison sera plus dure pour moi qu'elle ne l'a jamais été pour quiconque, remplie de menaces et de persécutions viles et lâches ; mais je ne la crains pas, pas plus que je ne crains la fureur du misérable tyran qui a arraché la vie à soixante-dix de mes frères. Condamnez-moi, cela n'a pas d'importance. L'Histoire m'acquittera.

Traduction de Faustina FIORE

John F. Kennedy

« Discours de Berlin-Ouest »

26 juin 1963

John Fitzgerald Kennedy (1917-1963) est issu d'une famille aisée catholique d'origine irlandaise. Il devient député démocrate puis sénateur du Massachusetts. Il est élu aux élections présidentielles de 1960 et devient ainsi le plus jeune président des États-Unis. Sa volonté de réformer la société l'engage dans des combats en faveur des minorités et lui vaut une grande popularité. Il est assassiné à Dallas le 22 novembre 1963.

Au début des années 1960, la communauté internationale est au cœur de la guerre froide. En 1961, le mur de Berlin est construit sous les yeux de ses habitants et résume un monde divisé en deux blocs politiquement opposés. Un an plus tard, la crise des missiles de Cuba maintient un conflit fait de menaces et d'inquiétudes permanentes. En juin 1963, John F. Kennedy décide de se rendre à Berlin-Ouest afin de réaffirmer sa fidélité à un territoire entouré par une présence soviétique pesante. Il profite de cette occasion pour prononcer un discours sur la Rudolph-Wilde-Platz où il fait la critique sévère du système communiste.

Je suis fier de venir dans cette ville en tant qu'invité de votre maire qui représente aux yeux du monde l'âme combattante de Berlin-Ouest. Je suis fier de visiter la République fédérale d'Allemagne avec votre chancelier qui durant tant d'années a engagé l'Allemagne sur la voie de la démocratie, de la liberté et du progrès. Et je suis fier de venir ici en compagnie de mon ami, le général Clay, qui était dans cette ville aux grands moments de crise et qui viendra à nouveau si cela est nécessaire.

Il y a deux mille ans, la plus grande fierté était de dire : « *Civis Romanus sum.* » Aujourd'hui, dans le monde de la liberté, la plus grande fierté est de dire : « *Ich bin ein Berliner.* »

Certains dans le monde ne comprennent pas, ou prétendent ne pas comprendre, quel est le vrai problème entre le monde libre et le monde communiste. Qu'ils viennent à Berlin. Certains prétendent que le communisme est la voie de l'avenir. Qu'ils viennent à Berlin. Certains prétendent qu'on peut collaborer avec les communistes, en Europe ou ailleurs. Qu'ils viennent à Berlin. Quelques-uns enfin prétendent qu'il est vrai que le communisme est une doctrine néfaste mais qu'il nous permet de connaître un progrès économique. *Lass' sie nach Berlin kommen.* Qu'ils viennent à Berlin.

Notre liberté rencontre de nombreuses difficultés et notre démocratie n'est pas parfaite, mais nous n'avons jamais eu besoin d'avoir recours à la construction d'un mur pour garder notre peuple et pour éviter qu'il ne nous quitte. Au nom de mes compatriotes, qui vivent très éloignés de vous, de l'autre côté de l'Atlantique, je veux vous assurer qu'ils sont particulièrement fiers d'avoir partagé avec vous, au-delà de la distance, les événements de ces dix-huit dernières années. Je ne connais aucune autre ville qui soit assiégée depuis dix-huit ans et qui puisse vivre avec tant de vitalité, de force, d'espoir et de détermination que celle de Berlin-Ouest. Même si le mur incarne la plus éclatante démonstration de la faillite du système communiste, nous ne pouvons nous satisfaire de ce qui est, d'après les propos de votre maire, une offense non seulement à l'histoire mais aussi à l'humanité, séparant des familles, des maris et des femmes, des frères et des sœurs, un peuple qui souhaite être réuni.

Ce qui se passe dans cette ville se passe également en Allemagne. La paix européenne ne pourra être assurée tant qu'un Allemand sur quatre sera privé du droit élémentaire des hommes libres qui est l'autodétermination.

Après dix-huit ans de paix et de confiance, l'actuelle génération allemande a mérité le droit d'être libre et d'unir ses familles et son pays dans la paix. Vous vivez dans un îlot de liberté sauvegardé, mais votre vie est liée au sort du reste du pays. Laissez-moi donc vous recommander de regarder au-delà des dangers actuels et vers les espoirs de demain, au-delà de la liberté de Berlin-Ouest ou de l'Allemagne et vers la perspective d'une liberté partout dans le monde, au-delà du mur et vers la paix et la justice, au-delà de votre destin personnel et vers le destin universel.

La liberté est indivisible, et tant qu'un homme se trouvera encore réduit en esclavage, tous les autres hommes ne seront pas libres. Mais quand tous les hommes seront libres, nous pourrons espérer la réunification de la ville et l'union du pays et du continent européen dans la paix et l'espoir. Quand ce jour viendra, la population de Berlin-Ouest pourra être satisfaite après avoir été en ligne de front durant une vingtaine d'années.

Tous les hommes libres, où qu'ils vivent, sont citoyens de Berlin-Ouest. C'est pour cette raison qu'en tant qu'homme libre je suis fier de dire : « *Ich bin ein Berliner.* »

Traduction de Kevin LABIAUSSE

MARTIN LUTHER KING

« Discours de la marche de Washington »

28 août 1963

Martin Luther King (1929-1968) est un pasteur baptiste lorsqu'il amorce sa lutte contre la ségrégation en menant le boycott des bus de Montgomery aux côtés de Rosa Parks. Adoptant définitivement la politique de la non-violence dans ses combats, notamment dans celui en faveur des droits civiques pour la communauté noire, il reçoit en 1964 le prix Nobel de la paix. Il est assassiné en 1968 par un ségrégationniste blanc.

Le 28 août 1963 est organisée une marche sur Washington par les grandes associations noires pour l'accession aux droits civiques. Elle connaît un immense succès car elle réunit plus de deux cent cinquante mille participants. Son point d'orgue est le mémorable discours de Martin Luther King dans lequel il prononce l'incontournable expression « I have a dream » et fait le vœu d'un pays fraternel.

Je suis heureux de me joindre à vous en ce jour mémorable, celui de la plus grande manifestation pour la liberté de l'histoire de notre nation.

Il y a tout juste un siècle, un grand Américain [1], dans l'ombre symbolique duquel nous nous trouvons aujour-

1. Le 22 septembre 1862, le président Abraham Lincoln lance une proclamation d'émancipation, qui entrera en vigueur le 1er janvier 1863. Tous les esclaves des États confédérés – les États sécessionnistes sur lesquels l'Union n'a aucun pouvoir ! – sont officiellement émancipés. *(N.d.T.)*

d'hui, ratifiait notre acte d'émancipation. Ce décret capital a redonné espoir aux millions d'esclaves noirs marqués dans leur chair par une situation brûlante d'injustice. Ce jour-là fut l'aube joyeuse mettant un terme à une interminable nuit d'asservissement.

Mais cent ans plus tard, les Noirs ne sont toujours pas libres. Cent ans plus tard, les Noirs sont toujours entravés par les fers de la ségrégation et les chaînes de la discrimination. Cent ans plus tard, les Noirs vivent toujours isolés sur une île de pauvreté, au milieu d'un vaste océan de prospérité matérielle. Cent ans plus tard, les Noirs se morfondent toujours en marge de la société américaine et se retrouvent étrangers à leur propre terre.

C'est pour mettre en lumière ces conditions honteuses que nous sommes réunis en ce jour. En un sens, nous avons rejoint aujourd'hui la capitale de notre pays pour réclamer notre dû. Lorsque les fondateurs de notre République ont couché sur le papier les termes magnifiques de la Constitution et de la Déclaration d'indépendance, ils ont signé un billet à ordre dont chaque Américain devait hériter. La promesse que tout homme, aussi bien Noir que Blanc, se verrait garantir les droits inaliénables à la vie, à la liberté et à la poursuite du bonheur.

Il est aujourd'hui évident que l'Amérique a failli à sa promesse, au moins envers ses citoyens de couleur. Plutôt que d'honorer cet engagement sacré, elle a offert au peuple noir un chèque en bois, un chèque sans provision. Mais nous refusons de croire en la faillite de la banque de la justice. Nous refusons de croire que l'incroyable salle des coffres recelant les grandes chances que nous offre notre nation soit vide. Nous sommes donc venus réclamer notre dû, celui qui distribuera à la demande les richesses que sont la liberté et les valeurs de la justice.

Nous sommes également présents en ce lieu béni pour rappeler à l'Amérique l'urgence pressante du moment. Il n'est plus temps de céder au luxe du repos ni de s'adonner à la douce drogue du gradualisme. Il est temps de faire respecter les promesses de démocratie. Il est temps de sortir de la vallée obscure et déserte de la ségrégation pour rejoindre le chemin ensoleillé de la justice raciale. Il est temps de sortir notre pays du bourbier d'injustice raciale dans lequel il est empêtré pour lui faire rejoindre la terre solide de la fraternité. Il est temps de mettre sur pied une justice équitable pour tous les enfants de Dieu.

La nation ne se relèverait pas de rester aveugle à l'urgence du moment. La canicule de cet été où bout la colère légitime des Noirs ne s'apaisera pas avant l'arrivée d'un automne revigorant de liberté et d'égalité. 1963 n'est pas une fin, mais un commencement. Ceux qui pensaient que les Noirs avaient besoin d'évacuer un peu de pression et seront désormais satisfaits auront un réveil difficile si les choses reprennent comme avant.

Il n'y aura ni repos ni tranquillité en Amérique tant que les Noirs n'obtiendront pas leurs droits de citoyens. Les tremblements de la révolte continueront d'agiter les fondations de notre nation tant que la lumière de la justice ne l'irradiera pas.

Je dois néanmoins dire une chose à ceux de mon peuple qui attendent sur le seuil accueillant qui mène au palais de la justice. Pour obtenir notre vraie reconnaissance, ne nous rendons pas coupables d'actes répréhensibles. Ne cherchons pas à étancher notre soif de liberté en buvant au calice de l'amertume et de la haine. Veillons toujours à mener notre combat sur les terres de la dignité et de la discipline. Ne laissons pas notre démarche constructive dégénérer en violence destructive. Nous devrons encore et encore élever la force de notre esprit à des hauteurs majestueuses pour lutter contre la force physique.

Le nouveau et merveilleux militantisme dans lequel s'est engouffrée la communauté noire ne doit pas mener à la méfiance envers tout le peuple blanc, car nombreux sont nos frères blancs, comme l'atteste leur présence aujourd'hui, à avoir conscience que leur destinée est liée à la nôtre. Tout comme ils ont compris que leur liberté est inextricablement liée à la nôtre. Nous ne pouvons avancer seuls. Et tandis que nous avançons, nous devons faire le serment de toujours aller de l'avant. Nous ne pouvons faire demi-tour.

Certains demandent aux partisans des droits civils : « Quand serez-vous satisfaits ? » Nous ne pourrons être satisfaits tant que les Noirs seront victimes des indicibles horreurs de la brutalité policière. Nous ne pourrons être satisfaits tant que nos corps, rompus de la fatigue du voyage, ne pourront trouver repos dans les motels autoroutiers ou dans les hôtels citadins. Nous ne pourrons être satisfaits tant que la mobilité d'un homme noir se limitera à quitter un petit ghetto pour un ghetto plus grand. Nous ne pourrons jamais être satisfaits tant que sera pillée l'individualité de nos enfants, tant qu'ils seront dépouillés de leur dignité par des panneaux indiquant « Réservé aux Blancs ». Nous ne pourrons être satisfaits tant que les Noirs du Mississippi ne pourront pas voter, tant que ceux de New York croiront qu'ils n'ont personne pour qui voter. Non, non, nous ne sommes pas satisfaits et ne le serons jamais tant que la justice ne coulera pas de source, tant que le torrent de la vertu n'arrosera pas le pays.

Je suis conscient que certains d'entre vous ont subi de nombreuses épreuves et tribulations pour parvenir jusqu'ici. Certains sortent tout juste d'étroites cellules de prison. Certains d'entre vous viennent d'endroits où leur quête de liberté les a exposés à nombre de persécutions et brutalités policières. Vous êtes les vétérans de la souffrance créative. Continuez à avancer avec la conviction que les souffrances imméritées mènent à la rédemption.

Retournez au Mississippi, retournez en Alabama, retournez en Caroline du Sud, retournez en Géorgie, retournez en Louisiane, retournez dans les taudis et ghettos de vos villes du Nord, convaincus que la situation d'aujourd'hui peut être et sera changée.

Ne nous complaisons pas dans la vallée du désespoir. Je vous le dis aujourd'hui, chers amis : même si nous sommes confrontés aux difficultés d'aujourd'hui et de demain, je fais encore un rêve. Un rêve profondément ancré dans le rêve américain.

Je fais le rêve qu'un jour cette nation se lèvera pour respecter ce qui fait son essence même : « Nous tenons pour évidentes pour elles-mêmes les vérités suivantes : tous les hommes sont créés égaux[1]... »

Je fais le rêve qu'un jour, sur les rouges collines de Géorgie, les fils d'anciens esclaves et ceux d'anciens propriétaires d'esclaves pourront s'asseoir ensemble à la table de la fraternité.

Je fais le rêve qu'un jour même l'État du Mississippi, étouffant d'injustice et d'oppression, se changera en un havre de liberté et de justice.

Je fais le rêve qu'un jour mes quatre jeunes enfants vivront dans un pays où on ne les jugera pas pour la couleur de leur peau mais pour ce qu'ils sont.

Je fais un rêve aujourd'hui.

Je fais le rêve qu'un jour en Alabama, où nombreux sont les racistes brutaux, où le gouverneur ne jure que par les mots « intervention » et « invalidation », qu'un jour jusqu'en Alabama les petits garçons noirs et les petites filles noires puissent prendre la main de petits garçons blancs et de petites filles blanches, comme des frères et sœurs.

Je fais un rêve aujourd'hui.

Je fais le rêve qu'un jour chaque vallée sera élevée, chaque colline et montagne abaissée, que les terres rocailleuses seront aplanies, et que la gloire du Seigneur sera révélée à tous.

Tel est notre espoir. Telle est la croyance que je rapporterai dans le Sud. Avec une telle foi nous pourrons tailler dans la montagne de désespoir une pierre d'espérance. Avec une telle foi nous pourrons faire de la cacophonie discordante de notre nation une magnifique symphonie de fraternité. Avec une telle foi, nous pourrons travailler ensemble, prier ensemble, lutter ensemble, aller en prison ensemble, défendre la liberté ensemble, convaincus que nous serons libres un jour.

Ce jour-là, tous les enfants de Dieu pourront chanter d'un air nouveau : « Mon pays, c'est toi, douce terre de

1. Déclaration d'indépendance du 4 juillet 1776. *(N.d.T.)*

liberté, c'est toi que je chante. Terre où mon père est mort, terre fière des pèlerins, fais sonner sur chaque montagne l'air de la liberté ! » Et si l'Amérique veut être une grande nation, ce rêve doit devenir réalité.

Que sonne la liberté sur les prodigieuses cimes du New Hampshire. Que sonne la liberté sur les majestueuses montagnes de New York. Que sonne la liberté sur les hauteurs de l'Allegheny pennsylvanienne.

Que sonne la liberté sur les sommets enneigés des Rocheuses du Colorado. Que sonne la liberté sur les collines sinueuses de Californie.

Mais plus encore : que sonne la liberté sur le dôme de Stone Mountain en Géorgie.

Que sonne la liberté sur le plateau de Lookout Mountain au Tennessee.

Que sonne la liberté sur chaque colline et chaque butte du Mississippi, sur toutes les montagnes.

Que sonne la liberté. Et quand ce sera le cas, quand nous laisserons sonner la liberté, quand nous la laisserons sonner sur chaque village, sur chaque hameau, sur chaque État et sur chaque ville, nous pourrons faire venir le jour où tous les enfants de Dieu, les Noirs et les Blancs, les juifs et les gentils, les protestants et les catholiques, pourront se prendre la main et chanter ce vieux negro-spiritual : « Enfin libres ! Enfin libres ! Merci, Dieu Tout-Puissant, nous sommes enfin libres ! »

Traduction de Benjamin KUNTZER

Mère Teresa

« Discours pour son prix Nobel de la paix »

11 décembre 1979

Mère Teresa (1910-1997), de son vrai nom Agnes Gonxha Bajaxhiu, est issue d'une famille albanaise. Elle se voue déjà à la religion catholique quand elle arrive en Inde en janvier 1929. Elle prononce ses vœux définitifs en 1937 et devient directrice d'école. Elle se consacre aux pauvres des bidonvilles de son pays d'adoption à partir de 1946. D'abord appelée Sœur Teresa, c'est en fondant l'ordre des Missionnaires de la Charité qu'elle se fait nommer Mère Teresa. L'Église catholique lui reconnaît un miracle en 1998 et le pape Jean-Paul II la béatifie en 2003.

Le 17 octobre 1979, Mère Teresa reçoit le prix Nobel de la paix. À l'occasion de la remise du prix, le 11 décembre 1979 à Oslo, elle prononce un discours dans lequel elle dédie sa distinction à tous les pauvres dont elle s'occupe. Elle évoque également sa sévère opposition à l'IVG qu'elle considère comme « le plus grand destructeur de la paix ».

Les pauvres sont de grands hommes. Ils peuvent nous apprendre tant de belles choses. L'autre jour, l'un d'entre eux est venu me remercier et m'a dit : « Vous autres qui avez fait vœu de chasteté, vous êtes les plus à même de nous éduquer sur le planning familial, sur rien d'autre que le contrôle de soi-même dans l'amour pour l'autre. » Je pense qu'il avait prononcé une belle phrase. Ce sont des personnes qui n'ont peut-être rien à manger, n'ont peut-être pas d'endroit pour vivre, mais ce sont de grands hommes. Les pauvres sont des gens formidables. Un soir, nous sommes sortis et nous avons ramassé quatre personnes dans la rue. L'une d'entre elles se trouvait dans la plus terrible des conditions. J'ai dit aux sœurs : « Prenez soin des trois autres, je prends celle qui est au plus mal. » J'ai fait pour elle tout ce que mon cœur pouvait donner. Je l'ai couchée dans mon lit, et elle avait un joli sourire. Elle m'a pris la main et n'a dit qu'un seul mot : « Merci. » Et elle est morte.

Je n'ai pas pu soulager ma conscience mais je l'ai plutôt interrogée après cet épisode. Je me suis demandé ce que j'aurais dit si j'avais été à sa place. Ma réponse a été très simple. J'aurais essayé d'attirer l'attention sur moi, j'aurais dit que j'avais faim, que j'étais en train de mourir, que j'avais froid, que j'avais de la peine, ou quelque chose comme cela. Mais elle me donna davantage : elle m'avait offert son amour reconnaissant. Et elle était morte avec un sourire sur son visage. Tout comme cet homme que nous avons ramassé des égouts, à moitié rongé par les vers. Nous l'avons abrité. Il nous a dit : « J'ai vécu comme un animal dans la rue, mais je vais mourir comme un ange, aimé et soigné. » C'était tellement merveilleux de voir la grandeur d'âme de cet homme qui pouvait parler comme cela, qui pouvait mourir comme cela, sans jamais rien reprocher à quiconque, sans injurier quiconque, sans juger. Comme un ange. C'est cela la grandeur d'âme de notre peuple. [...]

Je m'adresse donc à vous ici. Je veux que vous trouviez les pauvres ici, d'abord directement dans votre pays. Et que vous commenciez par les aimer ici. Soyez la Bonne Nouvelle pour votre peuple. Découvrez votre voisin. Savez-vous vraiment qui il est ? J'ai vécu l'expérience la plus extraordinaire avec une famille hindoue de huit enfants. Un homme est venu chez nous et m'a dit : « Mère Teresa, il y a une famille avec huit enfants, ils n'ont pas mangé depuis si longtemps. Faites quelque chose. » J'ai pris du riz et je me suis rendue immédiatement chez eux. J'ai vu les enfants. Leurs yeux se sont illuminés devant mon riz du fait de leur grande faim. J'ignore si vous avez déjà lu la faim dans les yeux de quelqu'un, mais pour ma part, je l'ai lue très souvent.

La mère de famille a pris le riz, l'a divisé, puis s'en est allée. Quand elle est revenue, je lui ai demandé : « Où êtes-vous allée ? Qu'avez-vous fait ? » Elle m'a répondu très simplement : « Ils ont faim, eux aussi. » Ce qui m'a frappée le plus, c'était qu'elle savait qu'il s'agissait d'une famille musulmane. Je n'ai pas pris plus de riz ce soir-là parce que j'ai voulu qu'ils profitent du plaisir de partager. Mais il y avait ces enfants, rayonnant de joie, partageant leur bonheur avec leur mère parce qu'elle avait de l'amour à donner. Vous voyez, c'est là que l'amour commence, chez soi.

Traduction de Kevin LABIAUSSE

Yasser Arafat

« Discours à l'Assemblée générale des Nations unies »

13 décembre 1988

Yasser Arafat (1929-2004) est dirigeant de l'organisation palestinienne du Fatah quand il arrive à la tête de l'Organisation de libération de la Palestine (OLP) en 1969. D'abord perçu comme un terroriste en raison de son implication dans des attentats visant Israël, il apparaît à la fin de sa vie comme un partenaire de négociation privilégié dans le cadre du processus de paix israélo-palestinien. Il signe l'accord d'Oslo en 1993 et reçoit le prix Nobel de la paix l'année suivante.

Le 13 novembre 1974, Yasser Arafat expose devant l'Assemblée générale des Nations unies le point de vue de l'OLP sur les agressions israéliennes et avance le projet d'un État démocratique de Palestine où les différentes religions seraient associées. Quatorze ans plus tard, le 13 décembre 1988, il se rend à cette même Assemblée afin de faire le point sur les années écoulées. Engagé dans un conflit ponctué de batailles meurtrières et qui ne trouve aucune issue, il fait à nouveau appel à l'ONU en assurant de sa volonté d'atteindre une paix durable.

Il y a quatorze ans, le 13 novembre 1974, je recevais de vous une gracieuse invitation à exposer devant cette auguste Assemblée la cause de notre peuple palestinien. À l'heure où je me tiens ici devant vous aujourd'hui, après toutes ces années riches en événements, je constate que de nouveaux peuples ont pris place parmi vous, couronnant leurs victoires dans leurs combats pour la liberté et l'indépendance. Aux représentants de ces peuples, j'adresse les félicitations chaleureuses de notre peuple et je proclame que je reviens devant vous la voix plus haute, la détermination plus ferme et la confiance plus assurée pour réitérer ma conviction que notre lutte portera ses fruits et que l'État de Palestine, que nous avons proclamé lors de notre Conseil national, prendra sa place au sein de votre Assemblée afin de participer à vos côtés au renforcement de la Charte de cette organisation et de la Déclaration des droits de l'homme en mettant un terme aux tragédies endurées par l'humanité et en jetant les bases du droit, de la justice, de la paix et de la liberté pour tous.

Il y a quatorze ans, quand vous avez dit, dans la salle de l'Assemblée générale : « Oui à la Palestine et au peuple palestinien ! Oui à l'Organisation de libération de la Palestine ! Oui aux droits nationaux inaliénables du peuple palestinien ! », certains ont imaginé que vos résolutions auraient peu d'impact. Ils ne comprenaient pas que ces résolutions deviendraient une des sources les plus vives à laquelle s'abreuverait le rameau d'olivier que je portais ce jour-là, ce rameau qui s'est transformé, après que nous l'avons arrosé de notre sang, de nos larmes et de notre sueur, en un arbre enraciné dans la terre et s'élevant vers le ciel. C'est un arbre qui promet la victoire sur l'oppression, l'injustice et l'occupation. Vous nous avez offert l'espoir que la liberté et la justice triompheraient, et nous, en retour, vous avons donné une génération de notre peuple qui a consacré sa vie à la réalisation de ce rêve. Je veux parler de la génération de l'Intifada bénie, qui défend aujourd'hui l'honneur de sa patrie avec les pierres de sa terre et qui appartient à un peuple assoiffé de liberté et d'indépendance.

Je vous transmets les salutations des fils de notre peuple héroïque, de nos hommes et de nos femmes, des masses de notre Intifada bénie, qui entame sa deuxième année avec un grand élan et une organisation minutieuse, usant d'une approche civilisée et démocratique pour survivre et faire face à l'occupation, l'injustice et les crimes barbares commis quotidiennement par les occupants israéliens.

Je vous transmets les salutations de nos garçons et de nos filles dans les prisons et les camps de détention collective de l'occupation, des enfants des pierres qui défient la force d'occupation équipée d'avions, de blindés et d'armes et qui font revivre l'image du David palestinien confronté au Goliath israélien bardé d'armes.

À la conclusion de mon discours lors de notre première rencontre, j'avais, en tant que président de l'Organisation de libération de la Palestine et président de la révolution palestinienne, réaffirmé que vous ne voulions pas que soit versée une seule goutte de sang, juif ou arabe, et que nous ne voulions pas que les combats se poursuivent, ne fût-ce qu'une minute. Je m'adressais à vous également afin de nous épargner toutes ces épreuves et ces souffrances, et de hâter la mise en place des bases d'une paix juste fondée sur la garantie des droits, des espoirs et des aspirations de notre peuple, et de l'égalité des droits pour tous les hommes.

Je me suis également adressé à vous pour vous appeler à vous tenir aux côtés de notre peuple en lutte pour l'exercice de son droit à l'autodétermination et à donner les moyens à notre peuple de retourner de son exil imposé par la force du pistolet. Je vous demandais de nous aider à mettre un terme à l'injustice imposée à des générations successives de notre peuple depuis tant de décennies afin qu'il puisse vivre comme un peuple libre et souverain, sur son sol natal et dans ses maisons, et puisse profiter de tous ses droits nationaux et humains.

Enfin, j'ai dit à cette tribune que la guerre surgissait de Palestine et que la paix commençait en Palestine.

Le rêve que nous avions alors était l'établissement d'un État de Palestine démocratique au sein duquel vivraient musulmans, chrétiens et juifs sur un pied d'égalité, profitant des mêmes droits et ayant les mêmes obligations dans une communauté unifiée, à l'instar de tout autre peuple de notre monde contemporain.

Notre surprise fut grande à l'écoute des responsables israéliens prétendant que ce rêve palestinien prenait sa source dans les enseignements des religions monothéistes qui ont illuminé le ciel de la Palestine ainsi que les valeurs culturelles et humaines qui fondent la coexistence au sein d'une société libre et démocratique. Mais leurs dires étaient que ce rêve palestinien était un plan néfaste visant à détruire et à anéantir leur identité. [...]

Ne sommes-nous pas ceux qui ont pris l'initiative d'invoquer la Charte et les résolutions des Nations unies, la Déclaration des droits de l'homme et la légitimité internationale en tant que fondements pour la résolution du conflit arabo-israélien ? [...]

Je vous affirme que nous sommes, comme tous les autres peuples sur terre, un peuple qui aspire à la paix, et peut-être avec un peu plus d'ardeur, étant donné nos longues années de souffrance et la dureté des conditions de vie que subissent notre peuple et nos enfants, privés de vivre une vie normale, à l'abri des guerres, des tragédies, de l'exil, de la dispersion et de l'angoisse quotidienne.

Que s'élèvent les voix de ceux qui portent en eux le rameau d'olivier, la coexistence pacifique et l'entente nationale. Joignons nos mains pour défendre l'opportunité historique, et probablement unique, de mettre un terme à une tragédie qui a duré déjà trop longtemps et qui a coûté des milliers de vies et la destruction de centaines de villages et de villes.

Si nous tendons la main vers le rameau d'olivier, c'est parce que ce rameau germe dans nos cœurs à partir de l'arbre de notre patrie, l'arbre de la paix.

Je suis venu au nom de mon peuple, la main ouverte, afin que nous instaurions une paix réelle, une paix fondée sur la justice. Sur cette base, je demande aux dirigeants d'Israël de venir ici, sous l'égide des Nations unies, afin que nous accomplissions cette paix ensemble. Je leur dis, tout comme je vous le dis, que notre peuple recherche la dignité, la liberté et la paix pour lui-même et la sécurité pour son État tout comme il les recherche pour tous les États et les parties impliqués dans le conflit arabo-israélien.

Je m'adresse ici tout particulièrement au peuple israélien, de tous les courants et de tous les milieux, et avant tout aux forces de la démocratie et de la paix. Je leur dis : Venez, loin de la peur et de l'intimidation, faisons la paix. Éloignons-nous du spectre des guerres ininterrompues depuis quarante ans. Mettons de côté la menace des guerres à venir dont le combustible ne serait que les corps de nos enfants et de vos enfants. Venez, faisons la paix. Faisons la paix des braves, des courageux, loin de l'arrogance de la force et des armes de la destruction, loin de l'occupation, de l'oppression, de l'humiliation, du crime et de la torture.

Traduction de Kevin LABIAUSSE

MIKHAÏL GORBATCHEV

« Discours de démission »

25 décembre 1991

Mikhaïl Gorbatchev (1931) devient secrétaire général du Parti communiste en 1985 et tente de mettre en œuvre un programme de réformes économiques, nommé la « perestroïka » (restructuration) et la « glasnost » (transparence). Il signe avec le président des États-Unis, Ronald Reagan, un accord sur l'élimination des missiles à moyenne portée en Europe en 1987. Il préside l'URSS à partir de 1988 et reçoit le prix Nobel de la paix en 1990. Face aux bouleversements du monde communiste et à des réformes qui aggravent les difficultés de son pays, il quitte le pouvoir en 1991.

L'année 1991 voit le pouvoir de Gorbatchev s'affaiblir grandement. En août, même s'il n'aboutit pas, un putsch est organisé contre lui. À l'automne, certaines républiques constituantes de l'URSS proclament leur indépendance. En novembre, Boris Eltsine, président de la Fédération de Russie, interdit le Parti communiste d'Union soviétique sur le sol de son pays. Le 8 décembre, la Communauté des États indépendants (CEI) est instaurée par la Russie, l'Ukraine et la Biélorussie. Le 25 décembre, Mikhaïl Gorbatchev se résout donc à remettre sa démission et fait une allocution télévisée dans la soirée. Le lendemain, l'Union soviétique est officiellement dissoute.

Chers compatriotes, concitoyens. En raison de la situation qui prévaut actuellement, je mets fin à mes fonctions de président de l'URSS. En cette heure difficile, pour moi et pour tout le pays, alors qu'un grand État cesse d'exister, je reste fidèle à mes principes, qui m'ont inspiré dans la défense de l'idée d'une nouvelle Union.

J'ai défendu fermement l'autonomie, l'indépendance des peuples, la souveraineté des républiques. Mais je défendais aussi la préservation d'un État de l'Union, l'intégrité du pays. Les événements ont pris une tournure différente. La ligne du démembrement du pays et la dislocation de l'État a gagné, ce que je ne peux accepter car j'y vois de grands dangers pour nos peuples et pour toute la communauté mondiale. Et après la rencontre d'Alma-Ata, ma position à ce sujet n'a pas changé.

Néanmoins, je ferai tout mon possible pour que les accords qui y ont été signés conduisent à une entente réelle dans la société et facilitent la sortie de la crise et le processus des réformes. Je veux encore une fois souligner que, durant la période de transition, j'ai tout fait de mon côté pour préserver un contrôle sûr des armes nucléaires.

M'adressant à vous pour la dernière fois en qualité de président de l'URSS, j'estime indispensable d'exprimer mon évaluation du chemin qui a été parcouru depuis 1985. D'autant qu'il existe sur cette question beaucoup d'opinions contradictoires, superficielles et non objectives. Le destin a voulu qu'au moment où j'accédais aux plus hautes fonctions de l'État, il était déjà clair que le pays allait mal. Tout ici est en abondance : la terre, le pétrole, le gaz, le charbon, les métaux précieux, d'autres richesses naturelles, sans compter l'intelligence et les talents que Dieu ne nous a pas comptés, et pourtant nous vivons bien plus mal que dans les pays développés, nous prenons toujours plus de retard par rapport à eux.

La raison en était déjà claire : la société étouffait dans le carcan du système administratif de commande. Condamnée à servir l'idéologie et à porter le terrible fardeau de la militarisation à outrance, elle était à la limite du supportable. Toutes les tentatives de réforme partielle – et nous en avons eu beaucoup – ont échoué l'une après l'autre. Le pays perdait ses objectifs. Il n'était plus possible de vivre ainsi. Il fallait tout changer radicalement.

C'est pourquoi je n'ai pas regretté une seule fois de ne pas m'être servi du poste de secrétaire général [du PCUS] uniquement pour « régner » quelques années. Je l'aurais jugé irresponsable et amoral.

Je comprenais qu'entamer des réformes d'une telle envergure et dans une société comme la nôtre était une œuvre de la plus haute difficulté et, dans une certaine mesure, risquée. Mais il n'y avait pas de choix. Aujourd'hui encore je suis persuadé de la justesse historique des réformes démocratiques entamées au printemps 1985. Le processus de renouvellement du pays et de changements radicaux dans la communauté mondiale s'est avéré beaucoup plus ardu qu'on aurait pu le supposer. Néanmoins, ce qui a été fait doit être apprécié à sa juste valeur.

La société a obtenu la liberté, s'est affranchie politiquement et spirituellement. Et ceci constitue la conquête principale, encore insuffisamment appréciée, sans doute parce que nous n'avons pas encore appris à nous en servir. Mais aussi parce que le chemin de la liberté, que nous avons emprunté il y a six ans, s'est avéré épineux, incroyablement difficile et douloureux.

Néanmoins, une œuvre d'une importance historique a été accomplie : le système totalitaire, qui a privé le pays de la possibilité qu'il aurait eue depuis longtemps de devenir heureux et prospère, a été liquidé. Une percée a été effectuée sur la voie des transformations démocratiques. Les élections libres, la liberté de la presse, les libertés religieuses, des organes de pouvoir représentatifs et le multipartisme sont devenus une réalité. Les droits de l'homme sont reconnus comme le principe suprême. La marche vers une économie multiforme a commencé, l'égalité de toutes les formes de propriété s'établit. Dans le cadre de la réforme agraire, la paysannerie a commencé à renaître, le fermage est apparu, des millions d'hectares sont distribués aux habitants des villages et des villes. La liberté économique du producteur est entrée dans la loi, la liberté d'entreprendre, la privatisation et la constitution de sociétés par actions ont commencé à prendre forme.

En dirigeant l'économie vers le marché, il est important de rappeler que le pas est franchi pour le bien de l'individu. Dans cette époque difficile, tout doit être fait pour sa protection sociale. Nous vivons dans un nouveau monde : la « guerre froide » est finie, la menace d'une guerre mondiale est écartée, la course aux armements et la militarisation insensée qui ont dénaturé notre économie, notre conscience sociale et notre morale sont stoppées. Nous nous sommes ouverts au monde, nous avons renoncé à l'ingérence dans les affaires d'autrui, à l'utilisation des forces armées en dehors du pays. En réponse, nous avons obtenu la confiance, la solidarité et le respect.

Nous sommes devenus un des piliers principaux de la réorganisation de la civilisation contemporaine sur des principes pacifiques et démocratiques. Les peuples, les nations ont obtenu une liberté réelle pour choisir la voie de leur autodétermination. Les efforts pour réformer démocratiquement l'État multinational nous ont conduits tout près de la conclusion du nouvel accord de l'Union.

Tous ces changements ont provoqué une énorme tension, et se sont produits dans des conditions de lutte féroce, sur un fond d'opposition croissante des forces du passé moribond et réactionnaire, des anciennes structures du parti et d'État et de l'appareil économique, ainsi que de nos habitudes, de nos préjugés idéologiques, de notre psychologie nivellatrice et parasitaire. Ils se sont heurtés à notre intolérance, au faible niveau de culture politique et à la crainte des changements. Voilà pourquoi nous avons perdu beaucoup de temps.

L'ancien système s'est écroulé avant que le nouveau ait pu se mettre en marche. Et la crise de la société s'est encore aggravée. Je connais le mécontentement qu'engendre l'actuelle situation difficile, les critiques aiguës exprimées à l'encontre des autorités à tous les niveaux et à l'égard de mon action. Mais je voudrais souligner encore une fois : des changements radicaux, dans un pays si grand et avec un tel héritage, ne peuvent se dérouler sans douleur, sans difficultés et sans secousses.

Le putsch d'août a poussé la crise générale jusqu'à ses limites extrêmes. Le pire dans cette crise est l'effondrement de l'État. Et après la rencontre d'Alma-Ata, je demeure inquiet. Je suis inquiet de la perte pour nos compatriotes de la citoyenneté d'un grand pays, un fait dont les conséquences peuvent se révéler très graves pour tous. Conserver les conquêtes démocratiques de ces dernières années est pour moi d'une importance vitale. Elles sont le fruit douloureux de notre histoire. On ne peut y renoncer sous aucun prétexte. Dans le cas contraire, tous les espoirs d'un avenir meilleur seraient enterrés.

Je parle de tout cela avec honnêteté et franchise. C'est mon devoir moral. Je veux exprimer ma reconnaissance à tous les citoyens qui ont soutenu la politique de renouvellement du pays, qui se sont impliqués dans la mise en œuvre des réformes démocratiques. Je suis reconnaissant aux hommes d'État, personnalités de la vie politique et sociale, aux millions d'hommes à l'étranger – à ceux qui ont compris nos desseins, les ont soutenus, sont venus à notre rencontre, pour une coopération sincère avec nous.

Je quitte mon poste avec inquiétude. Mais aussi avec espoir, avec la foi en vous, en votre sagesse et en votre force d'esprit. Nous sommes les héritiers d'une grande civilisation, et, à présent, il dépend de tous et de chacun qu'elle ne parte en fumée mais renaisse pour notre joie et celle des autres. Je veux de toute mon âme remercier ceux qui, durant toutes ces années, ont défendu à mes côtés une cause juste et bonne. Je suis persuadé que tôt ou tard nos efforts communs porteront des fruits, et que nos peuples vivront dans une société démocratique et prospère. Je me démets de mes fonctions de président. Je vous souhaite à tous tout le bien possible.

Traduction de l'AFP

Nelson Mandela

« Discours d'investiture »

10 mai 1994

Nelson Mandela (1918) rejoint le Congrès national africain (ANC) en 1942 afin de lutter contre la suprématie politique de la minorité blanche en Afrique du Sud. Avocat, il met toute son énergie à lutter contre l'apartheid et la ségrégation raciale. Il est condamné à la détention à perpétuité en 1964 mais il est libéré et mis en résidence surveillée en 1988. Définitivement libéré en 1990, il œuvre pour maintenir la paix civile dans son pays, ce qui lui vaut le prix Nobel de la paix en 1993. Il est élu aux premières élections présidentielles démocratiques du pays en 1994. Il quitte son poste de président d'Afrique du Sud en 1999 et poursuit son action par l'intermédiaire de sa Fondation, notamment en faveur de la lutte contre le sida.

Le 27 avril 1994 ont lieu les premières élections présidentielles en Afrique du Sud. C'est l'ANC qui remporte très largement le scrutin. Nelson Mandela est donc élu président de la république d'Afrique du Sud. Il prête serment à Pretoria le 10 mai 1994 devant un large parterre de personnalités politiques internationales. Dans son discours d'investiture, il tient à rappeler les heures sombres de l'apartheid mais il évoque aussi l'enthousiasme du peuple noir sud-africain pour aborder une période plus optimiste.

Aujourd'hui, par notre présence ici, et par nos cérémonies dans d'autres endroits de notre pays et du monde, nous accordons tous gloire et espoir à la liberté qui vient de naître.

De l'expérience d'un immense désastre humain qui a duré trop longtemps doit naître une société dont toute l'humanité sera fière.

Nos actes quotidiens en tant que Sud-Africains ordinaires doivent produire une réalité sud-africaine concrète qui renforcera la foi de l'humanité en la justice, qui consolidera sa confiance en la grandeur de l'âme humaine et qui nourrira tous nos espoirs pour que notre vie à tous soit merveilleuse.

Tout ceci, nous le devons à la fois à nous-mêmes et aux peuples du monde entier qui sont si bien représentés ici aujourd'hui.

À mes compatriotes, je n'éprouve aucune hésitation à dire que chacun d'entre nous est aussi intimement attaché à la terre de ce beau pays que le sont les célèbres jacarandas de Pretoria et les mimosas de la brousse.

Chaque fois que l'un de nous touche le sol de ce pays, il perçoit le sentiment d'un regain personnel. L'humeur nationale change comme changent les saisons.

Nous sommes animés par un sentiment de joie et d'exaltation quand l'herbe reverdit et quand les fleurs s'ouvrent.

Cette unité spirituelle et physique que nous partageons tous avec cette patrie commune explique la profondeur de la douleur que nous portions tous dans nos cœurs quand nous voyions notre pays pleurer lui-même, déchiré dans un terrible conflit, et quand nous le voyions méprisé, boycotté et isolé des peuples du monde, précisément parce qu'il était devenu la base universelle de l'idéologie et de la pratique pernicieuse du racisme et de l'oppression raciale.

Nous, peuple sud-africain, sommes comblés que l'humanité nous ait repris sous son aile, et que nous, qui étions hors la loi il n'y a pas si longtemps encore, recevons aujourd'hui le rare privilège d'être les hôtes des nations du monde sur notre propre sol.

Nous remercions tous nos éminents invités internationaux d'être venus pour s'approprier avec le peuple de notre pays ce qui est, en définitive, une victoire commune pour la justice, pour la paix, pour la dignité humaine.

Nous espérons que vous continuerez à vous tenir à nos côtés lors des défis de construction de la paix, de la prospérité, de l'antisexisme, de l'antiracisme et de la démocratie.

Nous apprécions sincèrement le rôle qu'ont joué notre peuple et leurs masses politiques, les leaders démocratiques, religieux, les femmes, les jeunes, les entreprises, les leaders traditionnels et les autres leaders, pour arriver à ce résultat. Parmi ceux-ci, et non le moindre, se trouve mon deuxième président adjoint, Frederik Willem De Klerk.

Nous aimerions également rendre hommage à nos forces de sécurité, quel que soit leur rang, pour le rôle important qu'elles ont joué dans la protection de nos premières élections démocratiques et dans la transition vers la démocratie contre les forces assoiffées de sang qui refusent toujours de voir la lumière.

Le temps de soigner les blessures est arrivé.

Le temps de combler les fossés qui nous séparent est arrivé.

Le temps de construire est arrivé.

Nous avons enfin achevé notre émancipation politique. Nous nous engageons à libérer notre peuple de l'asservissement dû à la pauvreté, à la privation, à la souffrance, au sexisme et à toute autre discrimination.

Nous avons réussi à passer les dernières étapes vers la liberté dans des conditions de paix relative. Nous nous engageons à construire une paix complète, juste et durable.

Nous avons réussi à implanter l'espoir dans le cœur de millions de personnes de notre peuple. Nous nous engageons à bâtir une société dans laquelle tous les Sud-Africains, qu'ils soient blancs ou noirs, pourront se tenir debout et marcher sans crainte, sûrs de leur droit inaliénable à la dignité humaine – une nation arc-en-ciel, en paix avec elle-même et avec le monde.

Comme preuve de son engagement dans le renouveau de notre pays, le nouveau gouvernement par intérim de l'Unité nationale prend la décision, en tant que question urgente, d'amnistier les différentes catégories de compatriotes accomplissant actuellement leur peine d'emprisonnement.

Nous dédions ce jour à tous les héros et à toutes les héroïnes de ce pays et du reste du monde qui se sont sacrifiés de multiples façons et ont donné leur vie pour que nous puissions être libres.

Leurs rêves sont devenus réalité. La liberté est leur récompense.

Nous nous sentons à la fois humbles et fiers de l'honneur et du privilège que vous, peuple sud-africain, nous avez fait en nous nommant premier président d'un gouvernement d'union démocratique, non raciste et non sexiste.

Nous sommes conscients que la route vers la liberté n'est pas facile.

Nous sommes conscients qu'aucun de nous ne peut réussir seul.

Nous devons donc agir ensemble comme un peuple uni, vers une réconciliation nationale, vers la construction d'une nation, vers la naissance d'un nouveau monde.

Que la justice soit la même pour tous.

Que la paix existe pour tous.

Qu'il y ait du travail, du pain, de l'eau et du sel pour tous.

Que chacun d'entre nous sache que son corps, son esprit et son âme ont été libérés afin qu'ils puissent s'épanouir.

Que jamais, jamais et jamais plus, ce pays magnifique ne revive l'expérience de l'oppression des uns par les autres, ni ne souffre à nouveau l'indignité d'être le paria du monde.

Que la liberté règne.

Que le soleil ne se couche jamais sur une réalisation humaine aussi éclatante !

Que Dieu bénisse l'Afrique !

Traduction de Kevin LABIAUSSE

George W. Bush

« Discours au Congrès »

20 septembre 2001

George Walker Bush (1946) est le fils aîné de George Herbert Walker Bush, président des États-Unis de 1989 à 1993. Appartenant au Parti républicain comme son père, il est gouverneur de l'État du Texas pour deux mandats consécutifs, de 1994 à 2000. Il abandonne cette fonction lorsqu'il est élu aux élections présidentielles américaines de décembre 2000. Président des États-Unis à partir du début de l'année 2001, il est réélu en novembre 2004.

Le 11 septembre 2001, les États-Unis subissent les attaques terroristes du groupe islamiste al-Qaida. Trois des quatre avions détournés sont précipités vers des bâtiments emblématiques de la puissance américaine : les tours jumelles du World Trade Center à New York représentant la puissance économique, le Pentagone à Washington représentant la puissance militaire. Au total, les victimes sont évaluées à plus de 2 900 morts. Le lendemain, le Conseil de sécurité des Nations unies adopte la résolution 1368 condamnant ces actes terroristes. Le 20 septembre, George W. Bush s'adresse directement au peuple américain depuis le Congrès pour accuser sévèrement le mouvement islamiste al-Qaida et pour demander le soutien des autres nations.

Dans le cours normal des événements, les présidents viennent dans cette Chambre afin de présenter leur rapport sur l'état de l'Union. Ce soir, il n'est pas question du rapport sur l'état de l'Union. Il a été rendu par le peuple américain lui-même.

Nous l'avons observé dans le courage des passagers, qui ont agressé les terroristes pour sauver d'autres personnes sur le sol – des passagers comme un homme exceptionnel nommé Todd Beamer. Je vous demanderai de bien vouloir accueillir sa femme, Lisa Beamer, ici ce soir. Nous avons vu l'état de notre Union dans l'effort de nos sauveurs, œuvrant au-delà de l'épuisement. Nous avons vu le déploiement des drapeaux, la lumière des bougies, le don du sang, les prières – en anglais, en hébreu, en arabe. Nous avons vu la décence d'un peuple aimant et généreux qui a fait du chagrin des autres le sien. Mes chers compatriotes, durant ces neuf derniers jours, le monde entier a vu l'état de notre Union – et il est solide.

Ce soir, nous sommes un pays réveillé par le danger et appelé à défendre la liberté. Notre chagrin a cédé place à la colère, et la colère à une décision. Que nous traduisions nos ennemis en justice ou que nous amenions la justice à nos ennemis, la justice sera faite. Je remercie le Congrès pour son soutien à un moment si important. Au soir de la tragédie, toute l'Amérique a été touchée de voir les Républicains et les Démocrates se réunir sur les marches de ce Capitole pour chanter « Que Dieu bénisse l'Amérique ». Et vous avez fait plus que chanter ; vous avez agi, en donnant quarante milliards de dollars pour reconstruire nos communautés et assurer les besoins de notre armée. Président de la Chambre Hastert, chef de l'opposition Gephardt, chef de la majorité Daschle et sénateur Lott, je vous remercie pour l'amitié, pour le soutien et pour le service rendu à notre pays. Et au nom du peuple américain, je remercie le monde pour l'expression de son soutien. L'Amérique n'oubliera jamais l'air de notre chant national joué à Buckingham Palace, dans les rues de Paris et à la porte de Brandebourg de Berlin.

Nous n'oublierons pas les enfants de Corée du Sud réunis pour prier devant notre ambassade de Séoul, ou les personnes priant dans une mosquée du Caire. Nous n'oublierons pas les minutes de silence et les jours de deuil en Australie, en Afrique et en Amérique latine. Nous n'oublierons pas non plus les citoyens des quatre-vingts autres pays qui sont morts avec les nôtres : de nombreux Pakistanais ; plus de cent trente Israéliens ; plus de deux cent cinquante Indiens ; des hommes et des femmes du Salvador, d'Iran, du Mexique et du Japon ; et des centaines d'Anglais. L'Amérique n'a pas d'amie plus fidèle que la Grande-Bretagne. Une fois encore, nous sommes réunis pour une grande cause – si honorés que le Premier ministre anglais ait traversé l'océan pour montrer sa solidarité envers l'Amérique. Merci d'être venu, cher ami.

Le 11 septembre, les ennemis de la liberté ont commis un acte de guerre contre notre pays. Les Américains ont connu des guerres – mais durant les cent trente-six dernières années, ils se sont engagés dans des guerres qui se déroulaient sur des sols étrangers, excepté un dimanche de l'année 1941 [1]. Les Américains ont connu les victimes de la guerre – mais pas dans le matin tranquille du centre d'une grande ville. Les Américains ont connu les attaques surprise – mais jamais sur des milliers d'hommes. Tout cela nous est arrivé en un seul jour – et la nuit tombe sur un monde différent, un monde où la liberté elle-même est attaquée. Les Américains s'interrogent ce soir. Les Américains se demandent : qui a attaqué notre pays ? L'évidence est que tout nous conduit vers un groupe d'organisations terroristes vaguement affiliées et connu sous le nom d'al-Qaida. Certains des meurtriers sont inculpés pour avoir bombardé les ambassades américaines de Tanzanie et du Kenya, et sont responsables de l'attaque du destroyer USS *Cole*. Al-Qaida terrorise comme la mafia tue. Mais son but n'est pas de faire de l'argent ; son but est de refaire le

1. Le 7 décembre 1941, l'armée japonaise bombarde la base américaine de Pearl Harbor, précipitant l'entrée en guerre des États-Unis. *(N.d.T.)*

monde – et d'imposer ses croyances radicales sur le peuple partout dans le monde.

Les terroristes pratiquent une forme d'extrémisme islamique en marge, rejeté des intellectuels musulmans et de la vaste majorité des religieux musulmans. C'est une tendance en marge qui pervertit les enseignements pacifistes de l'islam. La directive des terroristes les oblige à tuer les chrétiens et les juifs, de tuer tous les Américains, et de ne faire aucune distinction entre les militaires et les civils, y compris les femmes et les enfants. Ce groupe et son chef – une personne appelée Oussama Ben Laden – sont liés à beaucoup d'autres organisations dans différents pays, y compris le Jihad islamique égyptien et le Mouvement islamique de l'Ouzbékistan. Il existe des milliers de ces terroristes dans plus de soixante pays. Ils sont recrutés dans leur propre pays ou à proximité et sont amenés dans des camps comme en Afghanistan, où ils sont entraînés à la stratégie militaire et au terrorisme. Ils sont renvoyés dans leur pays ou envoyés pour se cacher dans des pays partout dans le monde afin de conspirer le mal et la destruction.

La direction d'al-Qaida possède une grande influence en Afghanistan et soutient le régime des talibans en contrôlant la majorité du pays. Nous voyons en Afghanistan la vision d'al-Qaida pour le monde. Le peuple afghan a été violenté ; beaucoup sont affamés et beaucoup se sont enfuis. Les femmes ne sont pas autorisées à aller à l'école. Vous pouvez être emprisonné parce que vous possédez une télévision. La religion ne peut être pratiquée qu'à la façon édictée par ses dirigeants. Un homme peut être emprisonné en Afghanistan si sa barbe n'est pas assez longue.

Les États-Unis respectent le peuple afghan. Après tout, nous sommes actuellement sa plus grande source d'aide humanitaire ; mais nous condamnons le régime des talibans. Il ne fait pas que mener la répression sur son propre peuple, il menace aussi les hommes partout dans le monde en aidant, en protégeant et en approvisionnant les terroristes. En soutenant et en encourageant le crime, le régime des talibans commet le crime.

Et ce soir, les États-Unis d'Amérique formulent les requêtes suivantes aux talibans. Livrez aux autorités des États-Unis tous les chefs d'al-Qaida qui se cachent dans votre pays. Relâchez tous les ressortissants, y compris les citoyens américains, que vous avez injustement emprisonnés. Protégez les journalistes étrangers, les diplomates et les personnes en mission humanitaire dans votre pays. Fermez immédiatement et définitivement chaque camp d'entraînement terroriste en Afghanistan, et livrez chaque terroriste et chaque personne qui l'entoure aux autorités compétentes. Donnez aux États-Unis le libre accès aux camps d'entraînement terroristes jusqu'à ce que nous soyons sûrs qu'ils ne sont plus en fonction. Ces requêtes ne sont pas à négocier ou à discuter. Les talibans doivent agir, et agir immédiatement. Ils doivent livrer les terroristes, ou ils partageront leur destin.

Je veux également m'adresser ce soir directement aux musulmans du monde entier. Nous respectons votre religion. Elle est pratiquée librement par plusieurs millions d'Américains, et par des millions d'autres dans des pays que l'Amérique compte comme amis. Ses enseignements sont bons et pacifistes, et ceux qui commettent le mal au nom d'Allah salissent le nom de ce dernier. Les terroristes sont les traîtres de leur propre religion, tentant, en fait, de détourner l'islam lui-même. Les ennemis de l'Amérique ne sont pas nos nombreux amis musulmans ; ils ne sont pas nos nombreux amis arabes. Nos ennemis sont un réseau radical de terroristes et chaque gouvernement qui le soutient. Notre guerre sur le terrorisme commence avec al-Qaida, mais elle ne s'arrêtera pas là. Elle ne se terminera que lorsque chaque groupe terroriste de large portée aura été découvert, arrêté et vaincu. [...]

Nous demandons à chaque pays de nous rejoindre. Nous demandons, et nous avons besoin de l'aide des forces policières, des services de renseignements et des systèmes bancaires à travers le monde. Les États-Unis sont reconnaissants que de nombreux pays et de nombreuses organisations internationales aient déjà répondu positivement – avec sympathie et avec soutien. Des pays d'Amérique latine, d'Asie, d'Afrique, d'Europe, du monde musulman. La Charte des Nations unies résume peut-être le mieux l'attitude du monde : une attaque sur un est une attaque sur tous. Les pays du monde civilisé se rallient au camp américain. Ils comprennent que si la terreur reste impunie, leurs propres villes et leurs propres habitants peuvent en être les prochaines victimes. La terreur impunie n'amène pas seulement la destruction des bâtiments, elle peut également menacer la stabilité de gouvernements légitimes. Nous ne sommes pas prêts à accepter cela.

Traduction de Kevin LABIAUSSE

Dominique de Villepin

« Discours au Conseil de sécurité de l'ONU »

14 février 2003

Dominique de Villepin (1953) adhère au Rassemblement pour la République à l'issue de ses études à l'ENA. En 1980, il entame une carrière de diplomate en exerçant différentes fonctions au sein de plusieurs ambassades de France. En 2002, il est nommé ministre des Affaires étrangères dans le gouvernement de Jean-Pierre Raffarin. En 2005, il est nommé Premier ministre, une fonction qu'il quitte deux ans plus tard, à la veille de la passation de pouvoir entre Jacques Chirac et Nicolas Sarkozy.

Le 14 février 2003, en plein cœur de la crise irakienne, le chef des inspecteurs des Nations unies, Hans Blix, présente au Conseil de sécurité un rapport démontrant qu'aucune preuve d'activité nucléaire et de possession d'armes interdites n'a été observée en Irak. Alors que les États-Unis continuent de soupçonner Bagdad de tricher et envisagent un recours à la force, Dominique de Villepin prononce un plaidoyer pour désarmer l'Irak sans conflit et marque la détermination de la France à demander la poursuite renforcée des inspections.

Nous partageons tous une même priorité, celle de combattre sans merci le terrorisme. Ce combat exige une détermination totale. C'est, depuis la tragédie du 11 septembre, l'une de nos responsabilités premières devant nos peuples. Et la France, qui a été durement touchée à plusieurs reprises par ce terrible fléau, est entièrement mobilisée dans cette lutte qui nous concerne tous et que nous devons mener ensemble. C'est le sens de la réunion du Conseil de sécurité qui s'est tenue le 20 janvier, à l'initiative de la France.

Il y a dix jours, le Secrétaire d'État américain, M. Powell, a évoqué des liens supposés entre al-Qaida et le régime de Bagdad. En l'état actuel de nos informations et recherches menées en liaison avec nos alliés, rien ne nous permet d'établir de tels liens. En revanche, nous devons prendre la mesure de l'impact qu'aurait sur ce plan une action militaire contestée actuellement. Une telle intervention ne risquerait-elle pas d'aggraver les fractures entre les sociétés, entre les cultures, entre les peuples, fractures dont se nourrit le terrorisme ?

La France l'a toujours dit : nous n'excluons pas la possibilité qu'un jour il faille recourir à la force, si les rapports des inspecteurs concluaient à l'impossibilité pour les inspections de se poursuivre. Le Conseil devrait alors se prononcer et ses membres auraient à prendre toutes leurs responsabilités. Et, dans une telle hypothèse, je veux rappeler ici les questions que j'avais soulignées lors de notre dernier débat le 4 février et auxquelles nous devrons bien répondre :

En quoi la nature et l'ampleur de la menace justifient-elles le recours immédiat à la force ?

Comment faire en sorte que les risques considérables d'une telle intervention puissent être réellement maîtrisés ?

En tout état de cause, dans une telle éventualité, c'est bien l'unité de la communauté internationale qui serait la garantie de son efficacité. De même, ce sont bien les Nations unies qui resteront demain, quoi qu'il arrive, au cœur de la paix à construire.

Monsieur le Président, à ceux qui se demandent avec angoisse quand et comment nous allons céder à la guerre, je voudrais dire que rien, à aucun moment, au sein de ce Conseil de sécurité, ne sera le fait de la précipitation, de l'incompréhension, de la suspicion ou de la peur.

Dans ce temple des Nations unies, nous sommes les gardiens d'un idéal, nous sommes les gardiens d'une conscience. La lourde responsabilité et l'immense honneur qui sont les nôtres doivent nous conduire à donner la priorité au désarmement dans la paix.

Et c'est un vieux pays, la France, un vieux continent comme le mien, l'Europe, qui vous le dit aujourd'hui, qui a connu les guerres, l'occupation, la barbarie. Un pays qui n'oublie pas et qui sait tout ce qu'il doit aux combattants de la liberté venus d'Amérique et d'ailleurs. Et qui pourtant n'a cessé de se tenir debout face à l'Histoire et devant les hommes. Fidèle à ses valeurs, il veut agir résolument avec tous les membres de la communauté internationale. Il croit en notre capacité à construire ensemble un monde meilleur.

Bibliographie
Sites Internet

CABARROT (Olivier), *Ces grands discours qui ont fait le siècle,* Paris, Anne Carrière, 2000.

Les grands discours parlementaires de la Révolution : de Mirabeau à Robespierre, 1789-1795, textes présentés par Guy Chaussinand-Nogaret, Armand Colin, 2005.

American speeches: political oratory from Abraham Lincoln to Bill Clinton, The Library of America, 2006.

www.americanrhetoric.com : site des grands discours américains.
www.nato.int : site de l'OTAN.
www.yale.edu : site de l'université de Yale.
www.nobelprize.org : site des prix Nobel.
www.whitehouse.gov : site de la Maison-Blanche.
www.domino.un.org/unispal.nsf : site du Système d'information des Nations unies sur la question de la Palestine.
www.charles-de-gaulle.org : site de la Fondation Charles de Gaulle.
www.doc.diplomatie.gouv.fr : site des déclarations françaises de politique étrangère mis en ligne par le ministère des Affaires étrangères.

CINQUIÈME PARTIE
Le XXe siècle est un jeu

par Yves Billard

La collection *est un jeu* est dirigée par Pierre Jaskarzec

Introduction

Tout le XXe siècle en moins de cent pages...

Deux guerres mondiales, la Belle Époque, les Années folles, les Trente Glorieuses et la « guerre froide », réduites à une centaine de questions ! On saluera la gageure ou l'on criera au scandale. Mais ceci n'est qu'un jeu et les jeux les plus longs ne sont pas toujours les plus intéressants.

Tout jeu a néanmoins ses règles. À travers le cheminement des questions, on a veillé à présenter les temps forts du siècle dernier et ses événements les plus marquants selon une chronologie exacte.

Chacun des douze chapitres permet de cerner le caractère particulier d'un « moment » de l'histoire, d'une décennie particulière (les Années folles correspondent aux années 1920), d'une période plus brève mais intense (1914-1918, 1939-1945) ou d'une ère d'évolution un peu plus longue (l'expansion économique de 1945 à 1973, les Trente Glorieuses, ou la « guerre froide » de 1947 à 1989).

La variété des questions permet d'explorer chacun de ces temps forts à travers des aspects parfois peu (ou mal) connus du grand public. Les questions ne doivent pas être trop faciles... Toutefois on a pris soin de mettre en avant les grands acteurs du siècle (Clemenceau, Roosevelt, Churchill, de Gaulle, Kennedy, ou Gorbatchev) et de ne pas omettre les événements les plus marquants, ceux qui « font date » parce qu'ils sont un tournant de l'Histoire : l'attentat de Sarajevo, le traité de Versailles, le krach de 1929, le débarquement en Normandie, le choc pétrolier ou la chute du mur de Berlin.

Aucun aspect majeur du siècle écoulé n'est complètement passé sous silence, ni les guerres, ni les crises, ni la mise en œuvre des politiques criminelles des régimes totalitaires qui ont marqué le XXe siècle, ce siècle tragique entre tous.

Le caractère ludique de ce livre a toutefois des limites : ni Auschwitz ni Hiroshima ne se prêtent au jeu.

Aussi a-t-on privilégié dans le choix des questions des aspects plus légers de ce siècle qui fut aussi celui de l'automobile et de l'aviation, celui du jazz et du rock, celui des Jeux olympiques et du cinéma, le siècle de l'émancipation féminine et d'une croissance économique globale sans précédent. Le siècle de Verdun et de la Shoah, de Staline, Hitler et Mao s'est d'ailleurs terminé par la victoire politique des démocraties sur les totalitarismes.

Ce livre est avant tout un jeu. Il veut distraire et faire passer un bon moment à ses lecteurs. Mais si, tout en répondant aux questions, ils rafraîchissent leurs connaissances scolaires ou, même, approfondissent leur connaissance du XXe siècle, nous estimerons avoir accompli notre mission.

Pour ceux qui veulent en savoir plus, beaucoup plus, voici quelques ouvrages de synthèse, parmi les plus récents :

Introduction au XXe siècle, de Mathias Bernard, deux tomes (1914-1945 et 1945-2000), éditions Belin, collection « Atouts Histoire », 2003 et 2004.

Le Monde de 1914 à 1945, d'Yves Billard, éditions Ellipses, collection « Le Monde, une histoire », 2006… et l'ouvrage qui le complète dans la même collection :

L'ONU et la sécurité collective, de Jean-François Muracciole, éditions Ellipses, 2006.

Yves BILLARD

1
La Belle Époque

À l'aube du XXe siècle

C'est *a posteriori* et avec nostalgie qu'on a baptisé « Belle Époque » le début du XXe siècle. Sur le moment, ces années ne paraissaient pas si belles à ceux qui les vivaient. Mais en regard des troubles et des crises qui vont suivre, les quatorze premières années du siècle méritent bien leur surnom. C'est d'abord une période de forte croissance économique aux États-Unis comme en Europe. Un peu partout, la misère recule… Les progrès techniques spectaculaires de l'aviation ou de la chimie, la diffusion accrue des automobiles et des appareils électriques permettent à une majorité de croire fermement au progrès. Une telle foi dans l'avenir ne s'est pas retrouvée avant les années 1960, au moins.

1. Puisque la croissance en enrichit certains plus que d'autres, quel est donc l'homme le plus riche du monde en 1900 ?

❒ John Davison Rockefeller ❒ Andrew Carnegie
❒ John Pierpont Morgan ❒ Lord Nathan Rothschild

2. L'achèvement d'un grand chantier en 1904 change la géographie des transports dans le monde. Lequel ?

❒ le canal de Suez ❒ le canal de Panamá
❒ le Transsibérien ❒ le Northern Pacific

3. Libération de la femme : pour la première fois, en 1906, un grand couturier présente des robes « taille haute » qui permettent de ne pas porter de corset. Qui est-ce ?

❒ Gabrielle (dite « Coco ») Chanel

❒ Madeleine Vionnet ❒ Frédéric Worth
❒ Paul Poiret ❒ Colette

4. Révolution dans la vie quotidienne en 1911 ! Désormais on comptera les heures de 0 à 24 et plus de 0 à 12 « du matin » et « de l'après-midi ». Mais quelle est l'origine de cette pratique ?

a. un décret du ministre français Augagneur pour les horaires de chemin de fer
b. une habitude prise à bord des navires de la *Peninsular and Oriental* qui subissaient d'importants décalages horaires entre l'Angleterre et l'Extrême-Orient
c. le lancement de la nouvelle montre à double cadran de *Patek Philippe*
d. l'instauration des trois-huit dans les usines *Ford* à Detroit

5. Le 14 avril 1912, peu avant minuit, le paquebot *Titanic* entre en collision avec un iceberg et fait naufrage, lors de son premier voyage. Reconstituez son itinéraire en plaçant comme il convient les noms de ces quatre ports : Liverpool – New York – Southampton – Belfast.

Construit aux chantiers navals de............ pour la Compagnie *White Star* de............, il est parti de............ mais n'a jamais atteint............ car il a coulé avant.

6. En 1912-1913, les guerres balkaniques ensanglantent le Sud-Est de l'Europe. Tous les États de la région (Bulgarie, Grèce, Monténégro, Roumanie, Serbie et Empire ottoman) sont impliqués. La géographie politique des Balkans en est bouleversée. Un peu de géographie justement : pouvez-vous placer dans son pays chacune de ces capitales ?

a. Athènes :
b. Belgrade :
c. Bucarest :
d. Cetinje :
e. Constantinople :
f. Sofia :

7. Le 20 décembre 1912 à Londres, la « conférence des ambassadeurs » des six Puissances (Royaume-Uni, Allemagne, France, Autriche-Hongrie, Russie, Italie) décide de reconnaître un nouvel État indépendant en Europe. Lequel ?

❒ la Norvège	❒ l'Irlande
❒ l'Albanie	❒ l'Islande

8. Tourné en 1913, le film *The Squaw Man* de Cecil B. De Mille n'est pas resté célèbre. Il est pourtant une « première » dans l'histoire du cinéma. Pourquoi ?

a. C'est le premier film de Cecil B. De Mille (auteur de 75 films dont *Les Dix Commandements*).
b. C'est le premier western.
c. C'est le premier film où l'on observe un « travelling ».
d. C'est le premier film tourné à Hollywood.

9. Le 23 septembre 1913, Roland Garros devient célèbre. Pourquoi ?

a. Il remporte l'Open de tennis de Paris en trois sets « blancs » (6-0, 6-0, 6-0).
b. Il a organisé les premiers Internationaux de tennis de Paris.
c. Il est le premier aviateur à traverser la Méditerranée.
d. Colonel d'un régiment de spahis, il est tué dans un engagement dans le Sud algérien.

10. En 1914, la majorité des États européens étaient encore des monarchies (le plus souvent parlementaires). Seuls la France, la Suisse et le Portugal étaient des républiques. Ailleurs rois, princes et empereurs, souvent liés par le sang, régnaient sous des noms apparemment interchangeables. Rendez à chacun son trône en traçant les bons liens :

Georges V	•	• Espagne
Guillaume II	•	• Russie
François-Joseph	•	• Autriche-Hongrie
Nicolas II	•	• Allemagne
Alphonse XIII	•	• Angleterre

Réponses

1. l'américain **Andrew Carnegie**.
Lorsqu'il se retire des affaires en janvier 1901, la vente de son groupe sidérurgique lui rapporte 225 639 000 dollars, somme d'autant plus fabuleuse qu'un dollar de 1900 a un pouvoir d'achat équivalent à 16 dollars de 1999. Rockefeller, le « roi du pétrole », et le banquier John Pierpont Morgan lui succèdent alors. En 1914, ils avaient largement dépassé le niveau de fortune de Carnegie. En revanche, malgré la richesse proverbiale attachée à leur nom, ni les Rothschild de Londres ni leurs cousins de Paris n'atteignent de tels niveaux.

2. le Transsibérien.
Cette ligne de chemin de fer, commencée en 1891, relie Moscou à Vladivostok sur l'océan Pacifique. Le Transsibérien a permis de mieux mettre en valeur la Sibérie. Il devait aussi permettre de renforcer l'influence russe en Chine mais, en 1905, la défaite militaire russe face au Japon a limité le rayonnement russe au nord de l'Asie. Le canal de Suez a été inauguré en 1869 ; le chemin de fer de Chicago à Seattle (Northern Pacific) fonctionne depuis 1883, tandis que le canal de Panamá n'a été inauguré qu'en août 1914.

3. Paul Poiret.
Avant de fonder sa propre maison en 1903, il avait d'ailleurs travaillé chez Worth. Les jeunes Gabrielle Chanel et Madeleine Vionnet ont commencé un peu plus tard (en 1909 et 1912) et connu la gloire dans les années 1920, époque de la faillite de la maison Poiret. L'écrivain Colette ne travaillait pas dans la haute couture mais elle était cliente (et amie) de Poiret.

4. a. un décret du ministre français Augagneur pour les horaires de chemin de fer.
Le ministre des transports Victor Augagneur impose cette nouvelle manière de dire l'heure aux compagnies de chemins de fer françaises pour éviter les confusions entre matin et soir. Il a fallu des décennies pour que cet usage se répande.

5. Construit aux chantiers navals de **Belfast** pour la Compagnie *White Star* de **Liverpool**, il est parti de **Southampton** mais n'a jamais atteint **New York** car il a coulé avant.
Ce navire était le plus grand et le plus beau paquebot de l'époque. Les chantiers de Belfast l'avaient doté de seize compartiments étanches qui devaient le rendre insubmersible. Il était la fierté de la *White Star*. Son naufrage, au large de Terre-Neuve, a causé la mort de 1 513 passagers et il n'y a eu que 711 rescapés. Le retentissement de la catastrophe fut énorme.

6. a. Athènes : **Grèce**. **b**. Belgrade : **Serbie**. **c**. Bucarest : **Roumanie**. **d**. Cetinje : **Monténégro**. **e**. Constantinople (aujourd'hui Istanbul) : **Empire ottoman**. **f**. Sofia : Bulgarie.
La première guerre (d'octobre 1912) a permis aux petits États de la ligue balkanique (Bulgarie, Grèce, Monténégro et Serbie) de chasser presque complètement les Ottomans d'Europe. Mais lors de la seconde guerre (de juin à octobre 1913), l'empire, allié à ses anciens adversaires et à la Roumanie contre la Bulgarie, a regagné un petit territoire dans les Balkans : l'actuelle « Turquie d'Europe ».

7. l'Albanie, dont l'indépendance est une conséquence de la défaite de l'Empire ottoman dans la première guerre balkanique. Les Puissances ont refusé le partage de cette ancienne province ottomane entre Serbie, Grèce et Monténégro et ont préféré voir émerger un nouvel État souverain dans la région. Plus que jamais, l'expression « balkanisation » désigne la division d'une région en une multitude de petits États.
La Norvège est indépendante (de la Suède) depuis 1904. L'Irlande n'a obtenu en 1912 que l'autonomie (*Home Rule*) au sein du Royaume-Uni de Grande-Bretagne et d'Irlande et n'a accédé à l'indépendance (sauf le Nord-Est de l'île) qu'en 1921, la même année que l'Islande (jusqu'alors sous tutelle danoise).

8. Les affirmations **a.** et d. sont exactes.
Jusqu'alors acteur de théâtre à New York, Cecil Blount De Mille a d'abord cherché un site dans l'Arizona pour tourner son premier film mais il s'est rabattu sur Hollywood, un paisible faubourg (4 000 habitants au recensement de 1910) de Los Angeles où la société Nestor avait installé un pre-

mier studio (dans Sunset Boulevard, selon la légende) dès 1911. Le premier western est nettement antérieur, c'est *The Great Train Robbery* (*L'Attaque du Grand Rapide*), d'Edwin S. Porter, tourné en 1903 mais sur la côte Est. C'est à partir de 1908 qu'on s'est mis à tourner des films en Californie du Sud. Le premier « travelling », (mouvement de la caméra guidé par un rail, un chariot sur roue ou une grue) peut être vu dans *Cabiria*, le grand péplum italien de Giovanni Pastrone, tourné en 1914.

9. c. Il est le premier aviateur à traverser la Méditerranée.
L'aviateur Roland Garros est le premier à avoir traversé la Méditerranée, de Saint-Raphaël (dans le Var) à Bizerte (en Tunisie) en 7 h 53 min.

10.

2
La Grande Guerre

La guerre de 1914-1918

D'août 1914 à novembre 1918 l'Europe est en guerre. À partir de 1917, le monde entier est en guerre. Pour la première fois dans l'Histoire, la majorité des habitants de chacun des cinq continents est engagée dans une même guerre : la « Première Guerre mondiale ». Pendant ces quatre années le fracas des tirs d'artillerie au-dessus des tranchées paraît recouvrir toute autre activité humaine. On a pourtant continué à vivre aussi normalement que possible, malgré la mobilisation économique de « l'arrière » (tous les non-combattants) dans ce monde en guerre. Des progrès matériels diffusés dans les années 1920 sont d'ailleurs nés du conflit mondial : la radio et l'aviation commerciale, par exemple.

1. L'assassinat à Sarajevo de l'archiduc François-Ferdinand (héritier des trônes d'Autriche et de Hongrie) par un étudiant nationaliste serbe le 28 juin 1914 est à l'origine du déclenchement du conflit. Voici quatre affirmations relatives à l'attentat.
Lesquelles sont vraies ?

a. François-Ferdinand avait maladroitement choisi le jour de la fête nationale serbe pour cette visite à Sarajevo (en Bosnie-Herzégovine, province autrichienne majoritairement peuplée de Serbes ou de Croates).
❒ vrai ❒ faux

b. Le pistolet utilisé par l'assassin a permis d'établir un lien avec les services secrets serbes.
❒ vrai ❒ faux

c. L'assassin a agi de sa seule initiative après l'échec, deux heures plus tôt, d'un premier attentat à la bombe.
❒ vrai ❒ faux

d. François-Ferdinand et son épouse ont été abattus dans leur voiture immobilisée boulevard François-Joseph (du nom de l'empereur régnant).
❒ vrai ❒ faux

2. L'armée allemande ayant violé la neutralité belge le 3 août, le Royaume-Uni entre en guerre deux jours plus tard. En 1915 l'Italie et la Bulgarie entrent à leur tour en lice, suivies par d'autres en 1916 et 1917. Finalement, en novembre 1917, la majorité des États européens participe à la guerre. Parmi ces cinq pays, lesquels sont restés en dehors du conflit ?

❒ Espagne ❒ Portugal
❒ Pays-Bas ❒ Roumanie ❒ Grèce

3. Jusqu'en 1916, l'armée britannique ne compte que des volontaires, le service militaire n'existant pas au Royaume-Uni. Pour inciter les jeunes hommes à s'engager, une affiche est placardée partout. Elle représente :

a. des soldats britanniques encerclés attendant désespérément des renforts
b. un billet de 100 £, somme promise aux engagés volontaires
c. des paysages bucoliques du Nord-Est de la France, théâtre des combats
d. le général Kitchener pointant un doigt déterminé vers celui qui regarde l'affiche. « *The country needs* YOU » (« le pays a besoin de VOUS ») peut-on lire en surimpression.

4. Chronologie des batailles. Il ne s'agit pas de connaître par cœur les dates de chacun de ces affrontements ayant eu lieu sur le sol français mais de les classer dans l'ordre. Exercez votre logique en tenant compte du résultat du combat.

☐	Chemin des Dames (pertes record pour l'armée française sans aucun gain de terrain)
☐	bataille des Frontières (défaite et retraite de l'armée française)
☐	Verdun (le front résiste à l'offensive allemande ; pertes équivalentes des deux côtés)
☐	offensive Ludendorff « de la dernière chance » (succès allemand limité)

☐ bataille de la Marne (sursaut et victoire de l'armée française)
☐ la Somme (premier engagement massif – désastreux – de l'armée britannique)

5. Ces deux généraux étaient déjà âgés quand la guerre a commencé. Tous deux seront faits « maréchal ». Ils deviendront tous les deux chefs de l'État. L'allemand s'est illustré dès l'été 1914 aux batailles de Tannenberg et des lacs Mazures contre l'armée russe. La célébrité de l'autre est associée à son rôle dans la bataille de Verdun. L'un et l'autre ont été chefs de l'état-major. Qui sont-ils ?

6. Le 29 mars 1918 l'église Saint-Gervais à Paris est détruite par un obus allemand. Il y a 88 morts. Quelle arme terrible ont donc utilisée les Allemands qui sont à près de 100 kilomètres de Paris ?

❒ la « grosse Bertha » ❒ le canon « Max le long »
❒ le 75 de Schneider ❒ le 77 de Škoda

7. Qu'appelle-t-on « munitionnettes » ?
a. les femmes employées dans les usines de munitions
b. de petites usines de munitions implantées au plus près du front
c. les wagons spécialement utilisés pour transporter des munitions
d. les rémunérations perçues par les marchands d'armes

8. Les États-Unis en guerre ! En avril 1917, le président des États-Unis fait voter la déclaration de guerre. Quel est le nom de ce président ?

❒ Franklin Roosevelt ❒ Theodore Roosevelt
❒ Woodrow Wilson ❒ William Taft

9. Les centaines de milliers de soldats américains qui déferlent en Europe en 1917-1918 aident à la diffusion d'une nouvelle musique. Pratiquée depuis la fin du XIXe siècle à la Nouvelle-Orléans, elle ne fait l'objet d'un premier enregistrement que le 26 février 1917 à New York. Sous quelle dénomination ?

❒ jazz ❒ jass
❒ ragtime ❒ swing ❒ bebop

10. Le 11 novembre 1918, la signature de l'armistice met fin aux combats entre l'armée allemande et ses vainqueurs. Qui compose la délégation allemande ?

a. l'empereur Guillaume II en personne, entouré de ses proches
b. le chancelier Max de Bade, assisté de plusieurs ministres de son gouvernement
c. le général en chef Ludendorff et d'autres officiers de l'état-major
d. une délégation d'opposants à la poursuite de la guerre conduite par Matthias Erzberger

Réponses

1. a. vrai, b. vrai, c. vrai, d. vrai.
Tout est vrai. Le 28 juin, qui commémore la bataille de Kossovo en 1389 est la fête nationale serbe. Le chef des services secrets serbes, le colonel Dimitrijevic, connaissait le projet de la *Main noire* (organisation terroriste pro serbe) qui a exécuté le premier attentat, à la bombe, qui a épargné François-Ferdinand. Ce dernier allait à l'hôpital, visiter les blessés, quand sa voiture s'est immobilisée boulevard François-Joseph. Gavrilo Prinzip a saisi l'occasion pour tirer avec un pistolet dont le numéro de série correspondait à un lot livré à l'armée serbe.
Ce lien avec les services serbes établi pendant l'enquête, l'Autriche-Hongrie lance un ultimatum à la Serbie le 23 juillet. Son rejet entraîne l'entrée en guerre de l'Autriche-Hongrie contre la Serbie le 28 juillet 1914. Dans les jours qui suivent la Russie et la France (alliées de la Serbie) entrent en guerre contre l'Autriche-Hongrie et l'Allemagne.

2. Espagne et **Pays-Bas**.
Ce sont les deux États européens les plus importants à être restés en dehors du conflit, avec la Suisse, la Suède, le Danemark et la Norvège. En revanche, la Roumanie (en 1916), le Portugal et la Grèce (en 1917) sont entrés en guerre du côté de l'Entente (France, Royaume-Uni, Russie, Italie, etc.) contre les Puissances centrales (Allemagne, Autriche-Hongrie, Empire ottoman, etc.). Finalement, quinze États sur vingt et un, rassemblant 91 % de la population du continent, ont été impliqués dans le premier conflit mondial.

3. le général Kitchener, héros des guerres coloniales et ministre de la guerre en 1914, est ainsi mobilisé. Plusieurs versions de l'affiche existent, toutes avec lord Kitchener dessiné de face. Celle-ci date de 1915.

4. Dès août 1914, la **bataille des Frontières** oblige l'armée française à se replier, tandis que sept armées allemandes progressent vers Paris. Mais, au début de septembre 1914, la **bataille de la Marne**, sursaut providentiel et contre-attaque audacieuse de l'armée française, repousse les Allemands vers le nord-est. Le front reste stable tout au long de 1915. De février à juillet 1916, une offensive allemande sur le saillant de **Verdun** est finalement repoussée. Les Britanniques sont désormais assez nombreux pour lancer une offensive dans **la Somme**, en juillet 1916. L'échec complet de l'offensive française au **Chemin des Dames**, en avril 1917, est le paroxysme de la guerre de tranchées : pertes énormes, progression tout à fait nulle du front. Les renforts américains commençant à affluer en 1918, l'**offensive Ludendorff** lancée par les Allemands, de mars à mai 1918, est pour eux celle de la dernière chance. Elle réussit d'abord mais s'essouffle rapidement. En juillet, les forces de l'Entente entament leur contre-offensive victorieuse.

5. Pétain et Hindenburg.
Colonel en 1914, Pétain est vite promu général. Il défend victorieusement Verdun tout en y gagnant la réputation d'un chef soucieux d'épargner la vie des soldats (à rebours des généraux français Joffre ou Nivelle...). Général en chef en 1917, il est ensuite élevé à la dignité de maréchal. Ministre en 1934 puis en avril 1940, il devient « chef de l'État français » en juillet 1940.
Général de réserve (il a déjà 67 ans) en 1914, Hindenburg est fait maréchal en novembre 1914 après ses succès sur le front Est. Chef de l'état-major en juillet 1916, il reste très populaire en Allemagne après la guerre, ce qui lui permet d'être élu président du Reich en 1925. Réélu en 1932 (devant Hitler) il meurt en 1934.

6. le canon « Max le long », dont le fût très allongé permet de tirer à 140 km de la cible. Les Parisiens ont longtemps cru avoir été bombardés par la « grosse Bertha », canon monstrueux de 175 tonnes dont les obus ont 32 cm de diamètre, mais sa portée n'est que de 14 km. Le 75 de Schneider est un canon précis mais d'une portée limitée à 8,5 km et de petit calibre (obus de 75 millimètres de diamètre), et surtout c'est un canon français. Le 77 de Škoda est un canon autrichien qui a des caractéristiques voisines.

7. a. les femmes employées dans les usines de munitions.
Dès le 7 août 1914, le chef du gouvernement français René Viviani a lancé un appel aux femmes : « Remplacez sur le champ du travail ceux qui sont sur le champ de bataille. »

La main-d'œuvre féminine augmente en même temps que se développe l'industrie de guerre et atteint un taux d'activité de 40 % en France, en Allemagne et en Grande-Bretagne en 1917.

8. Woodrow Wilson, président des États-Unis de 1913 à 1921.
En novembre 1916, Wilson avait pourtant été réélu en promettant que le pays resterait neutre. Mais à partir de janvier 1917, les sous-marins allemands coulent tous les navires, même battant pavillon neutre, qui ravitaillent la Grande-Bretagne. C'est pourquoi le 4 avril 1917, le président des États-Unis fait voter la déclaration de guerre.
Pour mémoire, Theodore Roosevelt a été président des États-Unis de 1901 à 1909, Taft de 1909 à 1913 et Franklin Roosevelt de 1933 à 1945.

9. jass.
Né à la Nouvelle-Orléans, le jazz s'est répandu dans les villes le long du Mississipi avant d'atteindre New York. L'orchestre enregistré en 1917 s'intitule *Original Dixieland Jass Band.* Faute de source antérieure (rappelons que le jazz est une musique improvisée et non écrite sur partitions), ce nom nous renseigne sur l'une des origines possibles du mot jazz: le verbe français (car on utilisait encore le français à la Nouvelle-Orléans) « jaser ». Mais on donne bien d'autres étymologies, fondées sur les multiples usages argotiques du mot jazz par les Noirs du Sud des États-Unis.

10. d. une délégation d'opposants à la poursuite de la guerre conduite par Matthias Erzberger.
L'état-major a démissionné en bloc le 26 octobre. La Révolution éclate en Allemagne le 3 novembre. Elle entraîne la démission du chancelier Max de Bade le 9 novembre. Guillaume II s'enfuit aux Pays-Bas le 10 après avoir abdiqué. L'envoi par le gouvernement provisoire à Rethondes, pour y signer l'armistice, d'une délégation si faiblement légitime a été exploité plus tard par les nationalistes (dont Hitler) qui ont parlé du « coup de poignard dans le dos » reçu par l'armée allemande.

3
Les bouleversements de l'après-guerre

1917-1923

Dès avant la fin de la Première Guerre mondiale, la Révolution russe annonce des bouleversements politiques majeurs dans le monde. La défaite des puissances centrales en 1918 débouche en Allemagne, en Hongrie et en Autriche sur des tentatives de révolution inspirées par le succès des bolcheviks en Russie. Toutes échoueront. Les traités de paix, signés en 1919-1921, consacrent la création de nouveaux États (Pologne, Tchécoslovaquie, Estonie, Lettonie, Lituanie). Certains pays changent de régime : c'est le cas de l'Italie, où le fasciste Mussolini arrive au pouvoir en octobre 1922. La vie sociale de tous les pays est troublée par les conséquences de la Grande Guerre. L'hyperinflation en Allemagne ou les grèves massives en Grande-Bretagne contribuent à rendre impossible ce « retour à la normale » promis par les républicains lors des élections de novembre 1920 aux États-Unis.

1. Révolution « de février 1917 ». Chassé par des émeutes à Petrograd (Saint-Pétersbourg), le tsar abdique. Le 12 mars (28 février selon le calendrier julien encore en vigueur en Russie), un gouvernement provisoire est formé. Qui le préside ?

- ❒ le prince Golitsyne
- ❒ le prince Lvov
- ❒ Alexandre Kerenski
- ❒ Lénine

2. « Révolution d'octobre » (en novembre 1917) en Russie. Les bolcheviks prennent le pouvoir. Dans la clandestinité depuis longtemps, les chefs bolcheviques portaient tous un surnom : ainsi « Lénine » car il avait été au bagne dans la région de la *Léna*. Mais quel était le vrai nom de Lénine ?

❒ Lev Davidovich Bronstein
❒ Jossif Vissarionovich Djougachvili
❒ Vladimir Illich Oulianov
❒ Lev Borissovich Rosenfeld

3. À la tête du gouvernement français depuis novembre 1917, Georges Clemenceau a conduit son pays à la victoire avec fermeté et détermination. En 1919, on l'appelle volontiers « le Père la Victoire » mais aussi parfois « le Tigre ». Pourquoi ?

a. Il a chassé le tigre, jadis, au Bengale.
b. À cause de la forme de ses moustaches.
c. À cause de sa volonté implacable face à l'adversité.
d. Le nom de jeune fille de son épouse est Mary Tiger, une Américaine épousée en 1869.

4. Bilan de la Première Guerre mondiale : les pertes humaines se comptent en millions. Cependant, un pays belligérant sort vainqueur du conflit sans avoir perdu un soldat. Quel est donc ce chanceux ?

Indice : il ne s'agit pas d'un petit État sous-peuplé ou d'un belligérant tardif, mais d'un empire fortement peuplé, entré en guerre dès août 1914.

5. Après sa défaite dans la Première Guerre mondiale, l'Allemagne est devenue une République. Ce régime est resté dans l'Histoire sous le nom de « République de Weimar ». D'où vient ce surnom ?

a. De Friedrich von Weimar, à la tête du gouvernement provisoire de novembre 1918 à juillet 1919.
b. La République a été proclamée dès le 9 novembre 1918 au château de Weimar, près de Berlin.
c. C'est un jeu de mots sur *Wein* (« vin ») et *Marke* (« marque »).
d. C'est la ville de Thuringe où a siégé l'Assemblée constituante de février à juillet 1919.

6. Par le traité de Versailles, signé le 28 juin 1919, le territoire allemand est amputé de 70 000 km². Désormais, la

Prusse orientale se retrouve coupée du reste de l'Allemagne par :

❒ Memel, « ville libre », annexée par la Lituanie en 1925
❒ le corridor de Danzig, « ville libre » administrée par la SDN
❒ les cantons d'Eupen et de Malmédy, attribués à la Belgique
❒ la Sarre, région administrée par la SDN
❒ l'Alsace-Lorraine, rendue à la France

7. La Société des Nations (SDN) doit, par l'arbitrage international, résoudre les litiges entre États et, ainsi, prévenir les guerres. En dehors de son assemblée générale annuelle, un Conseil de quatorze pays membres tient ce rôle. Cinq puissances y ont un siège permanent. En voici la liste, mais elle comporte un intrus que vous devez rayer.

France – Royaume-Uni – États-Unis – Italie – Japon

8. Nommé à la tête du gouvernement italien le 29 octobre 1922, Benito Mussolini était le fondateur, en 1919, des *Fasci italiani di combattimento* (« Faisceaux italiens de combat ») devenus en 1921 Parti national fasciste. Mais dans quel parti politique Mussolini avait-il fait toute sa carrière jusqu'en 1915 ?

❒ le Parti radical ❒ le Parti socialiste
❒ le Parti communiste ❒ le Parti libéral

9. Un roman paru en 1923 fait scandale. La liaison adultère d'une femme, dont le mari est soldat dans la guerre mondiale, avec un jeune homme de seize ans, suscite la colère des anciens combattants qui s'estiment « insultés ». Le titre de ce roman à succès est :

❒ *À l'ombre des Jeunes filles en fleurs*
❒ *Le Feu*
❒ *Le Diable au corps*
❒ *La Peau*

10. Hyperinflation en Allemagne. La guerre mondiale avait déjà entraîné une flambée des prix. L'impossible rééquilibrage des finances publiques après guerre a provoqué une accélération de l'inflation. Un paquet de cigarettes valait environ 0,20 mark en 1914. Il coûte 1,5 mark en 1919,

4,5 marks en 1921 et... 420 marks fin 1922. Combien en novembre 1923 ?

❐ 2 000 marks ❐ 20 000 marks
❐ 200 000 marks ❐ 2 millions de marks
❐ 2 milliards de marks ❐ 200 milliards de marks

Réponses

1. le prince Lvov.
Chef de file de l'opposition libérale, il est porté à la tête du gouvernement provisoire par la Douma (le Parlement). Lvov succède donc à Golitsyne, le dernier président du Conseil nommé en 1916 par le tsar Nicolas II. Après accord avec le soviet (assemblée) des ouvriers et des soldats de Petrograd, le 18 mai, le gouvernement Lvov s'élargit à de nouveaux ministres dont le socialiste Kerenski qui succède à Lvov à la tête du gouvernement provisoire, le 6 août. Il est renversé par le coup de force bolchevique (« Révolution d'octobre ») le 7 novembre. Lénine devient alors le président du Conseil des commissaires du peuple.

2. Vladimir Illich Oulianov.
Djougachvili (nom géorgien) est le véritable nom de Staline, de *stal*, « acier » en russe. Bronstein est le vrai nom de Trotski, et Rosenfeld celui de Kamenev.

3. b. À cause de la forme de ses moustaches.
Tout simplement ! Il avait déjà ce surnom bien avant la guerre. La réponse c. n'est pas complètement fausse pour autant. En revanche, son ancienne épouse s'appelait Mary Plummer et chasser le tigre en Inde était assez rare pour un homme d'État avant 1914 (ce fut toutefois le cas de l'archiduc François-Ferdinand, la victime de l'attentat de Sarajevo).

4. Le Japon.
Il n'a déclaré la guerre à l'Allemagne dès le 15 août 1914 que pour s'emparer des îles allemandes du Pacifique et prendre position dans les comptoirs allemands sur la côte orientale de la Chine. Comme les forces allemandes étant mobilisées en Europe, les Japonais sont parvenus à leurs fins pratiquement sans coup férir.
Les autres belligérants n'ont pas eu cette chance. La guerre a fait 9 millions de morts, en s'en tenant aux morts de la guerre internationale. Si l'on ajoute la guerre civile russe (3 millions de morts) et les « guerres de succession » (entre Grèce et Turquie ou entre Pologne et Russie soviétique, par exemple) jusqu'en 1923, on atteint 14 millions de morts. Les États les plus touchés sont l'Allemagne (1,8 million de

morts), la Russie (1,7 million avant l'armistice séparé de décembre 1917), la France (1 425 000 morts), l'Italie et le Royaume-Uni (750 000 chacun).
Il faudrait aussi comptabiliser les millions de morts de la grippe espagnole de 1918 qui n'aurait pas fait tant de ravages dans une Europe en paix et donc bien nourrie.

5. C'est la ville de Thuringe où a siégé l'Assemblée constituante de février à juillet 1919.
Ville de culture où Goethe et Schiller vécurent, elle offrait un cadre autrement moins agité que Berlin, Munich ou Hambourg en janvier 1919. Toutefois la capitale de l'Allemagne est restée Berlin.

6. le corridor de Danzig, « ville libre » administrée par la SDN
La Prusse orientale est tout à fait à l'est de l'Allemagne et donc bien éloignée de la France, de la Belgique ou de la Sarre. Memel (Klaïpeda en lituanien) est au nord-est de la Prusse orientale. En revanche, le port de Danzig (Gdansk en polonais) isole le territoire de l'ancien duché de Prusse (berceau du futur Reich allemand) du reste de l'Allemagne. La revendication de Danzig par Hitler en 1939 est la cause la plus directe de la Seconde Guerre mondiale.

7. Il fallait rayer les **États-Unis**.
Le Sénat des États-Unis ayant refusé de ratifier le traité de Versailles en 1920, les États-Unis ne sont jamais entrés à la SDN dont l'idée revient pourtant au président américain Wilson. Le Parti républicain, majoritaire au Congrès depuis les élections de novembre 1918, entendait revenir à la politique étrangère *isolationniste* définie jadis par George Washington. En siégeant à la SDN, les États-Unis se seraient davantage impliqués dans les affaires internationales. Voter contre le traité de Versailles (dans lequel le pacte fondateur de la SDN est une annexe : « le Covenant ») permettait de refuser ce rôle mondial voulu pour les États-Unis par Wilson.
La Chine a remplacé les États-Unis au Conseil permanent de l'organisation internationale.

8. le Parti socialiste.
Il y était notamment le rédacteur en chef de son journal *Avanti*. Il l'a quitté en 1915 car il était partisan de l'entrée en

guerre de l'Italie au contraire de la majorité des socialistes. Cette origine explique la double nature initiale du fascisme : socialiste *et* nationaliste. En Allemagne, à la même époque, certains fondent d'ailleurs un parti « national-socialiste », qui n'est pas sans analogies avec le fascisme italien.
En revanche, les partis radical et libéral, tous deux des partis de gouvernement jusqu'en 1922, n'auraient pu séduire cet agitateur au tempérament excessif qu'était Mussolini avant 1914. Quant au Parti communiste italien, il n'a été fondé qu'en janvier 1921, après scission du Parti socialiste, tout comme son équivalent français, au congrès de Tours, un mois auparavant.

9. *Le Diable au corps*.
Le scandale est d'autant plus grand que l'auteur, Raymond Radiguet, avait lui-même dix-huit ans quand il entreprit la rédaction de son roman. *À l'ombre des jeunes filles en fleurs,* de Marcel Proust, s'il a obtenu le prix Goncourt 1919, évoque un monde bien antérieur à la Grande Guerre. Tandis que si *Le Feu*, d'Henri Barbusse, décrit les souffrances des soldats de la Première Guerre mondiale (l'ouvrage parut pendant la guerre même) ; il n'y est pas question d'amours adultérines. Quant à *La Peau* de Curzio Malaparte, son action se situe pendant la Seconde Guerre mondiale.

10. 200 milliards de marks.
Mais à vrai dire, depuis septembre 1923, plus aucun commerçant n'accepte les marks. Au début de l'année on devait prendre une valise (bientôt une brouette !) de billets pour faire ses courses et les salaires étaient payés deux fois par jour pour pallier la hausse des prix pendant la journée. On a dû ensuite réimprimer les billets pour y faire figurer leur nouvelle valeur (ainsi le billet de 10 marks portait-il la mention 10 millions de marks en surimpression). À la fin de l'été, et jusqu'à l'introduction d'un nouveau mark le 15 novembre, on en est réduit à payer en nature et à faire du troc.

4
Les Années folles

Les années 1920

Le lion rugissant de l'avant-générique des films de la MGM (*Metro Goldwyn Mayer*) a fait surnommer cette époque d'après-guerre *The Roaring Twenties* (« les rugissantes années 1920 ») aux États-Unis. En France on les a appelées les « Années folles » et dans de nombreux pays les *Golden Twenties*. Ce sont d'abord des années de paix, d'une paix qu'on peut alors croire durable, notamment grâce à la réconciliation franco-allemande. Ce sont surtout des années de prospérité. La croissance économique efface peu à peu les souvenirs de souffrance et de pénurie de la Grande Guerre et la période d'instabilité qui a suivi. On reste loin cependant de la sérénité et des certitudes de la Belle Époque. Technologies nouvelles, idées inédites, modes et comportements en rupture avec le passé... on vit plus vite, plus fort, comme dans la course en avant d'une Humanité un peu « folle ».

1. Une négociation (de décembre 1923 à avril 1924) entre l'Allemagne et ses vainqueurs de la Grande Guerre aboutit à la signature du plan Dawes. Voici cinq affirmations relatives à cet accord. Une seule est fausse, rayez-la.

- **a.** Le plan Dawes diminue le montant *total* des « réparations » (indemnités) dues par l'Allemagne.
- **b.** Le plan Dawes diminue le montant *annuel* des « réparations », sans en changer le montant *total*.
- **c.** Le plan Dawes a permis à l'Allemagne de retrouver la stabilité des prix et de la monnaie.
- **d.** Les vainqueurs de l'Allemagne ne sont pas lésés par l'application du plan Dawes.

e. Le plan Dawes est rendu possible par un important effort financier des États-Unis.

2. Le 31 janvier 1924, dix jours après la mort de Lénine, est promulguée la première Constitution de « l'URSS ». Que signifient ces célèbres initiales ?

❒ Union russe socialiste soviétique
❒ Union républicaine, socialiste et soviétique
❒ Union des républiques socialistes soviétiques
❒ Union de la république sociale et soviétique

3. Lors de la conférence de Locarno, en octobre 1925, l'Allemagne reconnaît volontairement les frontières occidentales que le traité de Versailles lui avait imposées. Le traité de Locarno paraît garantir la paix en Europe de l'Ouest pour longtemps. Cinq États étaient représentés. Rendez son chef à chaque délégation en traçant les bons liens.

Italie • • Aristide Briand
France • • Benito Mussolini
Belgique • • Émile Vandervelde
Allemagne • • Austen Chamberlain
Royaume-Uni • • Gustav Stresemann

4. Dans les années 1920 le cinéma est devenu le premier loisir dans le monde. Cet essor a transformé les acteurs en « stars » adulées des foules du monde entier. À vous de faire le *casting* : distribuez le bon rôle à chacune de ces stars :

Rudolf Valentino • • *Le Voleur de Bagdad*
Douglas Fairbanks • • *Le Fils du cheik*
Charlie Chaplin • • *Rosita*
Mary Pickford • • *Charlot et le masque de fer*

5. Dans la seconde moitié des années 1920, les nouveaux gratte-ciel édifiés à New York ou Chicago témoignent d'un nouveau style architectural, caractérisé par un retour à des formes plus géométriques et aux surfaces planes moins ornementées. Quel nom donne-t-on à ce mouvement artistique illustré aussi par l'ébénisterie, la sculpture, l'orfèvrerie ou la mode ?

❒ l'Art nouveau ❒ l'Art déco
❒ le cubisme ❒ le Modern style

6. En 1926, près d'un tiers des Parisiennes ont adopté la coiffure « à la garçonne ». Cette coupe de cheveux, assez courte, est alors portée dans le monde entier par les jeunes femmes « modernes ». Même à Tokyo où l'on appelle *moga* (d'après les mots anglais *modern girl*) les adeptes de cette mode. D'où provient cette expression de « garçonne » ?

a. Ces jeunes femmes ont vraiment des têtes de garçon manqué. Tout simplement !
b. Du roman de Victor Margueritte, *La Garçonne*, paru en 1922.
c. C'est le surnom donné aux militantes du FHAR (Front homosexuel d'action révolutionnaire).
d. Cette mode capillaire a été lancée par l'épouse de Maurice Garçon, célèbre avocat parisien.

7. Quelle est la voiture la plus produite dans les années 1920 ?

❒ la Ford T ❒ la Volkswagen « Coccinelle »
❒ la Citroën « Trèfle » ❒ la Bugatti « Royale »

8. La prospérité économique des années 1920 s'étend à tous les continents, même à l'Afrique. Le creusement d'un port en eau profonde permet le décollage économique d'un pays entier. De quel port s'agit-il ?

❒ Valparaiso ❒ Singapour ❒ Aden ❒ Bombay
❒ Abidjan ❒ Manille ❒ Vancouver

9. En 1927, la firme AEG (*Allgemeine elektrizitäts gesellschaft*, « Société générale d'électricité ») met sur le marché un nouvel appareil de haute technologie. De quoi s'agit-il ?

❒ une télévision ❒ un magnétophone
❒ un phonographe ❒ un presse-purée électrique
❒ un ordinateur

10. Le 25 juin 1928, le franc français retrouve une parité fixe par rapport à l'or. Quel surnom a-t-on donné à ce nouveau franc ?

❒ le franc germinal ❒ le franc-or
❒ le franc-Poincaré ❒ le franc-parler
❒ le franc-comtois

11. Par la signature des accords du Latran, en février 1929, l'Italie règle un contentieux qui existait depuis la réalisation de l'Unité italienne. Avec quel État ?

❒ l'Autriche ❒ la France ❒ la Suisse
❒ la principauté de Monaco ❒ le Saint-Siège

Réponses

1. Il fallait rayer l'affirmation **a**.
Le plan Dawes étale sur un plus grand nombre d'années le paiement des réparations sans en changer le montant global. L'Allemagne, ayant moins à payer chaque année, peut donc reprendre ses versements. Les bénéficiaires de ces réparations (La France pour moitié, l'Italie, la Belgique, etc.) reçoivent à nouveau de l'argent régulièrement, ce qui n'était plus le cas depuis 1922. Ils peuvent donc à leur tour honorer leurs dettes auprès des États-Unis qui peuvent eux-mêmes plus facilement prêter à l'Allemagne qui..., etc. C'est le *triangle des réparations* entre Allemagne, France (et autres vainqueurs de la guerre) et États-Unis.
Le plan Dawes est la clé du retour à la prospérité et à la paix en Europe dans la seconde moitié des années 1920.

2. Union des républiques socialistes soviétiques.
Ce nom a été adopté le 30 décembre 1922. Le choix du pluriel indiquait que la future Constitution serait celle d'un État fédéral, d'une union de quatre (neuf dès 1929, quinze après 1945) « républiques socialistes soviétiques ». Les termes « socialiste » et « soviétique » indiquent par avance les choix fondamentaux du régime. La Constitution de 1924 n'est pas celle d'une démocratie pluraliste : le Parti communiste y est proclamé parti unique.

3.

Italie	**Benito Mussolini**
France	**Aristide Briand**
Belgique	**Émile Vandervelde**
Allemagne	**Gustav Stresemann**
Royaume-Uni	**Austen Chamberlain**

Ces chefs de délégation sont les ministres des Affaires étrangères de leur pays respectif. Mussolini fait exception car il est alors officiellement président du Conseil mais le *Duce* (du latin *ducere,* « conduire », le titre que se fait donner Mussolini) doit se mettre en avant lui-même pour chaque décision importante.
Par le traité de Locarno, l'Allemagne reconnaît volontairement la frontière à l'Ouest que le traité de Versailles lui avait

imposée. La conférence de Locarno marque le début de la réconciliation franco-allemande, indispensable à une paix durable en Europe. Elle se traduit en 1926 par l'entrée de l'Allemagne à la SDN, sous le parrainage de la France. En novembre 1926, Briand et Stresemann reçoivent conjointement le prix Nobel de la Paix.

4.

Rudolf Valentino	***Le Voleur de Bagdad*** (R. Walsh, 1924)
Douglas Fairbanks	***Le Fils du cheik*** (G. Fitzmaurice, 1926)
Charlie Chaplin	***Rosita*** (E. Lubitsch, 1923)
Mary Pickford	***Charlot et le masque de fer*** (C. Chaplin, 1921)

Deux données objectives aident à expliquer le phénomène de la « star ». Plus qu'aucun autre moyen d'expression auparavant, le cinéma est populaire: aux États-Unis, une pièce de dix cents (*a dime*) suffit alors pour s'offrir une place. D'autre part, le cinéma muet est par nature international: l'Américaine Louise Brooks tourne en Allemagne tandis que l'Italien Rodolfo di Valentino n'aurait pas pu tourner dans le cinéma parlant (à moins de se cantonner à des rôles de gangster sicilien...). Spécialiste des personnages de beau mâle brun au regard langoureux, Valentino était la star par excellence: sa mort prématurée le 15 août 1926 déclencha une vague d'hystérie collective dans le monde entier. Une douzaine de ses admiratrices se seraient même suicidées, mais il faudrait faire ici la part de la légende.

5. l'Art déco.

Le nom de ce nouveau mouvement artistique vient de l'*Exposition internationale des arts décoratifs et industriels modernes* tenue à Paris en 1925. Les meubles de Ruhlmann, les flacons de verre de Lalique, les bijoux de Puiforçat y témoignent du nouveau goût pour les volumes simples et les formes épurées. Les architectes américains Hood (l'American Radiator et la Tribune Tower), Van Allen (le Chrysler Building à New York) ou Shreve, Lamb et Harman (les coauteurs de l'Empire State Building), adoptent ce style défendu à Paris par Robert Mallet-Stevens.

En revanche, l'Art nouveau, aussi appelé Modern style à Paris et Jugendstil à Vienne, est le style caractéristique de la génération précédente, celle qui a percé autour de 1900. Il se traduit par le goût des courbes entrelacées et de l'ornementation. À Paris, les bouches de métro décorées par Guimard en sont un bon exemple. Cela dit, le plus célèbre architecte Art nouveau, le Belge Victor Horta, a lui aussi signé des réalisations typiquement Art déco à la fin de sa vie (le palais des Beaux-arts et la gare centrale de Bruxelles). Quant au cubisme c'est surtout un style de peinture adopté à partir de 1907 (*Les Demoiselles d'Avignon* de Picasso) par des artistes comme Braque ou Léger. On trouve toutefois quelques rares exemples d'architecture cubiste à Vienne et à Prague.

6. Du roman de Victor Margueritte, *La Garçonne*, paru en 1922.
Le succès de ce roman en a fait un phénomène de société dès sa sortie en 1922. Victor Margueritte y décrit l'itinéraire d'une femme qui divorce, s'émancipe socialement et découvre le plaisir physique; de quoi susciter un scandale parmi les lecteurs et, plus encore, parmi ceux qui en ont simplement entendu parler… Ce roman sulfureux a tout de même valu à son auteur d'être radié de la Légion d'honneur!
Il y a bien un avocat parisien du nom de Maurice Garçon mais il s'est illustré plus tard (dans les années 1950) dans la défense des droits de l'Homme et ni lui ni son épouse n'étaient connus dans les années 1920.
Plus anachronique encore est le Front homosexuel d'action révolutionnaire, formé après mai 1968 et inimaginable dans les années 1920!

7. la Ford T.
Si les premières automobiles remontent aux années 1880, ce n'est que dans les années 1920 que les méthodes de production industrielle modernes (standardisation, montage à la chaîne) permettent d'en fabriquer par centaines de milliers. Produite de 1908 à 1928 (à la chaîne depuis 1914), la Ford T a été fabriquée à quinze millions d'exemplaires. Ce record a tenu jusque dans les années 1960, date à laquelle la Volkswagen «Coccinelle» l'a surpassé. La VW Coccinelle a été lancée en 1936. Elle avait été conçue par le régime nazi pour équiper les ménages modestes (d'où le nom *Volkswagen,* «voiture du peuple»). Si la Citroën B2, dite «Trèfle»,

a été construite dès l'origine, en 1921, avec les nouvelles méthodes industrielles permettant la production de masse, elle n'a jamais approché les chiffres de la Ford T. Quant au chef-d'œuvre d'Ettore Bugatti, la type 41 dite « Royale », de 1927, il n'en a été construit que sept exemplaires, réservés à de très riches amateurs.

8. Abidjan.
Le littoral de la Côte d'Ivoire était difficilement accessible aux navires de gros tonnage. Le creusement d'un chenal et de bassins en eau profonde à Abidjan a permis le développement des plantations de cacao, de café et de bananiers dans cette colonie française d'Afrique occidentale.
Vous avez observé qu'aucun des autres ports mentionnés n'est situé en Afrique !

9. un magnétophone.
Le phonographe existe depuis 1877 (c'est une innovation de Thomas Edison), même s'il n'a pris la forme du « tourne-disque » qu'au XXe siècle. Les premières expériences de la télévision (en Grande-Bretagne) remontent à 1930. Ce n'est qu'à partir de 1935 (1936 en France) qu'on peut acquérir un récepteur pour y suivre des émissions « régulières » (quelques dizaines de minutes par jour à Paris, par exemple). Le premier ordinateur (en fait un supercalculateur) a été utilisé en 1944-1945 pour le projet *Manhattan* qui a élaboré la bombe atomique. On en vend, à des entreprises, depuis 1953 mais ce n'est qu'à la fin des années 1970 que des micro-ordinateurs sont proposés à des particuliers. En dépit de son apparente rusticité, le presse-purée est donc le plus récent de ces appareils : Jean Mantelet (à l'origine de la firme Moulinex) en a fabriqué à partir des années 1950.

10. le franc-Poincaré.
De la loi du 17 germinal de l'an XI (7 avril 1803) à 1914, le franc a conservé une « parité » (valeur de change) fixe vis-à-vis de l'or. Pour le XIXe siècle franc germinal et franc-or sont donc synonymes. La Banque de France a dû suspendre cette convertibilité du franc en dès 1914. La gestion bugétaire peu rigoureuse des gouvernements du début des années 1920 n'a pas permis le retour au franc germinal. Au printemps 1926, le franc vaut dix fois moins qu'en 1914. Dès l'annonce de la nomination de Raymond Poincaré à la tête du gouver-

nement, le 23 juillet 1926, le franc remonte. Ministre des finances dans son propre gouvernement, Poincaré rétablit l'équilibre du budget et la confiance dans la monnaie. D'où le surnom bien mérité de franc-Poincaré attribué au franc stabilisé (à 1/5 de sa valeur de 1914) en 1928.

11. le Saint-Siège.
Depuis l'achèvement de l'Unité italienne en 1870, les papes s'estimaient prisonniers dans la cité du Vatican et ne reconnaissaient pas le royaume d'Italie. Par les accords de Latran, l'Italie reconnaît la souveraineté du pape sur la cité du Vatican et lui accorde une indemnité d'un milliard de lires. Le Saint-Siège, en contrepartie, admet officiellement l'existence de l'État italien et renonce à recouvrer les territoires perdus en 1860-1870. Rare exemple de l'habileté diplomatique de Mussolini, le traité du Latran donne au Saint-Siège un statut territorial viable et un « pécule » dont les revenus, aujourd'hui encore, sont sa première ressource. Il permet à Mussolini de rallier au régime fasciste de nombreux catholiques italiens, jusqu'alors effrayés par le « totalitarisme ».

5

La crise des années 1930

Les années 1930

Dès le début des années 1930, le monde est atteint par une grave crise économique. Le chômage de masse sévit partout et la pauvreté s'étend. Ébranlées, les sociétés connaissent une hausse de toutes les formes de violence et de désespoir : crimes et suicides se multiplient tandis que le nombre de mariages et de naissances s'effondre. Dans beaucoup de pays, la crise sociale explique une crise politique. Opposants parfois violents et extrémistes de tous bords ont raison des démocraties les plus fragiles : ainsi en Allemagne, en Espagne, au Japon, en Roumanie ou en Grèce. Les nouveaux dictateurs arrivés au pouvoir ont souvent une politique d'expansion territoriale agressive : ainsi l'Allemagne vis-à-vis de l'Autriche, la Tchécoslovaquie et la Pologne, l'Italie à l'égard de l'Éthiopie ou le Japon contre la Chine. C'est cette ultime « crise » des années 1930, la montée des périls à partir de 1936-1939, qui conduit le monde à la guerre en 1939.

1. Le krach de Wall Street. Le 24 octobre 1929 (le « jeudi noir ») les cours des actions cotées à la Bourse de New York s'effondrent. Entre septembre et novembre 1929, l'indice de la Bourse de New York est passé de 381 à 198. Mais de quel « indice » s'agit-il ?

❒ le Dow Jones ❒ le Bloomberg
❒ le Nikkei ❒ le Standard & Poor's

2. Incapables de faire face à leurs dettes, en raison de la chute de leurs revenus, des centaines de milliers d'agriculteurs américains abandonnent leur ferme. Beaucoup partent en Californie, dans l'espoir d'y trouver un emploi. Quel roman raconte la destinée exemplaire d'une de ces familles ?

- ❐ *Des souris et des hommes* ❐ *Les Raisins de la colère*
- ❐ *Terre élue* ❐ *Au-delà de l'horizon*

3. En 1933, le nouveau président des États-Unis, Franklin Roosevelt, lance le *New Deal*, politique économique de lutte contre la crise. Son principal objectif est de faire baisser le chômage, mais quel est son premier but ?

- ❐ faire baisser les prix, lutter contre l'inflation
- ❐ casser la baisse des prix et mettre fin à la déflation
- ❐ fermer toutes les banques et ne les rouvrir qu'après confiscation de leurs avoirs par l'État fédéral
- ❐ confisquer les grandes fortunes pour les redistribuer aux chômeurs

4. 30 janvier 1933 : Adolf Hitler arrive au pouvoir en Allemagne. Mais que s'est-il passé exactement ce jour-là ?

a. Hitler a fait un coup d'État militaire et s'est emparé du pouvoir.
b. Hitler a été élu président du Reich.
c. Les résultats des élections législatives de ce 30 janvier ont conduit le président à le nommer chancelier.
d. Le président Hindenburg a nommé Hitler chancelier.

5. En Europe, dans les années 1930, le fascisme italien fait des émules : des jeunes gens prennent des poses martiales, se saluent en levant le bras tendu, s'habillent d'une chemise de couleur (noire en en Italie, brune en Allemagne, verte en Roumanie, bleue en Espagne) et rendent un culte à leur « Duce » (ou « Führer », « Jefe », « Conducator », « Leider » en allemand, espagnol, roumain et néerlandais). Placez chacun de ces mouvements dans son pays d'élection :

les Croix fléchées	•	•	Espagne
la Francisque	•	•	Allemagne
la Garde de fer	•	•	Roumanie
le Parti national-socialiste	•	•	France
la Phalange	•	•	Hongrie

6. Qu'est-ce que la « dékoulakisation » en URSS dans la première moitié des années 1930 ?

a. l'élimination des propriétaires fonciers agricoles (les « koulaks »)

b. la suppression du « Goulag » (parfois prononcé « koulak »), acronyme signifiant : *Glavnoïe Oupravlenie Laguereï* (Direction principale des camps)

c. un nouveau procédé de refroidissement (*cooling* en anglais, *koulak* en russe) des turbines à gaz

d. un réseau de barrages et de canaux destinés à réguler l'écoulement (*koulakyaj* en russe) anarchique des fleuves sibériens lors de la débâcle de printemps

7. Le 6 février 1934, une manifestation d'anciens combattants à Paris dégénère. Le parcours du défilé explique en partie qu'il ait tourné à l'émeute. Mais quel était-il exactement ? Placez ces quatre lieux dans le texte qui suit :

le Palais-Bourbon – les Champs-Élysées – pont de la Concorde – la place de la Concorde

Tandis que les ligues d'anciens combattants descendaient **(a)**.................. jusqu'à **(b)**............... les Croix-de-Feu (un mouvement politique issu d'une ligue d'anciens combattants) manifestaient rue de l'Université, donc derrière **(c)**.................... Le cordon de policiers qui se tenait **(d)**.............. s'est senti dépassé et menacé. À 19 heures, les ministres et les députés, se voyant encerclés dans **(e)**..................., ont fait venir des renforts de police pour disperser les manifestants.

8. En mai 1936, la coalition de « Front populaire » gagne les élections législatives en France. Léon Blum est appelé à former un gouvernement. Quelques mois auparavant, une coalition du même nom, composée des mêmes partis, l'avait emporté ailleurs. Sauriez-vous dire où ?

❒ en Allemagne	❒ aux États-Unis
❒ en URSS	❒ en Italie
❒ en Espagne	❒ au Japon

9. Le 11 décembre 1936, le roi d'Angleterre Édouard VIII abdique en faveur de son frère Georges. Pourquoi ?

a. Les élections ont amené une majorité de républicains à la Chambre des communes. L'abdication en faveur

de son frère était le seul compromis acceptable par le gouvernement Baldwin.
b. Pourchassé quotidiennement par les photographes de la presse à scandale il a préféré mener une vie plus discrète.
c. L'annonce de son prochain mariage avec Wallis Simpson, une Américaine divorcée, a provoqué un conflit avec le gouvernement conservateur de Baldwin.
d. Le Parlement venait de lui refuser une augmentation de sa liste civile. Il a préféré un emploi plus lucratif dans une grande banque de la City.

10. Le 13 mars 1938, l'*Anschluss* (rattachement) de l'Autriche à l'Allemagne est proclamé. Voici cinq affirmations relatives à cet événement. Une seule est fausse, rayez-la.
a. Hitler, qui était encore autrichien au début de 1932, a toujours voulu réunir les deux pays.
b. L'alliance (« l'Axe Rome-Berlin ») contractée avec l'Italie en octobre 1936 a permis à Hitler de réaliser l'*Anschluss,* que Mussolini avait empêchée en 1934.
c. C'est ce jour-là que le peuple autrichien a approuvé l'*Anschluss* par référendum.
d. Deux jours plus tôt, le chancelier autrichien Engelberg Schussnig a dû céder sa place au nazi autrichien Seyss-Inquart, sous la menace d'une invasion allemande.
e. La veille même, 12 mars, l'armée allemande avait pénétré en territoire autrichien.

11. Ayant obtenu l'annexion de l'Autriche sans rencontrer de résistance notable des Puissances européennes, Hitler réclame « les Sudètes ». Mais qu'appelle-t-on Sudètes ?
- ❐ la minorité germanophone vivant en Tchécoslovaquie
- ❐ la région où vit la minorité germanophone de Tchécoslovaquie
- ❐ des Suédois d'origine allemande
- ❐ des groupes d'Allemands vivant au sud-est de l'Europe

Réponses

1. le Dow Jones.
Fondateurs d'une agence d'informations financières en 1882, Charles Dow et Edward Jones, ont publié, à partir de 1896, un « indice » permettant de mesurer la variation moyenne des cours de la Bourse de New York à travers un échantillon représentatif de valeurs. C'est le plus ancien indice du monde et le plus utilisé. L'indice Standard & Poor's, lancé en 1920 par des concurrents, était peu en usage en 1929. Le Bloomberg est un gros anachronisme: cette agence d'informations a été créée en 1981. Le Nikkei est moins récent (1949) et il émane aussi de Dow Jones mais il concerne la Bourse de Tokyo...
Le krach de Wall Street marque le début de la dépression économique des années 1930. Il en est autant le symptôme (la Bourse baisse car des difficultés sont apparues dans l'immobilier ou l'automobile) qu'une des causes: la crise bancaire qu'il engendre se propage à toute l'économie dès l'hiver 1929-1930.

2. *Les Raisins de la colère* (*Grapes of Wrath*, 1939) de John Steinbeck.
Ce roman relate l'exode des Joad, fermiers ruinés de l'Oklahoma, vers une autre terre de désillusions, la Californie. *Des Souris et des hommes* (*Of Mice and Men*, 1937), du même auteur, dépeint d'ailleurs la misère des journaliers agricoles de l'Ouest, chômeurs, vagabonds et autres victimes de la crise. En revanche, *Terre élue* (*Chosen Country*, 1951) est un récit autobiographique de John Dos Passos sans rapport avec le monde agricole. Et si *Au-delà de l'horizon* (*Beyond the Horizon*, pièce de théâtre d'Eugene O'Neill, 1920) a pour cadre une ferme de Nouvelle-Angleterre, ce sont les affres d'une rivalité amoureuse et non de la crise agricole qu'il évoque.

3. casser la baisse des prix et mettre fin à la déflation.
La forte baisse des prix (de 40 % en moyenne) est la première caractéristique de la « dépression » (ce terme vient d'ailleurs de là). Elle précède l'augmentation du chômage et y contribue. Le *New Deal* (« Nouvelle Donne ») est une politique qui vise à inverser le mouvement des prix en « injectant

des liquidités » dans l'économie. Concrètement, l'État fédéral dépense beaucoup plus (en grands travaux surtout) qu'il ne perçoit de recettes, ce déficit permettant de faire circuler davantage de « liquidités » dans l'économie.

4. d. Le président Hindenburg a nommé Hitler chancelier.
Lors de l'élection présidentielle de mai 1932, le maréchal Hindenburg a été réélu facilement président du Reich avec 53 % des voix (contre 37 % à Hitler). Aux élections législatives du 6 novembre 1932, le parti nazi obtient assez de suffrages (33 % des voix) pour compliquer la tâche de la majorité sortante mais pas assez pour forcer le président Hindenburg à nommer Hitler chancelier. Bien au contraire c'est le chef de l'armée, le général von Schleicher, qui est nommé avec une mission implicite : faire baisser l'influence des nazis. Hitler ne risquait donc pas de bénéficier d'un coup d'État militaire... (il a au contraire fait exécuter Schleicher et son épouse en présence de leur fille en 1934). La nomination de Hitler à la chancellerie, le 30 janvier 1933, en remplacement de Schleicher, s'explique par l'échec de ce dernier à conserver une majorité parlementaire stable et surtout par le calcul suicidaire de certains dirigeants (l'ancien chancelier von Papen, le chef de file du patronat Hugenberg, des conseillers de Hindenburg) qui ont cru que l'on pourrait composer avec Hitler.

5.

les Croix fléchées	Espagne
la Francisque	Allemagne
la Garde de fer	Roumanie
le Parti national-socialiste	France
la Phalange	Hongrie

6. a. l'élimination des propriétaires fonciers agricoles.
Lancée en 1930, la collectivisation des terres agricoles a très vite tourné à l'élimination des propriétaires fonciers et pas seulement des « koulaks » (catégorie de propriétaires d'exploitations de taille moyenne créée par la réforme Stolypine de 1906). Les paysans réfractaires étaient déportés vers les bagnes du « Goulag » (*développé* et certainement pas *supprimé* alors comme la deuxième réponse le suggère !) ou simplement assassinés sur place. Au moins deux millions de

paysans ont été déportés. Souvent, ils ont préféré détruire leur récolte ou abattre leur bétail plutôt que les laisser accaparer. Il en a résulté une famine en URSS en 1932-1933 qui a fait quelque six millions de morts (selon les chiffres recalculés par les démographes depuis la chute de l'URSS).

7. (a) les Champs-Élysées (b) la place de la Concorde (c) le Palais-Bourbon (d) pont de la Concorde (e) le Palais-Bourbon.
L'instabilité gouvernementale, l'apparente impuissance des politiques devant la crise et de récents scandales financiers (dont l'« affaire Stavisky ») ont suscité la montée de l'antiparlementarisme. Ce 6 février, le mécontentement des anciens combattants, venus protester contre la baisse de leurs pensions, se mêle à la violence des ligues extrémistes. Ce climat explique la dureté de cet affrontement qui a fait quinze morts et plus de deux mille blessés. C'est un bilan exceptionnellement lourd dans la vie politique française mais ce n'est même pas un bilan mensuel en Allemagne, en Autriche ou en Espagne à la même époque. La peur ressentie par les ministres et les députés encerclés dans le Palais-Bourbon et le contexte de l'arrivée récente d'Hitler au pouvoir expliquent l'importance démesurée que la classe politique française a accordée à l'événement.

8. en Espagne.
Le *Frente popular*, qui gagne de justesse les élections en février 1936, se compose des partis radical, socialiste et communiste lui aussi. Sa victoire n'est pas acceptée dans une partie de l'armée qui déclenche un soulèvement le 17 juillet. Commence alors la guerre civile entre « nationalistes » et « républicains » qui a ensanglanté l'Espagne jusqu'en mars 1939.

9. c. L'annonce de son prochain mariage avec Wallis Simpson.
Le roi étant, depuis 1534, le chef suprême de l'Église d'Angleterre, son mariage avec une femme divorcée était une cause sérieuse de conflit. Épouser une roturière (il n'y a pas de noblesse aux États-Unis) n'était pas davantage conforme à la tradition des mariages royaux. Il est aussi vrai que le gouvernement conservateur de Baldwin n'était pas le mieux à même d'accepter tant d'audacieuses nouveau-

tés. Ces raisons suffisent et il est anachronique d'évoquer l'indulgence à l'égard de Hitler que l'ex-roi, devenu duc de Windsor, a manifestée après son abdication. Elle lui a valu d'être éloigné de Grande-Bretagne en 1940.

10. Il fallait rayer la réponse **c**.
Il n'y a pas eu de référendum ce 13 mars 1938. Pour déjouer les projets allemands, Schussnig en avait annoncé un, mais les réponses **d** et **e** étant exactes on comprend pourquoi il a dû renoncer. Le peuple autrichien a d'ailleurs été consulté peu après mais il s'agissait alors d'un *plébiscite* (ce qui, en principe, signifie que le peuple est appelé à approuver ou refuser un fait accompli) et non d'un *référendum* (qui suppose que le choix n'ait pas été déjà fait. Mais ce vocabulaire est flottant...). Le résultat du plébiscite (97 % de oui !) montre bien qu'il ne s'est pas déroulé dans des conditions normales.

11. la minorité germanophone vivant en Tchécoslovaquie et **la région où vit la minorité germanophone de Tchécoslovaquie.**
« Sudètes » désigne tout à la fois la minorité germanophone de Tchécoslovaquie et la région frontalière où elle vit. La Tchécoslovaquie étant liée par traité à la France et à l'URSS, la revendication hitlérienne a provoqué une grave crise internationale. Pour « sauver la paix », Hitler, Mussolini, Chamberlain (le Premier ministre britannique) et Daladier (le président du Conseil français) se sont rencontrés à la conférence de Munich les 29 et 30 septembre 1938. Français et Britanniques y ont lâchement laissé tomber la Tchécoslovaquie et ont cédé aux exigences d'Hitler, dans l'espoir d'éviter une nouvelle guerre mondiale.
S'adressant à Chamberlain lors du vote de ratification des accords de Munich à la Chambre des communes, Winston Churchill a parfaitement résumé la position franco-britannique : « Vous croyez que vous avez préféré le déshonneur à la guerre. Vous avez le déshonneur et vous aurez la guerre quand même. »

6

La Seconde Guerre mondiale

1939-1945

L'invasion de la Pologne par l'armée allemande entraîne l'entrée en guerre de la France et du Royaume-Uni le 3 septembre 1939. La guerre s'étend progressivement à presque toute l'Europe en 1939-1941. Les événements principaux en sont la défaite de la France et l'invasion par la Wehrmacht de l'URSS. Le 7 décembre 1941, les forces japonaises attaquent la base américaine de Pearl Harbour. La guerre est alors mondiale. Jusqu'à l'hiver 1942-1943, les armées de l'Axe (Allemagne, Japon, Italie, etc.) progressent mais la situation se retourne alors sur tous les fronts au profit des Alliés (États-Unis, Royaume-Uni, France libre, etc.). Le débarquement en Normandie précède l'assaut final contre l'Allemagne qui capitule le 8 mai 1945. Le Japon n'accepte la défaite qu'en août 1945 après l'explosion de bombes atomiques à Hiroshima et Nagasaki.

C'est pendant la Seconde Guerre mondiale que les nazis ont perpétré l'extermination des juifs d'Europe (la Shoah) dans les camps de concentration où ont péri aussi des déportés politiques, des tsiganes, des prisonniers soviétiques ou des résistants. À ces millions de victimes s'ajoutent ceux massacrés, ailleurs et autrement, par des Allemands ou leurs collaborateurs locaux. De même l'armée japonaise s'est-elle rendue coupable de crimes de masse dans toute l'Asie.

1. Le début de la guerre en Europe est marqué par les succès de la « guerre-éclair » menée par l'armée allemande. Classez chronologiquement les défaites de ces pays :

Pologne – Belgique – France – Pays-Bas – Danemark – Norvège

2. Qu'a-t-on appelé la « drôle de guerre » ?
a. la propagande radiophonique assurée en partie par des humoristes, tel Pierre Dac pour la France libre
b. la guerre telle qu'elle a été vécue dans les pays neutres (Suisse, Suède, Irlande, Turquie, etc.)
c. la guerre sans combats telle qu'elle se déroule entre Français et Allemands de novembre 1939 à mai 1940
d. la guerre perdue par le Danemark en moins de 48 heures qui n'a fait que treize morts

3. En 1940, les États-Unis sont encore épargnés par le conflit mondial. À Hollywood, se tient, comme tous les ans, la cérémonie des Oscars. Un même film en reçoit huit. Son histoire, les amours contrariées de Scarlett O'Hara et Rhett Butler, se déroule d'ailleurs pendant une guerre, mais celle de Sécession. Quel est son titre ?

4. Refusant la demande d'armistice adressée par le gouvernement français la veille, le 18 juin 1940 le général de Gaulle lance un appel à continuer le combat. Quelle station de radio a-t-il utilisée pour l'Appel du 18 juin ?
a. *Radio Free Europe*
b. Radio-Paris (dont le poste émetteur était au sommet de la tour Eiffel)
c. l'émetteur de l'île de Sein où les soldats allemands n'avaient pas encore débarqué
d. la BBC *(British broadcasting corporation)*

5. Le 22 juin 1941 a lieu le plus important retournement d'alliance de la Seconde Guerre mondiale, lequel ?
❐ Hitler attaque l'URSS
❐ la Finlande attaque l'URSS
❐ la Suisse attaque le Liechtenstein
❐ l'Italie attaque la Grèce

6. « Guadalcanal » ? Est-ce un homme ? un lieu ? Et quel rapport avec la Seconde Guerre mondiale ? Seule l'une des cinq propositions suivantes contient la bonne réponse.
a. C'est une ville du Mexique où Roosevelt, Staline et Churchill se sont rencontrés en 1943.
b. C'est le général en chef du corps expéditionnaire brésilien en Italie en 1943-1945.

c. C'est un projet de canal maritime entre Inde et Chine pour ravitailler cette dernière.
d. C'est l'île du Pacifique où l'avancée japonaise a été arrêtée par les Américains.
e. C'est le nom de code du débarquement allié en Afrique du Nord en novembre 1942.

7. Voici cinq généraux de la Seconde Guerre mondiale. Pouvez-vous indiquer la nationalité de chacun d'entre eux ?
Eisenhower :
Guderian :
Huntziger :
Kœnig :
Mannerheim :

8. À quelle bataille correspond la date du 6 juin 1944 ?
❒ la bataille navale du golfe de Leyte
❒ le débarquement en Sicile
❒ le débarquement en Normandie
❒ la bataille de chars de Koursk

9. En novembre 1944 a lieu l'élection du président des États-Unis. Franklin Roosevelt est réélu. Ce scrutin a un caractère exceptionnel. Pourquoi ?
a. Il ne peut pas se dérouler normalement en raison de l'absence des douze millions de soldats envoyés en Europe ou dans le Pacifique.
b. Roosevelt se présente pour la quatrième fois, fait sans précédent ni répétition.
c. Héros de la guerre dont on pressent l'issue victorieuse, Roosevelt obtient un pourcentage record de voix.
d. Héros de la guerre dont on pressent l'issue victorieuse, Roosevelt obtient la majorité dans chaque État de l'Union.

10. Le 2 septembre 1945, les plénipotentiaires japonais signent l'acte de capitulation qui marque la fin de la Seconde Guerre mondiale. La défaite de l'Allemagne, le 8 mai 1945, n'avait pas suffi à décider les dirigeants japonais à mettre fin à la guerre. Voici quatre affirmations relatives aux origines de la capitulation japonaise, à vous de dire si elles sont vraies ou fausses.
a. Avant le 14 août les dirigeants japonais n'avaient manifesté aucune velléité de mettre fin à la guerre, même

après les bombardements atomiques de Hiroshima et Nagasaki les 6 et 8 août. Vrai ou faux ?

b. Lorsque le 14 août, l'empereur annonce à la radio la demande de capitulation, les Japonais entendent sa voix pour la première fois. Vrai ou faux ?

c. Il a fallu un coup d'État monarchiste pour que l'empereur impose sa décision aux dirigeants militaires. Vrai ou faux ?

d. Accablés par cette annonce, des officiers supérieurs se sont fait *seppuku* (« hara-kiri ») devant le palais de l'empereur pour lui faire honte. Vrai ou faux ?

Réponses

1. Pologne (fin des combats le 27 septembre 1939) – **Danemark** (capitulation le 10 avril 1940) – **Pays-Bas** (capitulation le 15 mai 1940) – **Belgique** (capitulation le 28 mai 1940) – **Norvège** (fin des combats le 31 mai 1940) – **France** (armistice le 22 juin 1940).
Il ne s'agit heureusement que de défaites provisoires : « La France a perdu une bataille mais elle n'a pas perdu la guerre » affirme le général de Gaulle le 18 juin 1940. Mais il a fallu des années avant que les gouvernements de ces pays, presque tous réfugiés à Londres, ne voient la victoire finale se dessiner.

2. c. la guerre sans combats telle qu'elle se déroule entre Français et Allemands de novembre 1939 à mai 1940.
Dogmatiquement enfermé dans une stratégie défensive, l'état-major français a laissé la Wehrmacht écraser la Pologne presque sans réagir. Hitler de son côté a besoin de quelques mois pour organiser la grande offensive à l'Ouest. Non seulement il n'y a pas d'échanges de tir entre Franco-Britanniques et Allemands, mais des accords sont même négociés pour ne pas s'infliger de bombardements aériens. Des rosiers sont plantés sur la ligne de front et le gouvernement Daladier fait distribuer 10 000 ballons de football aux soldats. « L'armée pourrit sur place » constate le capitaine Beauffre dans un rapport adressé au généralissime Gamelin.

3. ***Autant en emporte le vent (Gone with the Wind).***
Réalisé par Victor Fleming (aidé de George Cukor et Sam Wood), d'après le roman de Margaret Mitchell, avec Vivien Leigh et Clark Gable dans les rôles principaux. Le film est sorti le 15 décembre 1939 à Atlanta mais souvent beaucoup plus tard dans le reste du monde. Ainsi le public allemand n'a-t-il pu le découvrir qu'en 1946… Plus de 120 millions de spectateurs l'ont vu en salle entre 1940 et 1966 et plus d'un milliard (dont vous-même peut-être ?) à la télévision depuis, ce qui en fait l'un des plus grands succès de l'histoire du cinéma.

4. d. la BBC (British broadcasting corporation).
Ce 18 juin, alors que l'armistice n'avait pas encore été conclu, le général de Gaulle a voulu s'adresser aux quelque

115 000 Français présents en Angleterre. En France, presque personne ne l'a écouté. Mais l'Appel a été retransmis une dizaine de fois jusque début juillet et son texte diffusé, sous forme de tract, plus tard. À partir de 1942, la BBC envoie des messages, dans 23 langues différentes, vers les réseaux de résistance de l'Europe occupée.
Radio Free Europe a été créée par les Américains pendant la « guerre froide » à destination de l'Europe de l'Est. Radio-Paris est alors contrôlée par les forces d'occupation : « Radio-Paris ment, Radio-Paris ment, Radio-Paris est allemand » disaient d'ailleurs des tracts de la Résistance. À notre connaissance, il n'y avait pas en 1940 d'émetteur radio de forte puissance sur l'île de Sein.

5. Hitler attaque l'URSS.
L'Allemagne et l'URSS étaient alliées depuis le 23 août 1939 (pacte germano-soviétique) et avaient d'ailleurs coopéré à l'écrasement de la Pologne en septembre. Tant Staline qu'Hitler ayant conçu ce pacte comme une mesure dilatoire, destinée à mieux se préparer à un affrontement inévitable, la surprise des militaires soviétiques le 22 juin 1941 est inexcusable. En 1956, Khrouchtchev a fait de cette impréparation un des crimes de Staline. L'attaque allemande est d'ailleurs un succès pour les forces de l'Axe jusque fin 1942. La participation de la Finlande à l'invasion de l'URSS en juin 1941 n'est pas un retournement d'alliance (les Finlandais parlent d'ailleurs de « guerre de continuation »). L'attaque de la Grèce par l'Italie y ressemble davantage (le dictateur grec Metaxas étant un admirateur de Mussolini) mais elle se déroule en octobre 1940. Quant à la Suisse elle est neutre et pacifique depuis 1814.

6. d. C'est l'île du Pacifique où l'avancée japonaise a été arrêtée par les Américains.
Les Japonais débarquent en novembre 1942 dans cette île de l'archipel des Salomon. Dans leur conquête du Pacifique, île par île, d'ouest en est, ils n'ont jusqu'alors rencontré qu'une faible opposition. Cette fois, l'armée américaine débarque à son tour et, après quatre mois de combats acharnés dans la jungle, force les Japonais à se retirer. C'est le grand tournant de la guerre dans l'océan Pacifique. Il a lieu en même temps

(hiver 1942) que les batailles de Stalingrad et d'El Alamein qui se traduisent aussi par des retournements de situation en URSS et en Afrique du Nord.
Roosevelt, Staline et Churchill se sont rencontrés à Téhéran en novembre 1943 et à Yalta en février 1945 mais jamais au Mexique. Ce dernier est resté neutre, contrairement au Brésil qui a envoyé 25 300 soldats en Italie en 1943 sous les ordres du général Mascarenhas. Le débarquement américain au Maroc et en Algérie le 8 novembre 1942 a été baptisé « opération Torch ». Rappelons enfin qu'entre l'Inde et la Chine il y a l'Himalaya.

7. Eisenhower : américain, Guderian : allemand, Huntziger et **Kœnig : français, Mannerheim : finlandais.**
Huntziger et Kœnig sont tous deux d'origine alsacienne. Le premier a signé l'armistice par lequel le gouvernement français reconnaissait la défaite face à l'Allemagne, le 22 juin 1940. Kœnig fait partie de ces officiers qui ont refusé l'armistice. Ayant rejoint le général de Gaulle à Londres, il a notamment commandé les Forces françaises libres en Libye en 1942-1943. Le maréchal Mannerheim est le commandant en chef de l'armée finlandaise qui combat contre les Soviétiques de décembre 1939 à septembre 1944. Il a été président de la République finlandaise en 1945-1946. Futur président de son pays lui aussi, Eisenhower est le commandant suprême des armées alliées (Américains, Britanniques, Français libres, Canadiens, etc.) en Europe de l'Ouest en 1944-1945. Seul parmi les cinq à n'avoir pas de patronyme typiquement allemand, le général Guderian n'en est pas moins l'un des principaux artisans du succès de la Wehrmacht face à l'armée française en mai 1940.

8. le débarquement en Normandie.
Ayant vaincu en Afrique du Nord, les Alliés peuvent débarquer en Sicile en juillet 1943 puis dans le Sud de l'Italie en septembre. Quant à la bataille de Koursk (plus grand affrontement entre chars d'assaut de l'Histoire), elle a eu lieu en mai 1943, en URSS, et s'est soldée par une victoire de l'armée rouge sur la Wehrmacht. Malgré ces victoires, Staline demande et obtient l'ouverture d'un autre front à l'Ouest pour le printemps 1944 : c'est l'opération Overlord, le débarquement en Normandie qui se déroule le 6 juin 1944.

La bataille navale du golfe de Leyte (au large des Philippines), dans laquelle la majeure partie de la flotte japonaise a été anéantie, a eu lieu en octobre 1944.

9. b. Roosevelt se présente pour la quatrième fois, fait sans précédent ni répétition.
Depuis la retraite volontaire de George Washington, après deux mandats, en 1797, une tradition voulait qu'aucun président ne se porte candidat à un troisième mandat. Roosevelt a bravé cette coutume en 1940 en se faisant réélire une troisième fois. Ayant enfreint les règles une première fois, il n'a pas hésité à se représenter en 1944. Un amendement à la Constitution, adopté en 1951, interdit désormais à un président de briguer un troisième mandat. Roosevelt n'a donc ni prédécesseurs ni successeurs à cet égard.
Les élections de novembre 1944 se sont déroulées tout à fait normalement, des bureaux de vote ayant été installés en France, en Italie, aux Philippines et partout où combattaient les citoyens-soldats américains. Roosevelt y a obtenu 52,5 % des voix, son plus mauvais score.

10. a. faux, **b.** incroyable mais **vrai**, **c.** plutôt **faux**, **d. vrai**.
Depuis juin 1945 (remplacement du général Tojo par l'amiral Suzuki à la tête du gouvernement), les dirigeants japonais cherchaient à négocier un armistice mais se heurtaient à la volonté des Alliés d'exiger une reddition sans conditions. Les bombes atomiques ont évidemment poussé les Japonais à déposer une nouvelle demande d'armistice mais elle a été refusée le 10 août. L'empereur (dont le nom de règne est *Showa* et non Hiro-Hito, nom qu'il portait quand il était prince héritier) a alors pris l'initiative sans précédent de s'adresser directement à son peuple pour annoncer la capitulation. Aucun empereur n'avait fait de déclaration publique depuis des siècles. Pourtant, la Constitution de 1889 conférait d'importantes prérogatives à l'empereur mais il ne les exerçait pas. Ce discours radiophonique du 14 août a été un tel choc pour certains militaires fanatisés que plusieurs se sont suicidés en s'ouvrant le ventre avec un poignard (*seppuku*, « hara-kiri » étant incompréhensible pour un japonais).

7

La reconstruction du monde

1945-1953

Dès avant la fin du conflit mondial, les Alliés multiplient les rencontres au sommet afin de préparer l'après-guerre. La diplomatie internationale cherche à éviter les erreurs commises en 1919-1920. De même l'ONU doit-elle jouer un rôle plus important que la SDN. « Reconstruire » un monde meilleur, plus stable et durablement en paix n'est pas qu'une métaphore après la Seconde guerre mondiale : l'Europe et une partie de l'Asie sont en ruine. De nouvelles frontières et de nouvelles institutions internationales (ONU, FMI, BIRD, GATT, etc.) encadrent de nouveaux États, telles les deux Allemagne créées en 1949, ou les pays nés de la décolonisation (Inde, Pakistan, Israël, Syrie, Philippines, etc.). Cette réorganisation du monde a pu susciter l'optimisme de quelques-uns tournés vers l'avenir mais très vite la Grande Alliance de 1941-1945 s'est fissurée et a volé en éclats. Les désaccords entre vainqueurs, le blocus de Berlin-Ouest et finalement la guerre de Corée en 1950-1953 font basculer le monde dans la « guerre froide ».

1. Dès avant la fin de la guerre, en juillet 1944, se tient une conférence où l'on décide du futur système monétaire international, de la création du Fonds monétaire international et de la Banque mondiale. Où se tient-elle ?

❒ à Yalta ❒ à Bretton Woods
❒ à Potsdam ❒ à San Francisco

2. L'ONU (Organisation des Nations unies) a réuni ses 51 États fondateurs en session pour la première fois à l'automne 1945. Voici une liste de dix pays membres parmi lesquels deux intrus n'ont adhéré qu'en 1950 pour l'un et 1970 pour l'autre. Rayez-les.

États-Unis – URSS – Royaume-Uni – France – Chine – Inde – Allemagne – Mexique – Canada – Belgique

3. Auréolé de la victoire de l'URSS dans la Seconde Guerre mondiale, Staline est, après 1945, au faîte de sa gloire. Le culte de sa personnalité atteint des sommets. Il est couvert de titres officieux et officiels. En voici six d'entre eux, dont un n'a jamais été porté par Staline. Rayez-le.

Plus grand homme de tous les temps – Maréchal de l'Union soviétique et chef des armées – Génial successeur de Marx, Engels et Lénine – président de l'URSS – secrétaire général du Parti communiste de l'Union soviétique – petit père des peuples.

4. À quoi est destiné le « plan » annoncé par le général Marshall le 5 juin 1947 ?

a. à préparer l'invasion de l'URSS par l'armée américaine
b. à ravitailler Berlin-Ouest encerclée grâce à un « pont aérien »
c. à renverser le gouvernement communiste polonais
d. à aider les États européens ravagés par la guerre à se reconstruire

5. Le 1er janvier 1948 a été fondé le GATT. Que signifient ces initiales ?

❐ Groupe d'Action Terroriste pour le Totalitarisme
❐ *Greater America Trading Trust*
❐ *Global Association for Transport and Tourism*
❐ *General Agreement on Tariffs and Trade*

6. À la fin des années 1940, New York est la nouvelle capitale mondiale de l'art. Nés sur place (Pollock), installés de longue date (Balanchine) ou réfugiés depuis la guerre (Lipchitz) de nombreux créateurs y vivent. Reliez chacun de ces artistes à son mode d'expression par une flèche :

Georges Balanchine	•	•	photographie
Robert Capa	•	•	chorégraphie
Jacques Lipchitz	•	•	sculpture
Jackson Pollock	•	•	musique
Igor Stravinsky	•	•	peinture

7. Qu'est-ce que la « bizone » instaurée en janvier 1947 ?
a. la nouvelle tarification du métro de Londres
b. le résultat de la coupure en deux de la Corée, au niveau du 38e parallèle
c. le résultat de la coupure en deux du Vietnam, au niveau du 17e parallèle
d. le résultat de la fusion des zones d'occupation américaine et britannique, en Allemagne

8. Qu'appelle-t-on *New look* ?
a. le nouveau style lancé par le couturier Christian Dior en 1947
b. la nouvelle politique de défense des États-Unis, définie par le président Eisenhower en 1953
c. le nouveau maquillage arboré par l'actrice Rita Heyworth pour souligner son regard de braise
d. le nouvel aspect architectural du Havre après sa reconstruction par Auguste Perret

9. Premier ministre de 1940 à 1945, il est considéré comme l'un des principaux artisans de la victoire des Alliés. Et pourtant, en juin 1945, son parti a été nettement défait aux élections. Une nouvelle alternance le ramène au pouvoir en octobre 1951. Il y reste jusqu'en 1955 où son âge et sa santé (aurait-il abusé du cigare qui porte son nom ?) le conduisent à se retirer. Quel est son nom ?

10. De 1948 à 1953, la « chasse aux sorcières » sévit aux États-Unis. Il s'agit d'une persécution judiciaire visant les communistes, réels ou supposés. Elle est conduite par deux commissions du Congrès. Celle du Sénat a été rendue célèbre par son président, à tel point que celui-ci a donné son nom à cet épisode. De qui s'agit-il ?
❒ William Mac Kinley ❒ Douglas Mac Arthur
❒ Joseph Mac Carthy ❒ Paul Mac Cartney

Réponses

1. à Bretton Woods.
Pour reconstruire le monde économique d'après-guerre des délégations de chaque État allié, ainsi que des États neutres, sont venues débattre dans cette villégiature du New Hampshire. La France était représentée par Pierre Mendès France, le Royaume-Uni par le célèbre économiste Keynes, mais tous se sont inclinés devant la position éminente des États-Unis, alors à la tête de la moitié du stock d'or mondial. D'où le choix du dollar américain comme nouvel étalon monétaire international et l'installation à Washington du FMI (Fonds monétaire international) et de la BIRD (Banque mondiale), deux banques spécialisées dans les prêts aux États.
Yalta (février 1945) et Potsdam (juillet 1945) ont réuni les principaux vainqueurs ou futurs vainqueurs de la guerre. La conférence de San Francisco, en avril 1945, a fondé l'ONU (Organisation des Nations unies).

2. Il fallait rayer l'**Inde** et l'**Allemagne**.
Si elle vise à remplacer, en moins inefficace, la SDN (dissoute en 1946 seulement), l'ONU n'en est pas moins issue des « Nations unies », c'est-à-dire les vainqueurs de la Seconde Guerre mondiale. Les vaincus (Japon, Italie, Hongrie, Roumanie, etc.) n'adhèrent qu'en 1955. C'est plus compliqué pour l'Allemagne en raison de sa division en deux États. Le problème n'a été résolu qu'en 1970 par l'entrée simultanée de la RFA et de la RDA.
En outre, en 1945, la décolonisation n'a pas commencé et l'ONU n'accueille que des États souverains. C'est pourquoi l'Inde, indépendante en 1947, n'a adhéré qu'en 1950, lors du premier élargissement.

3. Il fallait rayer **président de l'URSS**.
Ce titre n'existe pas alors. Il a été créé en 1988 par et pour Gorbatchev et a donc disparu en même temps que l'URSS en 1991. Auparavant le chef de l'État portait le titre de président du praesidium du Soviet suprême de l'URSS, charge purement honorifique assurée de 1938 à 1946 par Kalinine. Jusqu'en 1941, Staline s'est contenté d'être le secrétaire général du PCUS, fonction cruciale puisqu'elle permet de contrôler le parti unique. Pendant la guerre, il s'est placé à la tête

du gouvernement et même de l'armée. Le « maréchal » Staline a été un commandant incompétent, mais pas plus que son adversaire Hitler (caporal pendant la Première Guerre mondiale) qui s'était lui aussi promu chef de l'armée.

4. d. à aider les États européens ravagés par la guerre à se reconstruire.
S'il a été le chef d'état-major de l'armée américaine jusqu'en 1945, le général Marshall a désormais des fonctions civiles : il est secrétaire au département d'État (équivalent de ministre des Affaires étrangères). C'est à ce titre qu'il annonce le 5 juin 1947 un vaste programme d'aide à la reconstruction économique de l'Europe. Colossal par les sommes engagées, le plan Marshall a permis à l'Europe occidentale de se reconstruire en quelques années. Il était proposé à *tous* les pays d'Europe mais les États communistes d'Europe orientale y ont vu, non sans quelque raison, un risque de soumission à l'influence des États-Unis, et l'ont refusé.
Le blocus de Berlin-Ouest par les Soviétiques a duré de juin 1948 à mai 1949 (la réponse **b** est donc anachronique). Grâce au « pont aérien », mis en œuvre par le général Clay (et non Marshall), les Berlinois ont néanmoins pu être ravitaillés.

5. *General Agreement on Tariffs and Trade* (Accord général sur les tarifs douaniers et le commerce).
C'est un peu l'ancêtre de l'OMC (Organisation mondiale du commerce) puisque le traité, signé à Genève en 1947, engage ses signataires à abaisser progressivement leurs barrières douanières. Les ambitions de ce premier accord sont modestes : éviter un retour au funeste égoïsme douanier qui avait triomphé lors de la dépression des années 1930. Des sessions (*rounds* en anglais) de négociations ont permis de progresser sur la voie du libre-échange : le *Kennedy Round*, dans les années 1960, le *Tokyo Round*, dans les années 1970 et, surtout, l'*Uruguay round*, de 1986 à 1994, qui a permis la création de l'OMC.

6.

Georges Balanchine	chorégraphie
Robert Capa	photographie
Jacques Lipchitz	sculpture
Jackson Pollock	peinture
Igor Stravinsky	musique

L'exposition organisée en 1943 par Peggy Guggenheim (la future fondatrice du musée d'Art moderne) des toiles de Jackson Pollock est souvent donnée comme l'acte de naissance de l'école de New York, un mouvement de peintres abstraits parmi lesquels Willem de Kooning, Franz Kline, Mark Rothko ou Adolph Gottlieb. La fondation par Georges Balanchine du *New York City Ballet* en 1948 est plutôt une confirmation : c'est à New York que s'invente la danse contemporaine et non plus en Europe.
La Seconde Guerre mondiale a évidemment précipité le mouvement en amenant à New York Jacques Lipchitz ainsi que Béla Bartók, Marc Chagall, André Breton et tant d'autres. En 1945, Paris et Vienne sont déclassées, Berlin en ruine. Mais contrairement à ce qu'on avait observé en 1919-1920, nombreux sont les artistes qui restent après la guerre. Désormais, et pour longtemps, les galeristes audacieux, les collectionneurs fortunés, les critiques en quête d'avant-garde et le public ouvert à la modernité sont à New York, d'abord.

7. d. le résultat de la fusion des zones d'occupation américaine et britannique, en Allemagne.
La division de l'Allemagne en quatre zones d'occupation (américaine, soviétique, britannique, française) avait été décidée à la conférence de Yalta en 1945. En fusionnant leurs zones au 1er janvier 1947, Américains et Britanniques prennent acte de l'isolement croissant de la zone soviétique (future Allemagne de l'Est) et facilitent la vie de la population allemande. Quand, en juin 1948, les Français acceptent enfin de participer à la création d'une « trizone », le territoire de l'Allemagne de l'Ouest, devenue la République fédérale d'Allemagne en mai 1949, est délimité.
La Corée a elle aussi été divisée en 1945 en une zone d'occupation soviétique au nord et une américaine au sud. Elles sont à l'origine des deux États coréens qui, aujourd'hui encore, s'opposent. La division du Vietnam en un Nord communiste et un Sud pro-occidental est ultérieure (1954) et a duré moins longtemps (1975).

8. La réponse **a** (le nouveau style lancé par Christian Dior) est la meilleure réponse mais… **b** (la nouvelle politique de défense des États-Unis) est juste aussi !
La présentation par Dior de sa collection *New look* lors du

défilé de mode du 14 février 1947 a eu un retentissement considérable. La taille très fine et le buste bien mis en valeur, les épaules arrondies, les hanches accentuées par des jupes larges et rallongées, redessinent la femme de l'après-guerre. Immédiatement célèbre, le *New look* s'est répandu d'autant plus largement qu'il a été abondamment plagié.
C'est donc bien au style de Christian Dior que le président Eisenhower se réfère en parlant de *New look*, même si la citation recèle un jeu de mots : *look* est à traduire par « apparence » chez Dior mais par « regard » ou « vision » dans la bouche d'Eisenhower. La doctrine de défense énoncée par le président Eisenhower le 30 octobre 1953 est celle des « représailles massives » (y compris nucléaires) promises à tout agresseur.

9. Winston Churchill.
Le célèbre homme d'État britannique est alors plus vénéré dans le reste du monde que dans son pays. Les électeurs avaient déjà manifesté leur ingratitude en juin 1945 en portant le Parti travailliste au pouvoir. Les conservateurs revenus aux affaires, de 1951 à 1964, Churchill a retrouvé le 10 Downing Street. S'il est déjà âgé (79 ans) lorsqu'il se retire en 1955, ce ne sont ni les gros cigares, ni le cognac, ni la bonne chère, qui l'ont contraint à céder sa place à Anthony Eden car il est mort en 1965 à 90 ans.

10. Joseph Mac Carthy, d'où le « maccarthysme ».
Être communiste n'étant pas illégal aux États-Unis, les deux commissions d'enquête se sont acharnées contre tous les « communistes » présumés en réussissant parfois à les inculper de crimes fédéraux tels « *contempt of congress* » (refus de témoigner) ou « *contempt of court* » (mensonge devant une commission d'enquête). La commission de la Chambre des représentants (HUAC, Commission des activités antiaméricaines de la Chambre) a été la plus redoutable ; elle a notamment créé un climat détestable à Hollywood. Ainsi, Charlie Chaplin et Joseph Losey quittent le pays tandis qu'Elia Kazan se résout à dénoncer ses amis. La commission du Sénat, qui prétendait traquer les communistes « infiltrés » dans la diplomatie et l'armée, eut son fonctionnement entravé par le comportement de son président, caractériel et alcoolique, le sénateur du Wisconsin, Joseph Mac Carthy.
Héros de la Seconde Guerre mondiale, le général Mac

Arthur mériterait d'être confondu avec le sénateur Mac Carthy : en décembre 1950, pendant la guerre de Corée, il a recommandé de frapper la Chine communiste avec trente bombes atomiques, ce qui lui a valu d'être relevé de son commandement par le président Truman.
William Mac Kinley, président des États-Unis de 1897 à 1901, n'a rien à voir avec la « chasse aux sorcières » et moins encore le sympathique anglais Paul Mac Cartney, cofondateur des *Beatles*...

8
Guerre froide et prospérité

1953-1973

Six cents millions de téléspectateurs ont assisté en direct aux premiers pas de l'homme sur la Lune, le 21 juillet 1969. Cet événement pourrait suffire à caractériser le troisième quart du XXe siècle, du moins pour le monde occidental. En Amérique du Nord et en Europe, la croissance économique est telle qu'on l'a appelée les « Trente Glorieuses ». La « société de consommation » s'impose, améliorant sensiblement les conditions matérielles des populations. Progrès scientifique, croissance économique et développement des médias de masse changent la vie des hommes.

Mais cette période est aussi celle de la « guerre froide », période de tensions diplomatiques et de guerres limitées entre l'Est et l'Ouest. Pour une majorité d'hommes, vivant en Afrique, en Asie ou en Europe orientale, les années qui s'écoulent entre 1953 (la mort de Staline et la fin de la guerre de Corée) et 1973 (le premier choc pétrolier) n'ont pas été si glorieuses...

1. Ils ont tous occupé le bureau ovale de la Maison-Blanche entre 1950 et 1975. Remettez les présidents des États-Unis ci-dessous dans l'ordre chronologique.

Dwight Eisenhower – Gerald Ford – Lyndon Johnson – John Kennedy – Richard Nixon – Harry Truman

2. Elle a été sans aucun doute la cantatrice la plus adulée du XXe siècle. Ses triomphes à la Scala de Milan, les ventes records de ses enregistrements mais aussi ses caprices de *prima donna* et son mariage avec le milliardaire Aristote Onassis en ont fait la *Diva assoluta*. Qui est-ce ?

3. Le 25 mars 1957 est signé à Rome le traité instituant la Communauté économique européenne par les représentants de la Belgique, de la France, de la République fédérale d'Allemagne, de l'Italie, du Luxembourg et des Pays-Bas. Indiquez la nationalité de chacun des six chefs de délégation.

Konrad Adenauer :
Joseph Bech :
Joseph Luns :
Christian Pineau :
Antonio Segni :
Paul-Henri Spaak :

4. Le retour du général de Gaulle au pouvoir en France, en 1958, se traduit par l'adoption d'une nouvelle Constitution, celle de la Ve République. Voici le texte de l'article 50 de la Constitution. Comblez-en les lacunes en remettant à leur place les mots suivants :

président de la République – l'Assemblée nationale – Premier ministre – gouvernement *(2 occurrences)* – Premier ministre

Lorsque........... adopte une motion de censure ou lorsqu'elle désapprouve le programme ou une déclaration de politique générale du............, le............. doit remettre au............ la démission du..........

5. Quel événement s'est produit à Berlin en août 1961 ?
a. le blocus de Berlin-Ouest par les Soviétiques
b. la construction d'un mur entre les deux parties de la ville par les Soviétiques et les Allemands de l'Est
c. la visite du président américain John Kennedy qui déclare : « Ich bin ein Berliner. »
d. l'accord quadripartite entre les anciens vainqueurs de 1945 qui redonne à Berlin-Ouest un statut presque normal.

6. Tandis que l'art contemporain paraît de moins en moins accessible au grand public, le développement des *mass media* permet l'essor d'une culture plus populaire dont voici six représentants. Identifiez les artistes suivants en reliant chaque nom de la liste ci-dessous à la phrase qui lui correspond.

Hergé – Jimi Hendrix – Eero Saarinen – Pierre Cardin – Sergio Pininfarina – David Hamilton

a. Il a brûlé sa guitare électrique sur scène, au Festival de Monterey en 1967.
b. Son héros, Tintin, est allé sur la Lune avec quinze ans d'avance.
c. En mettant la haute couture au service du prêt-à-porter il a mondialisé sa griffe.
d. Plus connu pour ses fauteuils enveloppants il a réalisé le hall TWA de l'aéroport Kennedy.
e. Ses photographies de nymphettes dévêtues ont été multi-diffusées en format « poster ».
f. Il a carrossé des Ferrari et des Maserati d'exception mais aussi des Peugeot ou des Fiat.

7. Quel est le premier homme envoyé dans l'espace ?
❒ Youri Gagarine ❒ Alan Shepard
❒ Neil Armstrong ❒ Edwin Aldrin

8. Quels pays s'opposent lors de la guerre des Six Jours ?
❒ l'Inde et le Pakistan
❒ Israël et ses voisins arabes
❒ la Corée du Nord et celle du Sud
❒ le Salvador et le Honduras

9. Les premiers « accords de Grenelle » ? Où ? Quand ? Pourquoi ?
a. à la Société nationale d'horticulture de France, 84 rue de Grenelle, en mai 1969, sur la culture du cannabis
b. au ministère du Travail, 127 rue de Grenelle, en mai 1968, entre syndicats et patronat, pour ramener la paix sociale
c. à l'Élysée, en mai 1970, inspirés par Prudence Grenelle, la collaboratrice de Georges Pompidou, ils visent à réformer, une fois de plus, les universités
d. à l'École centrale d'Électricité, 53 rue de Grenelle, en mai 1967, pour réformer l'enseignement scientifique et technique

10. Le 26 mai 1972, sont signés les accords SALT. Que signifient ces initiales ?

❒ « Sel » (en anglais)
❒ *Strategic Arms Limitation Talks*
❒ *South American Leading Treaty*
❒ *Soviet-American Linking Tactics*

11. Le 27 janvier 1973 les accords « Kissinger – Lê Duc Tho » sont signés à Paris. Où sont-ils censés ramener la paix ?

❒ au Proche-Orient ❒ au Zaïre ❒ en Corée
❒ au Vietnam ❒ en Algérie

Réponses

1. Harry Truman (1945-1953) – Dwight Eisenhower (1953-1961) – John Kennedy (1961-1963) – Lyndon Johnson (1963-1969) – Richard Nixon (1969-1974) – Gerald Ford (1974-1977).

2. Maria Callas, de son vrai nom María Kalogheropoúlos (New York 1923 — Paris 1977).
Elle s'impose dans *Tosca* aux Arènes de Vérone en 1947. Spécialisée dans le répertoire italien (*La Norma, La Traviata, Lucia di Lammermoor, La Somnambula, La Gioconda*, etc.) elle triomphe partout : à Milan, à Paris, à Londres, à Rome ou à New York. Si elle n'a pas une voix de soprano aussi parfaite que Renata Tebaldi (un temps sa rivale à la Scala de Milan), elle révolutionne l'opéra en imposant son exceptionnel talent d'actrice : sur scène, elle bouge, elle joue, elle ressent les émotions et les fait passer dans son chant. Ses « caprices » de diva (ainsi arrête-t-elle une représentation devant le président de la République italienne le 31 décembre 1957), qui ont contribué à sa célébrité, s'expliquent par l'épuisement prématuré d'une voix qu'elle n'a pas ménagée. Si elle ne se produit plus guère après 1961, le succès de ses enregistrements ne s'est jamais démenti : on la « télécharge » au XXIe siècle comme on s'arrachait ses CD à la fin du XXe.

3. Konrad Adenauer : allemand, Joseph Bech : luxembourgeois, Joseph Luns : néerlandais, Christian Pineau : français, Antonio Segni : italien, Paul-Henri Spaak : belge.
Bech, Luns, Pineau et Spaak sont les ministres des Affaires étrangères de leur pays. La présence du président du Conseil italien, Segni, s'explique par le choix de Rome pour la signature du traité. Le chancelier Adenauer a néanmoins tenu à venir en personne. Il est accompagné de son ministre des Affaires étrangères, Walter Hallstein, qui est devenu le premier président de la commission européenne lorsque le traité est entré en vigueur en 1958.

4. Lorsque **l'Assemblée nationale** adopte une motion de censure ou lorsqu'elle désapprouve le programme ou une déclaration de politique générale du **gouvernement**, le **Pre-**

mier ministre doit remettre au **président de la République** la démission de son **gouvernement**.

Voulu par les constituants de 1958 pour souligner le caractère parlementaire du régime, cet article 50 n'a été appliqué qu'une seule fois, en octobre 1962, aux dépens du gouvernement Pompidou. Le président de la République (de Gaulle lui-même jusqu'en 1969) a aussitôt répliqué par la dissolution de l'Assemblée nationale. La victoire de la majorité sortante, aux élections qui ont suivi, a permis à Georges Pompidou de former un nouveau gouvernement. On comprend que, depuis 1962, aucune majorité parlementaire ne se soit risquée à renverser le gouvernement.
À l'instabilité gouvernementale des IIIe et IVe Républiques succède un régime dans lequel seul le résultat des élections législatives ou la volonté du président de la République (lui-même élu par le peuple depuis la réforme constitutionnelle de 1962) peut faire tomber un gouvernement. La Ve République est donc à la fois plus stable et plus démocratique que les régimes précédents, ce qui explique peut-être sa longévité.

5. b. la construction d'un mur entre les deux parties de la ville par les Soviétiques et les Allemands de l'Est.
Depuis le début des années 1950, plus d'un million d'Allemands de l'Est avait fui à l'Ouest en passant par Berlin. Cette hémorragie était inacceptable pour le gouvernement communiste de la République démocratique allemande. C'est à sa demande que les forces d'occupation soviétiques à Berlin-Est ont construit le mur destiné à rendre le passage presque impossible.
La réaction américaine à la construction du mur a été pusillanime. Allait-on risquer une troisième guerre mondiale pour Berlin ? Le président Kennedy a « rattrapé » sa passivité de 1961 en allant exprimer sa solidarité aux Berlinois en 1963. Le blocus de Berlin-Ouest avait eu lieu de juin 1948 à mai 1949 et c'est en 1971 qu'a été signé l'accord quadripartite (États-Unis, URSS, Royaume-Uni, France) sur le statut de Berlin.

6.
Hergé → b, Jimi Hendrix → a, Eero Saarinen → d, Pierre Cardin → c, Sergio Pininfarina → f, David Hamilton → e.

Engagés dans des recherches de plus en plus radicales, les artistes du troisième quart du XXe siècle ont élargi le fossé entre culture savante et culture populaire. La musique de Pierre Boulez, les peintures monochromes d'Yves Klein ou le Nouveau Roman selon Alain Robbe-Grillet font un peu fuir le grand public...
Ce divorce explique en partie la promotion au rang de culture de formes d'expression jusqu'alors moins valorisées: le design, la bande dessinée, le roman policier (l'auteur le plus lu du XXe siècle est Agatha Christie), la musique pop, rock ou de variétés, la télévision, les westerns, la vidéo, le graphisme, etc.
Au milieu des années 1960, un mouvement artistique, le *Pop art*, entend transgresser la frontière entre avant-garde et culture populaire. Andy Warhol élève des empilements de boîtes de soupe Campbell ou de paquets de lessive Brillo au rang de sculptures tandis que Roy Lichtenstein peint dans un style imitant les bandes dessinées à bon marché de « pulp fiction ».

7. Youri Gagarine (le 12 avril 1961).
Ayant lancé le premier satellite dans l'espace en octobre 1957, les Soviétiques avaient pris une avance importante dans ce domaine de la conquête de l'espace. Le voyage de Gagarine, propulsé à 28 260 km/h à 327 km d'altitude, est un événement considérable même s'il ne dure qu'une heure et demie. Jusqu'alors, on ne s'était risqué à envoyer hors de l'atmosphère terrestre que des chiens ou des singes. Gagarine a été promu Héros de l'Union soviétique.
Dès le 5 mai suivant, Alan Shepard est le premier Américain dans l'espace. Lancé plus tard, d'abord marqué par des échecs littéralement *retentissants* (explosion au sol des premières fusées), le programme américain a donc presque comblé son retard. Par la suite, avec le programme Apollo, la NASA *(National Aeronautics and Space Administration)*, entreprend la « conquête » de la Lune. Neil Armstrong et Edwin Aldrin sont les deux premiers hommes à avoir marché sur la Lune le 21 juillet 1969.

8. Israël et ses voisins arabes.
Si par « guerre froide » on entend une longue période sans guerre ouverte entre les Puissances, cette expression n'indique pas que la paix ait régné alors dans le monde. Il y a

des conflits géographiquement limités entre l'Est et l'Ouest, comme à Berlin, en Corée (de juin 1950 à juillet 1953) ou au Vietnam.
On relève aussi de nombreux affrontements sans rapport avec la « guerre froide » comme les guerres entre l'Inde et le Pakistan (en 1947, 1964 et 1971) ou le conflit, jamais apaisé, né de la fondation d'Israël en mai 1948. Dès 1948-1949, puis en 1956, 1967 et 1982, l'armée israélienne a affronté celles de ses voisins arabes. La guerre des Six Jours, qui a eu lieu en juin 1967, s'est traduite par une nouvelle défaite de l'Égypte, la Syrie et la Jordanie face à Israël.

9. c. au ministère du Travail, 127 rue de Grenelle, en mai 1968, entre syndicats et patronat, pour ramener la paix sociale.
Mai 68 est d'abord et surtout un mouvement étudiant. À Nanterre dès le 22 mars puis à Paris et bientôt partout en France, d'immenses manifestations étudiantes gagnent les universités. On a pu observer le même phénomène en 1968 à Berlin, sur les campus américains, en Italie, en Belgique, etc. En France, la crise devient politique et sociale après le 13 mai : des grèves massives paralysent complètement l'activité économique. Le gouvernement Pompidou organise une réunion entre syndicats et patronat pour remettre la France au travail. En dépit de leur générosité (forte hausse de salaires, quatrième semaine de congés payés, etc.) ces accords de Grenelle, négociés le 27 mai, n'ont pas suffi à rétablir l'ordre. Il a fallu que le général de Gaulle, longtemps stupéfait devant cette agitation, reprenne les choses en main le 31 mai. L'écho à long terme de « Mai 68 » a été considérable.

10. Strategic Arms Limitation Talks (Négociations sur la limitation des armements stratégiques).
Depuis qu'en 1949 l'URSS s'était, à son tour, dotée de l'arme atomique, les deux Grands étaient lancés dans la course aux armements. Des armes plus destructrices (la bombe H ayant succédé à la bombe A) étaient rendues plus menaçantes par la maîtrise de missiles intercontinentaux, depuis 1957. Au début des années 1970, chacun des deux camps dispose de plus de 10000 missiles équipés de têtes nucléaires, arsenal aussi ruineux que superfétatoire (une centaine de bombes H suffisant à détruire toute vie sur terre).

La signature à Moscou par le président Nixon et le secrétaire général Brejnev du traité SALT est une réponse raisonnable et mesurée à cette situation. Il ne concerne que les missiles à longue portée (plus faciles à contrôler par satellite) et limite, sans le réduire, leur nombre. C'est un premier pas vers le désarmement et un signe caractéristique de la « Détente » entre les deux Grands qui règne de 1963 à 1979.

11. au Vietnam.
Depuis la séparation, en 1954, entre un État communiste au nord et un allié des Occidentaux au sud, le Vietnam n'avait pas retouvé la paix. Au sud, une guérilla communiste (le « Viet-cong ») combattait le gouvernement de Saïgon. Dans les années 1960, les États-Unis ont envoyé des soldats (plus de 500 000 fin 1967 !) aider le gouvernement du Sud. Militairement inefficace, coûteux et bientôt impopulaire, l'engagement américain au Vietnam a tourné à l'« enlisement ». Après 1969, la politique américaine a tendu à désengager le corps expéditionnaire (« vietnamisation du conflit ») et à rechercher une sortie honorable. C'est le but atteint par les accords signés entre Lê Duc Tho (le ministre des Affaires étrangères nord-vietnamien) et Kissinger (son homologue américain) qui formalisent le retrait complet des forces américaines et un cessez-le-feu, très vite violé. En revanche, la guerre continue au Vietnam jusqu'à la victoire définitive des communistes et la réunification du pays en avril 1975.

9
Stagflation et guerre fraîche

1973-1985

Les chocs pétroliers de 1973 à 1979 ont mis un terme à la croissance des Trente Glorieuses. Dans le monde occidental, c'est la première fois que la stagnation économique se conjugue à l'inflation : on parle de « stagflation ». Cependant, des pays jusque-là « sous-développés » connaissent à leur tour croissance et prospérité. Ce sont les NPI (Nouveaux pays industrialisés) d'Asie orientale : Corée du Sud, Taïwan, Hong Kong, Singapour. Ils suivent le chemin pris auparavant par le Japon et qui le sera plus tard par la Chine.

À la « Détente », qui avait prévalu, de 1962 à 1979, succède une période de tensions accrues entre l'Est et l'Ouest. Nouveau numéro un chinois, nouveaux philosophes, nouveaux pays industrialisés, nouvelle cuisine et même de nouveaux dirigeants en URSS... le monde change.

1. Le « choc pétrolier » d'octobre 1973 est un quadruplement du prix du pétrole en quelques semaines. Il marque le retour de l'inflation dans le monde. Qu'est-ce qui a le plus augmenté pendant les années qui vont suivre ?

- ❒ le baril de pétrole brut
- ❒ le litre d'essence à la pompe
- ❒ le kilowatt/heure d'électricité
- ❒ le lingot d'or
- ❒ le salaire horaire d'un ouvrier agricole au Bangladesh

2. Le 8 août 1974, le président des États-Unis Richard Nixon démissionne à la veille d'être mis en accusation par le Congrès. Pour quels chefs d'accusation risquait-il d'être poursuivi ? Attention, plusieurs réponses sont possibles !

a. avoir commandité l'intrusion par effraction de faux cambrioleurs venus poser des micros (à la permanence du Parti démocrate, dans l'immeuble du Watergate)
b. avoir menti à une commission d'enquête du Congrès *(contempt of court)*
c. subornation de témoins
d. destruction de preuves dans une enquête judiciaire
e. entrave à la justice

3. Une restauration monarchique en 1975 ! Anachronisme ou modernisation ? Dans quel pays survient-elle ?

❒ en Belgique ❒ au Danemark
❒ en Espagne ❒ aux Pays-Bas
❒ en Norvège ❒ en Suède

4. 1976, année de cataclysmes en Chine. Le Premier ministre meurt le 8 janvier. Le 28 juillet un tremblement de terre fait plus de 700 000 morts dans le Nord du pays. Pour un disciple de Confucius, ce sont des signes du dérèglement de l'harmonie du Cosmos. Ils sont confirmés par le décès du « grand timonier », à la tête du pays depuis 1949. Qui désormais dirige *vraiment* la Chine ?

❒ Mao Zedong ❒ Zhou Enlaï
❒ Hua Guofeng ❒ Deng Xiaoping
❒ Liu Shaoqi

5. « Nouvelle cuisine », « nouveaux philosophes », « nouvelle histoire », « nouvelle sociologie », « nouvelle géographie » ; à en croire les médias, tout est nouveau en cette fin des années 1970. La « nouvelle cuisine » a été lancée en premier. Par qui ?

❒ Henri Gault et Christian Millau
❒ André Ducasse
❒ Paul Bocuse
❒ Bernard Loiseau

6. Dans quel pays les Brigades rouges se sont-elles rendues célèbres ?

a. en République populaire de Chine, pendant la Révolution culturelle

b. en Angola, en Éthiopie ou en Somalie. Ce sont des soldats cubains venus en Afrique pour aider à la propagation du communisme
c. en Italie. Ce sont des terroristes d'extrême gauche.
d. en Allemagne de l'Ouest. Ce sont des terroristes d'extrême gauche

7. En 1979, la République islamique est instaurée en Iran. Qui en devient le premier président ?
❒ le shah Mohammed Reza Pahlavi
❒ l'ayatollah Khomeyni
❒ Chapour Bakhtiar
❒ Bani Sadr

8. Quel est l'événement à l'origine de ce que l'on appelle la « guerre fraîche » ?
a. la Révolution islamique en Iran
b. l'invasion de l'Afghanistan par l'armée soviétique en décembre 1979
c. l'installation par les Soviétiques de missiles à tête nucléaire (de type SS 20) en Europe
d. la rhétorique très anti-communiste du nouveau président américain Ronald Reagan

9. Après le 10 mai 1981, en France, on ne parle plus que du « Changement ». Mais qu'est-ce qui a alors *changé* ? Parmi les cinq affirmations suivantes, à vous de démêler le vrai du faux :
a. La France a changé de président de la République. Vrai ou faux ?
b. L'Assemblée nationale a changé de majorité pour la première fois depuis 1958. Vrai ou faux ?
c. La Constitution de 1958 a profondément changé. Vrai ou faux ?
d. La politique économique suivie par le gouvernement a changé. Vrai ou faux ?
e. Le système économique a changé, du capitalisme au socialisme. Vrai ou faux ?

Réponses

1. le lingot d'or.
Les chocs pétroliers de 1973 et 1979 ne sont pas la principale cause de l'inflation même si le baril de brut passe de 2,5 à 30 dollars en huit ans. Cette hausse est amortie pour les consommateurs par le poids (stable) des taxes dans le prix d'un litre d'essence, par exemple. La modernisation des centrales électriques permet même au kilowatt/heure de ne pas augmenter plus vite que les revenus.
C'est l'abandon du Système monétaire international en vigueur depuis la conférence de Bretton Woods qui a déréglé les monnaies et les prix. Désormais l'or n'est plus l'étalon du dollar ni des autres monnaies. Toutes les monnaies « flottent » dans le plus grand désordre. Il en résulte une inflation généralisée dont un indicateur est l'envolée du prix de l'or qui passe de 35 à 860 dollars l'once (28,35 grammes) entre 1971 et 1980.
Les pays sous-industrialisés non producteurs de pétrole (tel le Bangladesh, pauvre parmi les pauvres) s'enfoncent un peu plus dans le sous-développement.

2. a., **b.**, **c.**, **d.**, **e.**, Il est coupable de tout !
Si Richard Nixon avait reconnu avoir fait poser des micros au siège de campagne de son adversaire démocrate, en juin 1972, il aurait pu terminer tranquillement son second mandat en janvier 1977. Kennedy et Johnson, ses deux prédécesseurs, n'en avaient-ils pas fait autant ? Mais persuadé d'avoir affaire à un complot ourdi par la presse (notamment le *New York Times* et le *Washington Post*) et la majorité démocrate du Congrès, ce grand paranoïaque de Nixon s'est enferré. Il a menti à tout le monde, empêché des collaborateurs de témoigner et même brûlé des enregistrements de ses conversations téléphoniques. Il ne fait aucun doute que le Congrès aurait voté l'*Impeachment* (mise en accusation) si Nixon n'avait démissionné juste avant. Son successeur (Gerald Ford) l'a amnistié.

3. en Espagne.
À la mort du dictateur Franco, en novembre 1975, son successeur désigné, Don Juan Carlos, monte sur le trône. Il est le descendant des Bourbons, la dynastie ayant régné en

Espagne jusqu'en 1931. Dès son intronisation, il annonce sa volonté d'établir une monarchie constitutionnelle. Les nouvelles institutions démocratiques sont approuvées, à une très large majorité, par référendum, en décembre 1978. Juan Carlos Ier a donc une triple légitimité successorale, dynastique et *démocratique*, ce qui en fait un roi unique au monde.
En Belgique, au Danemark, aux Pays-Bas, en Norvège ou en Suède, la monarchie parlementaire est établie depuis le XIXe siècle. En règle générale, les baptêmes, mariages, funérailles et successions dynastiques n'y intéressent que la presse «*people*».

4. Deng Xiaoping.
Zhou Enlaï est le Premier ministre décédé en janvier. Mao Zedong est le «grand timonier» qui avait dirigé la Chine communiste depuis 1949. Il portait, depuis octobre 1968, le titre, purement honorifique, de président.
C'est Hua Guofeng qui devient président en septembre 1976 sans pour autant jouer un rôle de premier plan. Déjà, de 1959 à 1968, Liu Shaoqi avait occupé la présidence sans faire de l'ombre à Mao. Le nouveau maître du pays à partir de 1976 est donc Deng Xiaoping, même s'il n'est officiellement que «premier vice-Premier ministre».
De 1949 à 1976, sous la conduite de Mao, le communisme chinois se distinguait du soviétique par un plus strict égalitarisme, qui avait même été exacerbé par les déchaînements de violence de la «Révolution culturelle» (en 1966-1970). À l'opposé du «maoïsme», l'ère Deng Xiaoping est celle des réformes économiques (Que Deng intitule «les quatre modernisations»). Elles conduisent la Chine sur la voie du capitalisme qui y triomphe dans les années 1990.

5. Henri Gault et Christian Millau (dans leur *Guide* annuel).
Cette profusion de «nouveautés» nous renseigne davantage sur une mode journalistique que sur la réalité. La «nouvelle histoire» (à proprement parler «l'école des *Annales*» fondée par Lucien Febvre et Marc Bloch) a bien été «nouvelle» mais... en 1930. Quant aux «nouveaux philosophes», ils n'ont rien écrit qui puisse démoder Platon, Aristote, Kant ou Hegel.

C'est donc la plus frivole de ces nouveautés qui a été la plus durable. Trente ans plus tard, partout dans le monde, les cuisiniers ambitieux continuent de suivre les conseils prodigués par Gault et Millau : ne pas trop cuire les aliments, ne pas dénaturer leur saveur avec des sauces lourdes et grasses et servir des portions mesurées (ce dernier conseil a été, hélas, le mieux suivi). Paul Bocuse, Bernard Loiseau et André Ducasse sont parmi les chefs qui ont illustré ce renouvellement de l'art culinaire.

6. en Italie. Ce sont des terroristes d'extrême gauche.
Dans les années 1970, l'Italie a été en proie à la violence politique de la part des deux extrêmes. Les bombes ayant tué des dizaines d'innocents piazza Fontana (le 12 décembre 1969) ou en gare de Bologne (85 morts le 2 août 1980) avaient été posées par des extrémistes de droite. De nombreux groupes clandestins d'extrême gauche ont multiplié les assassinats à la même époque. Les Brigades rouges sont les plus connues. Elles sont devenues célèbres en enlevant (le 16 mars 1978), puis en tuant Aldo Moro, un ancien président du Conseil.
L'Allemagne de l'Ouest a aussi subi la violence meurtrière de l'extrême gauche (la Fraction armée rouge) dans les années 1970. Des soldats de l'armée régulière cubaine (et non quelque « brigade » improvisée) ont combattu en Afrique. Et la violence politique extrême manifestée lors de la Révolution culturelle chinoise est le fait des gardes rouges.

7. Bani Sadr, mais vous êtes tout excusé si vous avez répondu l'ayatollah Khomeyni.
Le régime renversé en février 1979 était celui du shah (« empereur ») Mohammed Reza Pahlavi. Avant de quitter l'Iran, il avait tenté de sauver son trône en nommant un opposant libéral, Chapour Bakhtiar, à la tête du gouvernement.
Dans la République islamique, le pouvoir réel est exercé par le Conseil de la Révolution islamique avec à sa tête un Guide suprême de la Révolution. Jusqu'en 1989, c'est l'ayatollah (titre religieux) Ruhollâh Khomeyni qui occupe cette fonction. Il y a en outre un Parlement et un président (Bani Sadr en 1980-1981) élus mais ils sont subordonnés au pouvoir religieux.

8. b. l'invasion de l'Afghanistan par l'armée soviétique en décembre 1979.
Le 24 décembre 1979, l'armée soviétique envahit l'Afghanistan. Cette démonstration de force entraîne des représailles diplomatiques des États-Unis : boycott des Jeux olympiques à Moscou en 1980, embargo sur les exportations de céréales vers l'URSS et refus de ratifier les accords SALT-II. C'est le début de la « guerre fraîche », bien avant l'élection de Ronald Reagan (en novembre 1980). Si l'installation des SS 20 (missiles sol-sol à courte portée), menaçant directement l'Europe occidentale, avait déjà commencé, elle n'est devenue une cause de tensions internationales qu'après 1980.
La Révolution islamique en Iran a été sans incidence sur les rapports Est-Ouest.

9. a. vrai, b. vrai, c. faux, d. vrai, e. faux.
Le 10 mai 1981, François Mitterrand est élu face au président sortant Valéry Giscard d'Estaing. Il dissout l'Assemblée nationale et convoque des élections législatives, en juin, qui se traduisent par une large victoire (la « vague rose ») du Parti socialiste et de ses alliés (Parti communiste et radicaux de gauche) qui étaient dans l'opposition depuis 1958.
Si par le passé François Mitterrand avait critiqué les pouvoirs excessifs donnés au président de la République par la Constitution de 1958, ce thème a disparu de son discours après 1981.
Le gouvernement de Pierre Mauroy (1981-1984) instaure une nouvelle politique « de relance » : hausse sensible du salaire minimum, durée légale du travail ramenée de 40 à 39 heures, cinquième semaine de congés payés, etc. Elle tranche avec la politique du gouvernement précédent, mais n'ayant pas eu les résultats escomptés (le chômage a continué d'augmenter), elle a été abandonnée en 1983.
Même si de nombreux groupes industriels et bancaires sont nationalisés, la France n'en reste pas moins une économie de marché où le capital privé est prépondérant. Mais en 1981, le « changement » a été vécu passionnément, avec enthousiasme pour les uns, inquiétude pour les autres. Les alternances ultérieures (1986, 1988, 1993, 1997) ont été beaucoup plus calmes.

10
Un nouvel ordre du monde ?

1986-1999

La chute du mur de Berlin matérialise la fin de la « guerre froide » entre l'Est et l'Ouest qui, avec plus ou moins d'intensité, menaçait la paix et la stabilité du monde depuis 1945. Le bloc soviétique s'effondre en 1989-1990 et l'URSS elle-même disparaît ensuite. La fin des tensions Est-Ouest, le renforcement de la démocratie en Europe de l'Est, mais aussi en Amérique latine ou en Afrique, suscitent une vague d'optimisme. Quelques-uns en viennent à parler de la « fin de l'Histoire ». Des conflits régionaux sanglants, comme en Yougoslavie, nuancent ce constat. Si le marasme économique persiste en Europe et s'installe au Japon, le reste du monde a surmonté la crise des années 1970 et a renoué avec la croissance. En Europe occidentale, restée à l'écart de ce renouveau, on se complaît parfois dans les commémorations. À l'approche du changement de millénaire, les débats intellectuels et le mouvement artistique se font volontiers rétrospectifs.

1. En février 1987, Mikhaïl Gorbatchev propose aux États-Unis l'« option double zéro ». L'administration Reagan l'accepte et le traité de Washington du 8 décembre 1987 l'entérine. De quoi s'agit-il ?

- **a.** une multiplication par 100 (deux zéros après l'unité) des livraisons de blé américain à l'URSS
- **b.** la fin de la présence militaire étrangère en Allemagne : zéro soldat soviétique en RDA, zéro G.I. en RFA

c. une campagne commune des garde-côtes entre Alaska et Sibérie orientale. Objectifs : zéro pêcheur de baleines et zéro chasseur de bébés phoques

d. l'élimination complète des missiles à tête nucléaire de moyenne portée : zéro missile à portée intermédiaire (de 1 000 à 5 000 km) et zéro missile à portée moyenne-courte (500 à 1 000 km)

2. Jamais autant de nations n'avaient envoyé autant d'athlètes qu'aux Jeux olympiques de Séoul en 1988. Voici cinq médaillés d'or et cinq compétitions. Attribuez à chaque athlète sa compétition en traçant les bons liens.

Carl Lewis •		• 100 mètres plat (athlétisme)
Sergueï Bubka •		• sabre individuel (escrime)
Jean-François Lamour •		• saut à la perche
Matt Biondi •		• tournoi en simple (tennis)
Steffi Graf •		• 100 mètres nage libre (natation)

3. Nicolae Ceaucescu est le seul dictateur communiste à avoir tenté de se maintenir au pouvoir par la force en 1989.

a. Dans quel pays a-t-il sévi ?

❒ en Albanie ❒ en Bulgarie
❒ en Hongrie ❒ en Pologne
❒ en Roumanie ❒ en Tchécoslovaquie

b. Bien connu pour sa mégalomanie, Ceaucescu portait des surnoms élogieux. Parmi les quatre surnoms suivants, seuls deux sont authentiques. Lesquels ?

le « génie des Carpates » – le « prince de Transylvanie » – le « Danube de la pensée » – le « cordonnier du peuple »

4. Premier ministre de son pays de 1979 à 1990, elle est à l'origine d'une « révolution » paradoxale : la « révolution conservatrice ». Son tempérament peu accommodant lui a valu le surnom de « Dame de fer ». Quel est son nom ?

5. Le 25 décembre 1991, Mikhaïl Gorbatchev annonce à la télévision qu'il démissionne de la présidence de l'URSS. Pourquoi ?

a. Il a été battu aux dernières élections.
b. Il a été évincé par un coup d'État, c'est sous la menace qu'il démissionne.
c. Ayant fait poser des micros chez Boris Eltsine, il est discrédité par le scandale.
d. Il n'y a plus d'URSS depuis le 1er décembre.

6. L'implosion de la Yougoslavie dans les années 1990 se traduit par une longue série de guerres et de massacres de populations civiles. Avant de sombrer dans le chaos, la Yougoslavie était une fédération de six républiques. Voici une liste de sept républiques, dont une est erronée. À vous de l'identifier.

Bosnie-Herzégovine – Croatie – Kossovo – Macédoine – Monténégro – Serbie – Slovénie

7. Le 1er janvier 1993 l'Union européenne s'élargit à l'Autriche, la Finlande et la Suède, portant à quinze le nombre de ses membres. Combien de pays êtes-vous capable de nommer parmi les douze premiers ?

Les six États fondateurs sont :
En 1973 sont entrés :
En 1981 le dixième fut :
Et en 1986 les 11e et 12e ont été :

8. Le 10 mai 1994, Nelson Mandela est élu président de la République sud-africaine. Quelle était sa situation quatre ans auparavant ?

a. Il était déjà président.
b. Il était le chef de file de l'opposition au sein du Parlement.
c. Il était réfugié au Botswana voisin.
d. Il était en exil à Lausanne.
e. Il était en prison.

9. L'esthétique « post-moderne » s'impose dans l'architecture de la fin du XXe siècle. Voici cinq réalisations et cinq localisations. Remettez chaque bâtiment au bon endroit en traçant les liens qui conviennent.

l'AT & T Building (Philip Johnson)	•	• Montpellier
le quartier Antigone (Ricardo Bofill)	•	• New York
le siège de la banque HSBC (Norman Foster)	•	• Hong Kong
l'Institut du monde arabe (Jean Nouvel)	•	• Tokyo
la Prada boutique Aoyama (Jacques Herzog et Pierre de Meuron)	•	• Paris

10. À quoi se sont engagés les signataires du protocole de Kyoto en 1997 ?

a. Le Japon s'est engagé à réparer les crimes commis par ses soldats en Asie, entre 1937 et 1945.

b. Les États signataires se sont engagés à préserver les monuments du patrimoine mondial (d'où le choix de l'ancien palais impérial de Kyoto pour la signature).

c. C'est un protocole pharmaceutique dans le traitement du « mal de Kyoto ».

d. Les États signataires s'engagent à réduire les émissions de gaz à effet de serre.

Réponses

1. d. l'élimination complète des missiles à tête nucléaire de moyenne portée.

Convaincu que la course aux armements a été la ruine de l'économie soviétique, Gorbatchev a fait du désarmement bilatéral un objectif prioritaire de sa politique extérieure. Le traité de Washington sur l'« option double zéro » est le plus spectaculaire. Sa signature débloque la situation et permet la mise en œuvre des accords SALT-II (portant sur les missiles d'une portée supérieure à 5 000 km), qui avaient été signés mais non ratifiés en 1979, et de nouvelles négociations sur les missiles tactiques (de moins de 500 km de portée, ils sont faciles à dissimuler et donc difficiles à contrôler) et même les forces classiques stationnées en Europe (traité conclu en 1990).

2.

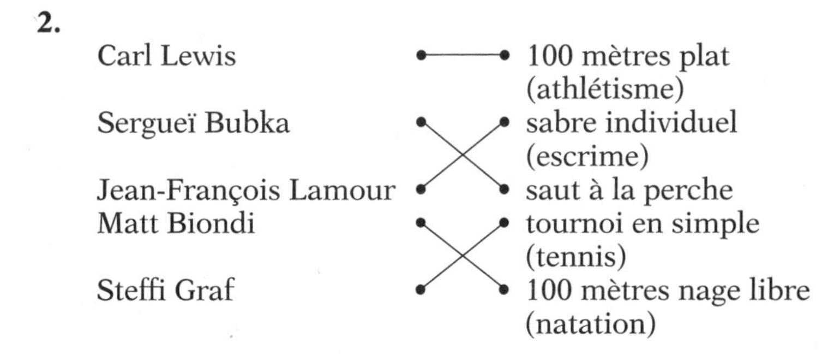

Notons que la course du 100 mètres avait été gagnée par Ben Johnson mais il a été déclassé pour dopage, permettant à Carl Lewis de retrouver sa médaille d'or de 1984.
Les affaires de dopage sont une des rançons de la médiatisation accrue des Jeux olympiques. Ceux de Munich en 1972 avaient été le cadre d'une action terroriste contre les athlètes israéliens. Les Jeux de Montréal en 1976 ont été boycottés par des États africains, ceux de Moscou en 1980 par les États-Unis et quelques-uns de leurs alliés. L'URSS et ses propres alliés ont à leur tour dédaigné Los Angeles en 1984.
C'est pourquoi l'on atteint un record de participants à Séoul en 1988. Il a été battu à Barcelone en 1992 et, à nouveau, à Atlanta en 1996.

3. a. en Roumanie ; b. le « génie des Carpathes » – le « Danube de la pensée ».
La Hongrie ayant ouvert sa frontière la première, il est devenu difficile aux dirigeants communistes d'Europe de l'Est d'empêcher l'exode de leur population vers l'Ouest. Conscients de l'impasse dans laquelle ils sont engagés ou résignés, les dirigeants de RDA autorisent le franchissement du mur de Berlin le 9 novembre. La chute du mur de Berlin, bientôt concrète, est l'événement déclencheur de l'effondrement du bloc soviétique. Il tombe comme un château de cartes, chaque gouvernement renonçant de plus ou moins bon gré à s'accrocher au pouvoir. La « révolution de velours », en Tchécoslovaquie, est significative de ce bouleversement pacifique. En Roumanie en revanche, le tyran ubuesque Ceaucescu entend se maintenir par la force. Après une semaine d'affrontements violents, il s'enfuit en hélicoptère de son palais néronien de Bucarest le 25 décembre 1989. Arrêté sur un aérodrome militaire, il est « jugé » à la hâte et exécuté sur place.

4. Margaret Thatcher.
Sa longue présence à la tête du gouvernement britannique aura marqué le quatrième quart du XXe siècle. Intransigeante, peu portée sur la négociation et le compromis, Margaret Thatcher a gouverné son pays en doctrinaire, voire en idéologue. Elle a incarné la « révolution conservatrice », un ensemble de thèmes politiques parmi lesquels le rejet du rôle de l'État dans l'économie, la remise en cause de l'État-providence, la réhabilitation des valeurs morales traditionnelles, l'accent mis sur l'action individuelle, l'effort et la compétition. Les idées et les pratiques de Mme Thatcher ont rayonné hors de Grande-Bretagne, notamment aux États-Unis et dans les pays d'Europe de l'Est après l'effondrement du bloc soviétique.

5. d. Il n'y a plus d'URSS depuis le 1er décembre (1991).
Arrivé au pouvoir en 1985, Gorbatchev a voulu réformer l'économie du pays (*perestroïka,* « restructuration ») et y introduire la démocratie pluraliste (*glasnost,* « transparence »). Persuadé que le système socialiste pouvait être amélioré, il a d'abord peu réformé avant de déstabiliser l'économie soviétique par des mesures brutales (libéralisation des prix, du crédit et autonomie d'approvisionnement

des entreprises) qui ont mené l'Union au chaos. Les réformes politiques engagées sous le nom de *glasnost* ont permis aux Soviétiques de retrouver une réelle liberté d'expression. Gorbatchev n'en a pas été le principal bénéficiaire. En mars 1990, il s'est fait élire président de l'URSS par le Parlement, mais en juin 1991 son rival (et ancien collaborateur) Boris Eltsine est élu président de la Russie au suffrage universel. Il est donc plus légitime tandis que Gorbatchev est de moins en moins populaire. La pathétique tentative de coup d'État de quelques nostalgiques de l'URSS brejnevienne, en août, a permis à Eltsine, qui a fait échouer le putsch, d'avoir le beau rôle. Depuis janvier 1991 (les « événements de Vilnius ») les républiques socialistes soviétiques quittent toutes l'Union l'une après l'autre, d'abord les trois républiques baltes (Estonie, Lettonie, Lituanie) et, pour finir, l'Ukraine le 1er décembre. À cette date il n'y a donc plus d'Union des républiques socialistes soviétiques puisque toutes l'ont quittée, sauf la Russie elle-même qui a son propre président élu (Eltsine). Véritable héros shakespearien, Mikhaïl Gorbatchev reste encore trois semaines président d'une entité qui a disparu.

6. Il fallait identifier le **Kossovo** comme n'étant pas une république.
Peuplé à 80 % d'Albanais, le Kossovo s'est vu refuser le statut de république par les Serbes qui le considèrent comme le berceau de la Serbie médiévale. Son cas résume toute la Yougoslavie depuis sa création : un État multinational dans lequel l'une des nations, la serbe, a toujours eu plus de poids que les autres. Déjà, entre 1929 et 1945, des Croates avaient pris les armes contre les Serbes. Sous la dictature du communiste Tito (de 1945 à 1980), le fédéralisme avait paru fonctionner. Mais en exacerbant le nationalisme serbe, son successeur Slobodan Milosevic précipite la Yougoslavie dans les guerres inter-ethniques. Les premières violences ont justement lieu au Kossovo en 1989. Slovénie et Croatie proclament leur indépendance en 1991. La Bosnie-Herzégovine est ensanglantée par des massacres de masse jusqu'en 1995. La Macédoine obtient la reconnaissance de son indépendance en 1992 et le Monténégro en 2006. En Bosnie-Herzégovine et au Kossovo (dont le sort n'est pas réglé) la présence de « casques bleus » reste nécessaire.

7. Les six États fondateurs sont : **la Belgique, la France, l'Italie, le Luxembourg, les Pays-Bas et la République fédérale d'Allemagne.**
En 1973 sont entrés : **le Danemark, l'Irlande et le Royaume-Uni.**
En 1981 le dixième fut : **la Grèce.**
Et en 1986 les 11e et 12e ont été : **l'Espagne et le Portugal.**

8. e. Il était en prison.
Depuis 1948, l'Afrique du Sud avait institutionnalisé le racisme sous le nom d'*apartheid*. La minorité blanche détenait le pouvoir tandis que les Noirs étaient juridiquement assujettis et socialement marginalisés. Les adversaires du système, dont Mandela, étaient persécutés. Avant sa libération en 1990, Nelson Mandela a même été le plus ancien prisonnier politique au monde. Sous la présidence de Frederik de Klerk, le pouvoir blanc a mis fin à l'*apartheid* et démocratisé la vie politique. L'élection de Mandela à la présidence en 1994 est l'aboutissement de ce processus.
À partir du milieu des années 1980, la démocratie progresse dans le monde, d'abord en Amérique latine, où les dictatures militaires reculent, puis en Europe de l'Est, après 1989, et parfois aussi en Afrique.
Ce n'est pas la « fin de l'Histoire » mais ce progrès sensible de la démocratie et des droits de l'Homme dans le monde a pu susciter quelque espoir.

9.

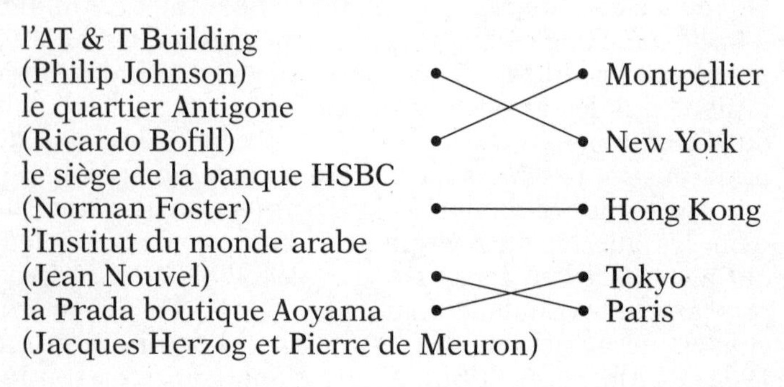

L'architecture post-moderne rompt avec les parallélépipèdes monotones aux façades désespérément lisses des immeubles construits depuis le milieu du siècle. Le post-moderne marque le retour de l'ornementation des surfaces et des

références architecturales (Jean Nouvel cite l'art arabo-musulman sur la façade de l'IMA tandis que Bofill scande les immeubles d'Antigone de chapiteaux, pilastres et colonnes à la grecque).
L'esthétique post-moderne s'est imposée dans d'autres arts. Des compositeurs de la fin du XXe siècle (Arvo Pärt, Peter Eötvös, Philip Glass, Philippe Manoury) renouent avec l'expressivité, parfois avec la musique tonale, en réaction à l'austérité de l'école de Darmstadt (Karlheinz Stockhausen, Pierre Boulez, Luciano Berio). Les romanciers retrouvent le goût de la narration et des personnages, dont le « nouveau roman » (dans les années 1950) avait annoncé la disparition.
Le post-moderne n'est pourtant pas un énième néo-classicisme. La référence au passé n'interdit pas l'innovation technique ou esthétique et elle ne tourne jamais au pastiche. Ces « Modernes » n'ont pas d'« Anciens » prétendument indépassables.

10. d. Les États signataires s'engagent à réduire les émissions de gaz à effet de serre.

Les gaz « à effet de serre » (CO_2, méthane, halocarbures, etc.), en se dispersant dans l'atmosphère, accentuent l'effet du rayonnement solaire, un peu comme la vitre d'une serre. Leur émission est donc rendue responsable du réchauffement climatique dont on constate les effets à la fin du XXe siècle. Par le protocole de Kyoto, les États signataires s'engagent à réduire, avant 2012, les émissions de gaz de 5 à 8 % du niveau déjà atteint en 1990. L'entrée en vigueur du protocole a été gravement compromise par le refus des États-Unis et de la Chine (les deux premiers pollueurs) de l'appliquer.
S'il est trop tôt pour savoir de quoi le XXIe siècle sera fait, il n'est pas invraisemblable de penser que le protocole de Tokyo témoigne des préoccupations du siècle à venir.

878

Composition PCA – 44400 Rezé
Achevé d'imprimer en France par Aubin
en juin 2008 pour le compte de E.J.L.
87, quai Panhard-et-Levassor, 75013 Paris
Dépôt légal juin 2008.
EAN 9782290009925

Diffusion France et étranger : Flammarion